D0445183

Selbstportrait
Bleistiftskizze von Traugott Vogel, 1. Juli 1968

Traugott Vogel

Leben und Schreiben

Achtzig reiche magere Jahre

Orell Füßli Verlag Zürich

Für großzügig gewährte Druckkostenzuschüsse dankt der Verlag
der *Erziehungsdirektion des Kantons Zürich*,
der *Präsidialabteilung der Stadt Zürich*
sowie dem *Schweizerischen Schriftsteller-Verband*

Grafische Gestaltung:
Walter Bangerter SWB, Zürich
© Orell Füssli Verlag Zürich 1975
ISBN 3 280 806 9

Wisse, was war,
zu erkennen, was ist.

Eine Chronik schreibt nur derjenige,
dem die Gegenwart wichtig ist.
(Goethe «Maximen
und Reflexionen», III.)

Inhalt

Vorspruch

Das vorliegende Buch enthält den Bericht eines Mannes, der – auf seiner Lebenshöhe angelangt – Rückschau hält und Überblick nimmt über die durchwanderte Flußlandschaft zu seinen Füßen. Er hält auf seiner Lebensfahrt inne, weil es ihn lockt, das Erfahrene zu ordnen und in der Ordnung einen Sinn zu erkennen.

Dieser Rückblickende bin ich selbst, und es wird nicht zu vermeiden sein, daß ich in diesem Erinnerungsspiegel zuweilen meiner eigenen Gestalt begegne und mich mit ihr auseinanderzusetzen habe. So mag es vorkommen, daß es mir wie dem Manne im Spiegellabyrinth geschieht, der sich unverhofft einem Fremden gegenübersieht und mit einem leichten Schreck erkennt, daß diese wunderliche, befremdende Gestalt sein eigenes Bild im Vexierglas ist.

Die Kapitel dieses Erinnerungsbuches gewähren Einblick in die verschiedensten Lebenslandschaften, die durchwandert wurden; dem Flußlauf der Zeit folgend, hebt der Wanderer an dessen Ufern Fundstücke auf, bei deren Betrachten nun das Gewesene sich neu vergegenwärtigt, sich ins Wort drängt und nach Sinnhaftigkeit strebt.

Wie einer, der aus der Wölbung der Scherbe auf die gewesene Form eines zerfallenen Kruges zu schließen vermag, so versuche ich hier, die aufgehobenen Bruchstücke vergangener Tage zu einem Ganzen zu fügen, hoffend, Vorhandenes besser zu verstehen, wenn ich begreife, wie es geworden ist.

T. V.

I

Anwalt des Unscheinbaren

Edwin Arnet zum Gedenken

Der von Autoren und Schauspielern umworbene und ge-
fürchtete Berliner Theaterkritiker Alfred Kerr schrieb in
einem seiner späten Aufsätze*, er habe den Roman «Elgcle»
(Artemis Zürich, 1948) von Edwin Arnet gelesen; bei den
Schweizern finde er meist ein nachdrücklicheres Deutsch als
bei vielen Deutschen, ein unglatteres, geröllhafteres. Aber
hier (bei At) sei kein Geröll, «sondern eine feinfühlige Willkür im Weltdämmer. Bewußt unmodisch. Die Automobilzeit
fast im Sprachgewand der Postkutschenzeit. Fast Moritz
von Schwind mit Telephon.»
«Bewußt unmodisch», das heißt Abkehr von jeder Stilmode,
und tatsächlich galt diese Haltung für Edwin Arnet, ob er
nun für die Zeitung oder fürs Buch schrieb. «Fast Moritz
von Schwind mit Telephon», das wiederum bedeutet: Arnets Unzeitgemäßheit habe nichts zu tun mit romantischer
Flucht aus der Zeit in die Etappe. Seine Empfindsamkeit bewahre ihn keineswegs vor der Nötigung, sich der Gegenwart
mannhaft zu stellen, ja sich ihr auszuliefern. – Während
vierzig Jahren (bis 1960) betätigte er sich als Journalist und
als Redaktor des Lokalen an der Neuen Zürcher Zeitung
und gewann hier das Ansehen einer Gewissensinstanz. (Das
ernstgemeinte Scherzwort eines seiner Kollegen besagte, At
verwalte am Blatt die Abteilung Herz.)
In den schweren Foliobänden des Zeitungsarchivs sind an
die tausend mit At gezeichnete Artikel zu finden. Alles Geschehen, das sich vom flachen Alltag einer Stadt abhebt, fiel
ihn an, wollte von ihm beachtet und dargestellt werden und

* Alfred Kerr, «Erinnerungen an Zürich», Kaufmännisches Mitteilungs-
blatt, Sommer 1947.

gehörte zum Pensum seines Pflichtfaches: Unfälle, Verbrechen, Katastrophen, aber auch Kabarett, Film, Zirkus, Fest-
chronik, ferner Wohlfahrt, immer wieder und vorwiegend
Wohlfahrt und Fürsorge. Kein Ereignis schien ihm als Reporter im voraus minderwertig und -wichtig; hingegen war
ihm das Laute, Selbstgefällige, das Gespreizte, das schamlos-
unverschämt sich selbst Anbietende verdächtig und meidens-
wert. So erscheint uns At als Parteigänger der Hintange-
setzten, als Anwalt der Vernachlässigten, als Sprecher der
Leisen und Wehrlosen, als Bewahrer des Privaten vor dem
Lautoffiziellen.

«... schenk allem und jedem zuerst dein ... Auge», sagt er
in einer «Silvesterrede am Bette eines schlafenden Kindes»
(1951). «Sieh hin, schaue an, und du wirst erkennen, daß es
hinter der Welt, wie man sie dir hinstellt und beschreibt,
eine andere, eine reichere und wahrhaftigere gibt.» Und einmal gesteht er: «Ich kann mich nur ausdrücken, wenn mir
gestattet ist, zu stammeln.»*
Angesichts solcher mit der Berufsethik vereinigten Ernsthaf-
tigkeit soll seine ihm angeborene innere Heiterkeit nicht
übersehen werden; sie hellt den dunkeln, zu Schwermut neigenden Grundton seines Charakterbildes wohltuend auf.
Einer seiner Mitarbeiter nannte ihn, den Vorgesetzten, einen
«liebenswürdigen Helfer», der auch das Streichen verstehe,
den «Verwalter eines köstlichen Witzes» und den «stillen
Ironiker».** Während Jahren wirkte Arnet als kommentie-

* «Dichter und Schriftsteller», Schweiz. Bücherzeitung, 1948.
** A. Burgauer, Nationalzeitung, Dezember 1948.

render «Philius» an der satirisch-humoristischen Wochenschrift «Der Nebelspalter», er setzte seine Anmerkungen
«Ins Tagebuch gesprochen» in die Monatshefte der «Reformatio» und spaltete sich als «Florestan und Eusebius» zu
Streitgesprächen in der NZZ-Beilage «Das Wochenende».
Heitere Wortbildungen entsprießen seiner Abscheu und Ungehaltenheit vor engstirniger Sektiererei und geben Zeugnis
von stetiger Selbstkontrolle: er redet kichernd von «Jargonismen» und «Massivitäten», nennt den Draufgänger einen
«Brutalerich», intrigante Minister bei Pocci sind «im
Nebenberuf ausgemachte Trottel». Der lästige Frühlingsregen, der das Sechseläuten zu verwässern droht, wird zum
«Festwein Zürichs» erklärt; im Turm der St. Peterskirche,
dessen Fahne als Gutwettermal und Festwahrzeichen gehißt
wird, erkennt er das «Wetterglas» der Stadt, und in die
Mehlgesichtchen der Rokokodämchen des Kinderumzuges
hat «Aphrodite ihre Interpunktionen der Schönheit, die
Pflasterchen, gesetzt».
«Mir hüpfte das Herz im Auge», schrieb er, um eine Malerei
zu rühmen, und zur Verteidigung des unabhängigen politischen Kabaretts, das er gegenüber den Forderungen roter
und brauner Radikalinskis in Schutz nahm, rief er wohlgelaunt: «Wer nach dem politischen Krähdo des Kabaretts
kräht, ist nicht besser als jene, die vom Sommervogel ein
fahrplanmäßiges Fliegen verlangen . . .»
Sein erstes Anliegen bleibt stetsfort: das gegenseitige Anfreunden der Dinge (oder wenigstens deren Erscheinung) zu
fördern, indem er sie in verwandtschaftliche Beziehung setzt.
So wird ihm der See zur Wiese; es genügt ihm nicht, daß sie
einander gleichen: der See wird Wasserwiese, die Segel

drauf sind Kohlweißlinge, und der Dampfer schiebt sich als Matrone drüberweg.

Seine in der NZZ erschienenen Artikel wurden während Jahrzehnten von vielen Lesern ausgeschnitten, gesammelt und weitergegeben. Ich weiß von einem Seminarlehrer, der wiederholt At-Artikel (z. B. über den Zirkus) als Klassenlektüre im Deutschunterricht wählte, wobei er das genaue Entsprechen und Übereinstimmen von Wortbild und Vorstellungsgehalt hervorhob. Der Historiker und Komparatist Fritz Ernst, der abwägende Essayist, sagte mir, er lasse sich keinen At-Aufsatz entgehen; in jedem beiße man auf Kerniges. Und in der deutschen auf Internationalität ausgerichteten Zeitschrift «Der Monat» (Heft 6, 1949, Melvin J. Lasky, Chefredakteur, S. 35 ff.) berichtet der Chefredaktor in einem Brief aus Zürich über die Fastnachtsproblematik und von einer überraschenden, befreienden Entdeckung, die den Leser instand setze, das zwiespältige Treiben dank dem «kühl-überlegten Kommentar der Neuen Zürcher Zeitung» zu deuten, und er zitiert recht ausführlich At's Betrachtungen, zum Beispiel diese Stelle: «Gerade in einem Staat, der auf die kollektiven Manifestationen verzichten will, der seine Politik nicht in den Sportstadien macht und in dem der einzelne glücklich ist, wenn er nicht dauernd mit dem andern, mit der Masse, Tuchfühlung nehmen muß, flackert unterirdisch die verdrängte elementare Lust nach Kollektivität weiter, und es kann sehr leicht vorkommen, daß das Volk, wenn es endlich auf dem Asphalt sich zur Masse zusammenfindet, zu erbaulicheren Aktionen zusammenkommt als zu Umzügen und Maskeraden. Wir glauben nicht unbedingt, daß sich mit solchen Fastnachtsumzügen Revolutionen überwinden lassen; aber wir wissen, daß es klug ist, der Kollektivlust des Volkes ein ungefährliches Ventil zu geben...»

Seine mit Hingabe geübte Vermittlerrolle (im Privaten wie im Öffentlichen) ist nicht etwa der Ausdruck sozialer, temperamentsmäßiger Gelassenheit oder gar Lauheit. Sein Wille zur Versöhnung und seine Herzensgüte sind Ergebnisse einer Friedfertigkeit, die sich gefestigt hat im Erkennen des vielschichtigen Gefüges dessen, was sich einem als Wahrheit anbietet oder als Wahrheit genommen werden will.

Dann aber, wenn beim Auswägen von Für und Wider keine der Schalen sich senken will, wirft er zum Ertrag der Verstandeskräfte den Ertrag der Gemütsmacht: er ergreift Partei, legt das Feingewicht der Güte in die Wagschale und trifft derart die letztgültige Entscheidung.

Edwin Arnet wurde am 11. Mai 1901 als Sohn eines Hauswarts in der Souterrainwohnung des Roten Schlosses an der Stockerstrasse 8 in Zürich geboren, schrieb früh schon seine Verse und kam bald zur Zeitung, die für den Jüngling etwas so Hochgestelltes, umfassend Mächtiges war, daß ihm der Dienst an ihr als Dienst am Menschen überhaupt erschien. Der erste Artikel, den er drucken ließ, war dem Gedenken einer altgewordenen Journalistin gewidmet, die sterben mußte, ohne ihr Wunschziel, etwas Endgültiges über ihr Idol Gottfried Keller zu veröffentlichen, erreicht zu haben. Solche stille Tragik als Ausfluß hochgesetzten geistigen Anspruchs, dem es jedoch an schöpferischer Formkraft gebricht, hat den jungen Journalisten At angeregt und in ihm tiefe Anteilnahme erweckt. Den Halbversagern und Halb-

gewinnern schlägt sein Herz entgegen, und für sie bemüht
sich sein teilnehmender Verstand. Ja wir finden, das Mitlei-
den sei sein eigentliches Thema, dem er sowohl im Berufe als
Zeitungsmann als in der Tätigkeit als Erzähler sich hingibt.
Sein Mitleiden und Mitgehen gilt der von Mißgeschick,
Schwäche, Wehrlosigkeit und Unrecht bedrängten Kreatur,
vom gebrechlichen Mitmenschen über den Jugendlichen bis
zum zappelnden Käfer im Staube. Was ihn beglückt, ist das
Hinneigen über das Geringe; was gilt, ist die Geduld dem
Werdenden gegenüber und die Abscheu vor dem Übereilten.
Ihn treibt an: die fromme Respektlosigkeit vor dem Hoch-
offiziellen und dem von der Menge Überhöhten, kurz: ihn
trägt der Glaube an den endlichen, obwohl meist tragischen
Sieg des Rechtmäßigen. Dabei zerfällt ihm die Welt keineswegs in ein scharf getrenntes Hell-Dunkel. Nein, er wählt
wie sein Hauptmann im Roman «Elgele» das schwerste
Martyrium auf Erden: «gerecht zu sein. Er ist auf beiden
Seiten zuhause und doch nirgends daheim. Wer gerecht ist,
hat keine Heimat.» (S. 63)
Edwin Arnets Wirken als Journalist und Redaktor und
seine erzählenden Werke sind von diesem teilnehmenden,
barmherzigen Dazwischenstehen gezeichnet; er verfolgt das
Geschehen auf der Spielfläche seiner Welt aus der Sicht des
Bewohners einer Soussol-Wohnung und gleicht damit jenen
zoologischen Verhaltensforschern, die sich in den Gesichts-
kreis ihrer Tiergenossen hinabducken, um von ihnen ge-
wahrt und angenommen zu werden, mit dem Unterschiede
freilich, daß Arnet im Experiment seiner Literatur den Erniedrigten nicht nur vorgibt, ihresgleichen zu sein, sondern
überhaupt ihresgleichen von Anfang an ist und es bleibt –

Edwin Arnet
Zeichnung von Lindi

um sich aus dem Mitleiden ins Mitteilen zu erlösen. «Aber Ernst und Güte allein machen keinen Dichter», schrieb Werner Weber in einem Grußwort zu Edwin Arnets 50. Geburtstag (NZZ, 11. Mai 1951), «es gehört dazu jenes Mehr an Kraft der Anschauung und des Formens, das in seiner individuellen Prägung nicht zu verwechseln ist. Ein solches eigenes Zeichen hat sich Edwin Arnet geschaffen; wir wünschen ihm heute, daß er es nach seinem Rhythmus fortgestalten könne.»

Der Erzähler Arnet hat in seiner Welt und an ihr weitergearbeitet. Es gelang ihm vor allem, die Atmosphäre der reichen, wimmelnden Kleinwelt der Gemüter in seinem Werk zu ver-dichten, das Atmosphärische, das er «wie einen Mondhof um die Dinge zu hüllen versteht» (Hans Schumacher, 1955). In solcher Luftdichte entfalten sich zum Beispiel die zum Greifen deutlichen Geschehnisse in seiner letzten Erzählung «Die Große Kälte» (Tschudy St. Gallen, 1961); die Luft um die Dinge gefriert beinahe zu Eis, und die Menschen in der gläsernen Starre vermögen sich kaum mehr aus eigenem Antrieb zu bewegen. Einzig im Briefträger Jakob Tanner, dessen Beruf es ist, die Botschaft von der erlösenden Gnade des Verzichts zu uns zu tragen, wirkt noch ein Rest der schmelzenden Kraft, die den gütigen Menschen antreibt und ihn hoffen läßt, der Vereisung hienieden lasse sich aus der Herzenswärme des Erbarmens und des Lustverzichts wirksam begegnen. Mit letztem Aufwand eines dem Irrealen dienenden Realismus schildert der Dichter die unheimlich vordringenden Anzeichen der innern und äußern Vergletscherung unserer Menschenwelt. Es trifft auch hier zu, was R. J. Humm anlässlich einer Besprechung des Romans «Elgele» in der Weltwoche (19. Dezember 1947) über Arnet sagte: «Er ist ein Lebendiger, darum sieht er manchmal im Hintergrund viel Gestorbenes.»

Am Abend des 27. November 1962 starb Edwin Arnet; es war ein mühseliger, weiter Weg, den er zurückzulegen hatte vom Gesundsein über Trübungen mancher Art bis zum Sterben: ein Zerbröckeln und Verfallen des Geistes und des Leibes, ein Abscheiden für ihn, nicht weniger schmerzlich für die Seinen, denen er stückweise genommen wurde. Er hatte zuletzt in Rüschlikon gewohnt, er starb im Sanatorium Kilchberg, und wir finden sein Urnengrab auf dem Friedhof Sihlfeld in Zürich-Aussersihl.

Zu seinem 60. Geburtstag konnten wir ihm noch seine Erzählung von der «Großen Kälte» als Bändchen der «Blatt»-Reihe in die Hand legen, aber das kleine Geleitwort, das beigedruckt war, wurde bald zu einem Nachruf. Im Garten in Rüschlikon hatte er mir die Erzählung aus dem Entwurf vorzulesen begonnen, war aber bald darin nicht mehr zurecht gekommen, da ihm – wie er klagte – der Kopf versagte, und ich hatte die Blätter zuende zu lesen, derweilen er mich hin und wieder unterbrach und kleine Änderungen und Zusätze vorschlug. Er vermochte den Verlauf der Geschehnisse in allen Einzelheiten noch zu überblicken und war darauf bedacht, daß sich das Geschriebene mit dem Gemeinten decke. Und das Gemeinte, Geschaute war hier die drohende tödliche Kälte.

«Es erzählt einer, der Schwermut als Krankheit trägt», sagte er, «eine Krankheit, die ihn befähigt, Zwischentöne im Menschendasein zu vernehmen, ihn aber der Einsamkeit

ausliefert.» Ich wußte also als Hörer und Leser, was zu erwarten und nach welchem Ziel er unterwegs war, hatte er
doch zuvor immer wieder von der Aufgabe berichtet, die
ihn bedrängte: das Hereinbrechen einer vierten Eiszeit darzustellen, und zwar in der verwegen heimlichen Absicht,
ihrer Gewalt habhaft zu werden und derart dem Verderben
Einhalt zu gebieten. Wie aber war dem Untergang durch
Vergletscherung zu begegnen? Nicht anders als so: den
grausigen Vorgang ins Anschaubare locken, den Rohstoff
als Baustoff verwenden.
Die Kälte stand als gläserne Glocke um ihn. Sein Herz
drohte zu erstarren wie ein Fisch, der im Eisklotz einfror.
Gegen solche Gefangenheit setzte er sich mit letzter Anstrengung zur Wehr: Er schrieb sein beschwörendes Werk.
Der Arzt wies fortschreitende Arteriosklerose nach; jener
Teil des Hirns, der thalamus genannt und als Sitz des Erin-
nerns erkannt wird, war bereits stark verkalkt. Aber wir
wollten noch nicht an das Unausweichliche einer tödlichen
Gefährdung glauben und mußten dennoch einsehen, daß
dem Abscheiden das Absterben vorausging. Das Gebot hieß:
Abschied nehmen vom Leiblichen und damit von seiner
diesseitigen Welt. Und eben dieses Abscheiden und Verzich-
ten ist das Thema der letzten Erzählung. Sie wird zum
Gleichnis und ihre Mahnung zum Vermächtnis des Dichters.
Im Jahre 1954 hat Edwin Arnet eine Erzählung mit dem
Titel «Ömpoät» (Alpha-Presse Zürich) veröffentlicht; sie ist
als bibliophiler Sonderdruck mit suggestiv-adäquaten Zeich-
nungen von Hanny Fries erschienen und wurde später dem
Mosaik seines großen Romans «Abschied von Hesperia»
(Desch München, 1956, S. 379–385) eingefügt. Dieser kur-

zen Erzählung hat er als Geleit das Bekenntnis vorange-
stellt: «Dinge, die der Dichter nicht sah, sind wie nicht geschehen.» Es wird da von einem französischen Bauern Halef
berichtet, der von deutschen Besatzungssoldaten füsiliert
werden soll, zuvor aber noch einen letzten Wunsch tun
darf. Während die Gewehre auf ihn angelegt werden,
wünscht Halef, daß einer käme und aufschriebe, was Inni-
ges ihm im Leben geschah. Es soll im Wort aufgehoben werden, damit es nicht im Orkus des Vergessens untergehe, und
als letzten Wunsch schreit er, bevor die Salve kracht, das
den Deutschen unverständliche Wort Ömpoät, das heißt un
poète ...
Später, in der Erzählung von der «Großen Kälte», hat Edwin
Arnet sich selbst als «poätischen» Chronisten eingesetzt:
kurz vor seinem Abrufe, ebenfalls im Angesicht des drohenden Todes, macht er sich daran, wie jener Bauer Halef,
«einen Gedanken zu Ende zu denken», damit er nicht als
angefangener unordentlicher Rest «in der Welt zurück-
bleibe» und das Gute nicht dazu verurteilt sei, in der Einsamkeit und von Gott und den Menschen unbeachtet zu geschehen und unterzugehen.
Es gehörte zu Edwin Arnets Mut, daß er zu seinen Tränen
und zu seiner Schwermut stand. Er kannte und anerkannte
jedoch die Grenze, die Rührung von Gefühlsseligkeit trennt,
und hat sie drum kaum je verletzt. Von seinem Karl Moebius sagt er in «Abschied von Hesperia», die «schwermütige
Nähe der Dinge» sei seine Heimat; im selben Buch aber begegnen wir dem nüchternen Mahner und Realisten, dem
französischen Flieger d'Eleube, der sich von Moebius und
den übrigen Hesperiden absetzt und spottend über sie aus-

sagt, selbst in den Spitälern hätten sie «noch einen belletri-
stischen Tod».

Mit seinem Wirken als Zeitungsmann und der Bereitschaft
zu jedem Hilfswerk hat Edwin Arnet vielfältig bezeugt,
daß er nicht aus Schwächlichkeit der Schwermut verfallen
war; Walter Robert Corti hat ihn den «Täter unter den
Dichtern» genannt, den «Verwirklicher unter den Schauen-
den, den so Feinfühligen wie Mutigen zugleich». Durch das
ererbte Dunkle hindurch stieß er zum tätigen Tag vor; so
wählte er seine epischen und lyrischen Themen nicht nach
einem literarisch-modischen Manifest; sie waren ihm gesetzt.
Und daß es nicht um ein belletristisches Leiden geht, wird
uns beim Eintreten in den Bannbereich der «Großen Kälte»
mit Schauer bewußt. Zur Zeit, da er an der Erzählung arbeitete (es war im Jahre 1956), gestand er in einem Brief,
den er in Basel, im Basler Hof, schrieb, er lebe in einer
Paradieseshölle, das eine Mal mit dem Hauptgewicht auf
dem Wortanfang, das andere Mal auf dem Wortende. Und
er fährt fort: «Ich habe etwas geschrieben, das nur möglich
war, weil die Fruchtpresse der letzten Wochen mir einen so
schweren Wein abgepreßt hat. Es war also nicht ganz umsonst. Es genügt mir, daß ihr, wenn ich meine Melodie gesungen habe, sagen werdet: Was muß der durchgemacht
haben!»

Einmal erzählte er mir, als wir im Garten beim Kaffee
saßen, er habe eben einen Nachruf auf die Lehrerin seines
Töchterchens Ruth geschrieben und im «Blatt» (NZZ) er-
scheinen lassen. Nun stelle sich heraus, daß die Geehrte die
Schwester jenes Staatsanwaltes sei, der ihm und den übrigen
Pressevertretern seit Jahren Schwierigkeiten bereite, indem

er bei gerichtlichen Voruntersuchungen die Journalisten
nicht mit dem andernorts üblichen Entgegenkommen be-
handle und die legale, berufliche Neugier der Reporter als
unerwünschte Einmischung ablehne, statt die Presse als Mit-
arbeiterin zuzuziehen. Der Streit gebe viel zu schreiben, das
Lärmen nehme kein Ende, und die Spannung wachse von
einem Gerichtsfall zum andern. Und nun, erzählte Edwin
Arnet, erhalte er von eben diesem Juristen einen sehr
freundlichen Brief, mit dem er zu einer privaten Aussprache
eingeladen werde. Er werde der Einladung folgen, obwohl
er den Staatsanwalt für einen unnahbaren, abweisenden,
von seinem Berufe besessenen Fachsimpel halte, sehe er doch
die Möglichkeit voraus, daß sich das Verhältnis zwischen
Untersuchungsinstanz und Presseöffentlichkeit bessern lasse,
bewirkt durch den kleinen Aufsatz, mit dem er die Lebens-
leistung der Lehrerin gewürdigt hatte. Nicht die berufliche
Stellung, ob hoch oder tief, sondern das treu Erfüllte be-
stimme den Rang. – So dachte und urteilte er; er ging hin,
und was er erreichte, kam allen zugut.
Er stürmte keine Barrikaden, übersprang keine Schranken;
aber er entdeckte im trennenden Gehege den schmalen
Durchschlupf. Er führte das Gerechtsein als seine Waffe. –
Als ich ihm von einer jungverheirateten Lehrerin erzählte,
die sich in der Schulpause vor ihren Kollegen und Kollegin-
nen beklagt habe, sie ertrage es kaum mehr, mit Erstkläss-
lern umzugehen; heute erbreche sich ein Mädchen in der
Klasse, morgen mache ein Knabe die Höschen voll, dieser
Kleinkinderbetrieb ekle sie an, und beifügte, ich hätte der
Lehrerin geraten, dafür besorgt zu sein, baldigst zu einem
eigenen Kind zu kommen, einer Mutter würden die Wind-

chen zu Musik und der Stuhl dufte ihr nach Rosen, stimmte
Edwin bei und übertrug die Lehre sogleich aufs Feld des geistig Schöpferischen. Er sagte: Der Erzähler muß der Vater
jener Dinge werden, die von den andern mißachtet, verach-
tet und gemieden würden. Alles Verwaiste, Vernachlässigte,
Unscheinbare macht der Dichter zu seinem Adoptivgut, ja
durch das Annehmen und Aufheben dieser geringen Dinge
wird er zum Vater-Schöpfer, zum Dichter. – Er gab mir
seine Schrift, die den Titel trägt «Über das Dichten. Gespräche über den Tisch hinweg». Ich gab das Bändchen an jene
Lehrerin weiter, und seltsamer- oder natürlicherweise über-
wand sie nach und nach den Ekel vor den kleinen Mensch-
lichkeiten ihrer Schulkinder und wurde später Mutter,
Adoptivmutter. –
Einmal gingen At und ich über Feld Richtung Pfaffhausen,
gegen das Fällander Tobel hinab. Am Weg hatte ein Bauer
einen Mostbirnbaum gefällt und dessen Wurzeln bloßgelegt
und zersägt. Nun lagen neben dem Stamm die Wurzeln und
Äste geschichtet und gehäuft und waren kaum mehr voneinander zu unterscheiden. Mein Begleiter blieb nachdenklich stehen und sagte – nicht etwa mit tiefsinnigem Nach-
drucke, sondern eher erheitert: «Ist es nicht genau so, wenn
wir unsere Leistung bedenken: Was hat genährt und ge-
stützt? Und was hat geblüht und Frucht getragen? Was war
unten im Dunkeln? was oben im Licht? Ich meine, wir sind
oft ungerecht und undankbar unseren Wurzeln gegenüber,
weil sie unsichtbar bleiben, solange sie uns halten und ernäh-
ren.»
In ein leeres Wachstuchheft, das er mir schenkte, schrieb er
auf die erste Seite: «Das leere Blatt ist ein Schandfleck des

Dichters», und dazu seinen Namen. Scherzend bemerkte er:
«Aber nüd em Pulver zäige!» Er meinte Max Pulver, den
Graphologen. Die Widmung war nämlich im fahrenden
Tram geschrieben worden, und so bestand die Gefahr, der
Schriftdeuter schließe auf schwankenden, unsicheren Le
bensgrund. –
Im Garten des städtischen Altersheims zum Wäldli in Zü-
rich-Hottingen stand dort, wo später das Kirchgemeinde-
haus errichtet wurde, unter hohen Buchen ein alter, verlas-
sener Grabstein mit eingemeisselter Inschrift. Der Stein
lehnte nach vorn, altersmüde, und eines Tags, als ich mit
Edwin Arnet auf der Asylstraße vorbeiging, bemerkten wir,
daß der Stein umgestürzt und die Schrift nicht mehr zu
lesen war. «Er liegt auf dem Gesicht», sagte er. «Erst wenn
wir das Gesicht verloren haben, sind wir tot und vergessen.»
Als ich einmal an seiner Seite durch Rüschlikon ging, blieben wir oben beim Bahnhof unter einer blühenden Linde
stehen. Ich zog einen Zweig herab, und wir sogen den süßen
Sommerduft ein. Ein Güterzug rumpelte hinter uns vorbei. Edwin Arnet sagte ernsthaft und beleidigt: «Ufhöre,
vor luuter Krach cha mer ja nüüt schmöcke!»
Er erzählte aus der Jugendzeit, wie er als armer Leute Kind
zu Weihnachten von der Sonntagsschule Enge – wie die
andern Bedürftigen – ein Paar Schuhe bekam, während die
Kinder der Wohlhabenden mit Büchern beschert wurden.
Die Armut tat ihm weh – dieser Schuhe wegen. – Ein
andermal erinnerte er sich einer Lehrerin, die sich als partei-
isch, sadistisch, ja käuflich erwiesen habe. Edwins Bank-
nachbar sei das Söhnchen des Inhabers des Tonhalle-Restau-
rationsbetriebs gewesen, und wenn die zwei Knaben wäh-

rend des Unterrichts einmal ob einer Unaufmerksamkeit ertappt wurden, habe sie befohlen: «Morgen kommt ihr um neun Uhr in der Pause zu mir.» Beide wußten sie, was das zu besagen hatte, nämlich, daß dann jedem eine Tatze verabfolgt werde. Am nächsten Tag sei dann der Wirtssohn auf acht Uhr mit einem Briefumschlag erschienen, der eine Eintrittskarte für ein Konzert enthielt. Um neun Uhr habe sie einzig den kleinen Arnet, eines Hauswarts Söhnchen, vor die Klasse gerufen und ihn mit dem Meerrohr bestraft. Aber einmal habe Edwin in gerechter Auflehnung doch zu fragen gewagt: «Und der Karl?», worauf ihm des andern Guthaben auch ausgehändigt worden sei. – Die Jungfer sei aber für ihre Ungerechtigkeiten gebüßt worden, so sei es wenigstens dem Büblein Edwin erschienen. Während des Unterrichts habe sie anscheinend grundlos vor sich hin zu lachen begonnen, und die Schulkinder hätten bald herausgebracht, daß sie verliebt sein müsse. Zu einer Verlobung sei es indessen nicht gekommen, so berichtete Edwin Arnet, eher mit Wehmut als schadenfroh. Ein platzender Spirituskocher habe mit Dampf und siedendem Wasser ihr Gesicht verbrüht, und so wurde es mit Narben arg entstellt. Es sei dieselbe Kraft, pflegte Edwin Arnet mit Adalbert Stifter zu sagen, die das Milchtöpfchen der armen Frau schwellen und überfließen mache, aber auch die Lava in dem feuerspeienden Berge emportreibe.

Diesem Gedenkblatt sei ein von ihm gedichtetes Wort mitgegeben. Es ist der kleinen Sammlung «Gedichte des Tagebuchs» («Der Bogen», Heft 56, Tschudy St. Gallen, 1957) entnommen.

Was täglich wärmend mich begleitet,
Löffel, Blumen, Tisch und Kätzlein,
hab in Gedichten ich zu kühlen Gleichnissen versteinert . . .
bis sie, es war zur Heimkehrstunde des verlorenen Sohns,
anhoben leise zu weinen,
und baten mich, sie so zu sehen,
wie sie einst waren . . .
so arm und maserreich und pelzsanft
und zugeneigt dem Streicheln meiner unverdorbnen Hand,
ehe ich zu Legenden sie gemacht.

Uneingesetztes Leben

Neulich ging ich von Oberglatt über den flachen, samtigen Talboden gegen Dielsdorf und die Lägern. Ich hatte wieder einmal den «Dietegen» gelesen und wählte mir nun zum Wanderziel das Burgstädtchen Regensberg, von dem man weiß, daß es Gottfried Keller als Modell zu Ruechenstein gedient hat.

Der Bezirkshauptort Dielsdorf liegt dem Städtchen Regensberg förmlich zu Füßen, und beim Durchschreiten des Dorfes erwachten in mir nicht eben freundliche Erinnerungen. Hier hatte ich bald nach Beendigung des Ersten Weltkriegs und der Grenzbesetzung einen Wiederholungskurs als Fourier bestanden; aber der Dienst war geradezu spielerisch heiter durchgeführt worden. Es konnte also nicht die Uniform sein, die in mir jenes Gefühl des Unbehagens weckte. Was war es nur?

Ich kam am Gasthof vorbei, in dessen Hinterstube wir damals unser friedliches Kompaniebüro eingerichtet hatten, und jetzt fiel mir ein, daß ich dort ein langes, langes Telephongespräch nicht selbst geführt hatte, nein, es war mit mir geführt worden. Es war nach dem abendlichen Hauptverlesen, als ich von der Stadt dringend angerufen wurde: Professor Doktor Hermann Bodmer verlange den Fourier.

In einem Leipziger Verlag war eben mein Erstlingsroman erschienen, und ich stand nun in «ersten Ruhmes zartem Morgenlicht».* Der städtische Mann, der mich nicht mehr von der Strippe lassen wollte, war mein einstiger Deutschlehrer an der Kantonsschule, von uns damals vertraulich

---

* «Denn Süßres gibt es auf der Erde nicht
  Als ersten Ruhmes zartes Morgenlicht.»
  C. F. Meyer, «Gloriola» aus «Huttens letzte Tage», VII.

«Bödi» genannt. Er leitete mit seinem Bruder Hans Bodmer zusammen den weitbekannten, verdienstlichen Lesezirkel Hottingen, zu dessen Veranstaltungen in der Zürcher Tonhalle sich Europas Tagesberühmtheiten der Wissenschaften und der Schönen Künste berufen liessen. Für uns Nachdrängende galt der Lesezirkel jedoch als versnobter Herrenklub, der sich Künstler und Gelehrte als Hofschranzen hielt, sich gelegentlich aber auch einen Robert Walser, einen Albert Steffen oder einen Rainer Maria Rilke leistete.

Dem Kreise meiner jungen kunstergebenen Freunde wäre ich als Abtrünniger erschienen, wenn ich mich zu einer Salondemonstration hätte überreden lassen, und gerade zu solchem Dressurakt wollte mich «Bödi» also aufbieten. Er habe es dem Vorstand versprochen, mich zu gewinnen, da ich doch sein dankbarer, anhänglicher, einstiger Schüler war. (Unter meine Schulaufsätze hatte er wiederholt mit breiter Feder eine glatte Sechs in Rot gesetzt.) Jetzt bot er mir also an, mich zusammen mit einem gleichaltrigen welschen Erzähler seinem Tonhallepublikum vorzuführen.

Ich blieb stur und hartköpfig, weniger aus Abneigung gegenüber den bürgerlichen Literaturmanagern, als aus trotziger Prinzipientreue: man hatte ein für alle Male den Pakt mit den Betriebmachern der bessern Gesellschaft – heute würde man sagen, mit dem Establishment – gekündigt, und da durfte keine Sentimentalität die gebläht heldische Haltung gefährden.

Als ich in mehr als halbstündigem Drahtgespräch immer wieder mein Nein zu begründen oder dessen Begründung zu verschleiern versucht hatte und endlich den Hörer hinlegte, war mein rechter Arm vom Handgelenk bis zur Schulter

Hermann Bodmer, «Poeta Calaureatus»
Zeichnung von Wilfried Schweizer

steif geworden, und die Muskeln schmerzten; aber tiefer drinnen saß ein heftigeres Unbehagen: ich konnte vor mir selbst nicht leugnen, daß ich den wahrhaft verehrten Lehrer enttäuscht und gar beleidigt, ja verleugnet hatte. Im Wesensgrunde war ich ja gar nicht so antibürgerlich in Gesinnung und Haltung; und zudem hätte mir die Tatsache einer Tonhallepräsentation nicht wenig den Kamm schwellen lassen, so eitel war ich denn doch. Hingegen sonnte ich mich im voraus am Beifall meiner Freunde: er war standhaft vor dem Verführer, er ist nicht käuflich; den Bonzen hat er Widerstand geleistet ...! Ich weiß, daß ich mit der eitlen Weigerung (zwischen Scheu und Abscheu!) meinen Lehrer tief innen verletzt habe; ich weiß es, weil ich selbst unter meiner hochmütigen Starrköpfigkeit lange litt, dabei nicht eigentlich die Absage bereute, wohl aber die Undankbarkeit, die ich mit ihr meinem Förderer bezeugt habe, ist er es doch gewesen, der mich zuerst ermuntert und mich mit seinem Glauben an meine Begabung durch die Fährnisse des Abiturs geleitet hat. Seine Deutschnoten haben in den Prüfungen als rettender Ausgleich gewirkt, wenn ich in der Mathematik und in andern Fächern versagte.

Während Jahren fand ich dann keine Gelegenheit mehr, mit «Bödi» Verbindung aufzunehmen, und wenn ich einmal durch die Gemeindestraße ging, wo er wohnte, wagte ich nicht, den Blick zu den Fenstern des niedern Hauses zu heben, hinter denen er wohnte und im Ruhestand lebte. Allerlei Gerüchte über den innern Zerfall des Lesezirkels Hottingen wurden herumgeboten; der Betrug eines Buchhalters, der tückischerweise Himmel hieß, trug zur Zerrüttung des finanziellen Unterbaus bei, auch hatte sich das System des Lesemappenvertriebs überlebt (der Rundspruch kam auf!), die üppigen, prunkvollen literarischen Künstlerbälle verloren an Anziehungskraft, kurz: die Zeit der musischen Gala-Schaustellungen und Vorlesegroßveranstaltungen war endgültig vorbei. Der Stern des Lesezirkels Hottingen sank, Hermann Bodmer vereinsamte. Und abermals versagte ich, lud ich unwissend und dennoch fahrlässig Schuld auf mich. Als mich nämlich ein Anruf erreichte, mein alter Lehrer Hermann Bodmer sitze schwermütig in einer Abteilung der Heil- und Pflegeanstalt Burghölzli und frage nach mir, dem Schüler, an den er sich so deutlich erinnere und der ihm ein Zeuge guter Jahre sei, da war ich nicht bereit, nicht imstande, ihn zu besuchen; denn ich fürchtete mich. Ich empfand Schrecken und biologisch begründete Abscheu vor Geistesdefekt und Gemütsversehrtheit. Mir war, ich würde mich einer Ansteckung aussetzen und ich ließ den Ruf verhallen. Und wußte doch, daß ich mit meinem Besuch etwas wie Licht in sein Verdunkeln gebracht hätte.

Ich kann zu meiner Entschuldigung oder wenigstens als Erklärung anführen, daß ich geraume Zeit zuvor im Gemüt verwundet worden war und die Verletzung noch nicht völlig auszuheilen vermocht hatte: Ich war zu einer Fastnachtsveranstaltung in die kantonale Heilanstalt Rheinau eingeladen worden. Es hatte ein kleines Harmoniekonzert gegeben, dann eine Theateraufführung und schließlich Tanz in geschlossener Gesellschaft, alles in den Sälen der Anstalt. Es waren einige Gäste und Behördemitglieder aus der Stadt und aus der ländlichen Umgebung geladen; auch Ärzte und Pflegepersonal nahmen an der Festlichkeit teil. Von der Anstaltsleitung war man ersucht worden, sich unter die Insas-

sen zu mischen, damit der Abstand zwischen Normal und
Belastet sich möglichst ausgleiche und die Kranken sich
gleichgestellt mit den gesunden Gästen fühlen konnten.
(Schwerkranke Insaßen waren ohnehin in Gewahrsam geblieben.) Aber schon beim Anhören der Theaterstücke, die von
Internierten dargeboten wurden, war mir unbehaglich, ja
leicht unheimlich zumute, wenn ich zu unterscheiden versuchte, was an den Darstellern denn gespielte Verstellung
sei und was echtes Benehmen, und ob das Echte des Menschen denn wirklich nicht schon Maske, die Verstellung also
zweischichtig und dadurch zwiespältig sei: ist einerseits der
Narr ein normaler Mensch, der den Narren spielt, und ist
andrerseits hinter dem korrekt Erscheinenden ein gespielter
Narr, der aber ein echter ist?
Diese wiederholte Spiegelung hatte mich also schon beim
Ansehen und Anhören der übrigens recht harmlosen Stücke
verwirrt, und als man gar zum Gesellschaftstanz überging,
wobei der fastnächtlich geschmückte Saal samt der Bühne
als Tummelplatz diente, und als ich mit einer jüngern, mir
fremden Frau antrat und trotz meiner täppischen, ungeüb-
ten Art mit ihr ganz leidlich durchs Gewühl kam und sie
mich nicht mehr von ihrer Seite weichen ließ, ja mich als
längst Vertrauten ansprach, dann sogar in mir ihren Mann
zu erkennen glaubte, der endlich von einer Reise heimge-
kehrt sei, um sie hier herauszuholen, da kam die reinste
Panik über mich. Ich mußte den Saal verlassen und ließ
mich durch die Nacht heimfahren zu meiner Frau. – Das
Erschrecken wirkte während Jahren nach; ich war überzeugt, daß zwischen meiner gesunden Welt und jener der
unbeherrschten, verzerrenden Vorstellung eine nur dünne

Scheidewand, vielleicht nichts als eine Illusion stehe, die zu durchbrechen es einer einzigen Regung bedürfe.

Nein, ich habe keine gültigere Entschuldigung zur Hand, um mein zwiefaches Versagen vor dem Anliegen des kranken Lehrers zu rechtfertigen. Ich verhielt mich nicht heldisch, auch künftig nicht, wenn die Gefährdung der gesunden Sinne auf dem Spiel stand: ich erbleichte und versagte vor drohender seelischer Entblößung, und doch war all mein schriftliches Erzählen nichts anderes als ein Bloßstellen des Innern, freilich im Gefolge der epischen Erfindung und in deren Schutz. Nein, ich vermag mein damaliges Verhalten nicht zu beschönigen noch zu rechtfertigen; ich bin Hermann Bodmer gegenüber schuldig geworden, zweimal, und verdiene keine «glatte Sechs» mehr. Er hatte mit uns, bevor wir als Mittelschüler eine mehrtägige Schulreise ins Tessin antraten, Soldaten- und Studentenlieder eingeübt. Noch heutzutage erwache ich zuweilen aus einem glücklichen Traum, singend, auf den Lippen einen Vers, den er uns beigebracht hat, aus dem «Wallenstein»: «Und setzt ihr nicht das Leben ein / nie wird euch das Leben gewonnen sein.» Es war mir nicht möglich, auf sein Begehren hin, etwas von meinem literarischen oder zivilen Leben einzusetzen. Ich bedaure mein Versagen; aber keiner kann eben mehr ausgeben, als ihm gegeben ist und doch sollte man zuweilen zu solcher Vorschußleistung fähig sein, um nicht schuldig zu werden.

Ich bin damals von Dielsdorf aus zur «Burg» hinaufgestiegen; und als ich vom Rundturm übers Land sah, war mir, es liege meine Vergangenheit als Landschaft unter mir: neblig überzogen, verhüllt von den Schleiern nicht voll eingesetzten Lebens.

«Voll Wahrheit des Symbols»

Der Junglehrer Albin Zollinger

Im Roman «Bohnenblust»* läßt Albin Zollinger den Leh-
rerdichter Walther Byland eine kleine Begebenheit berichten, von der er bemerkt, sie sei zwar «läppisch zu erzählen
und doch voll Wahrheit des Symbols»:

«‹Es ist Herbst›, sagte Walther und lächelte, ‹ich höre alles
mögliche, aber nichts so eindringlich wie den sommerlichen
Amboßklang aller Hufschmiede draußen in den Dörfern.
Ich habe da vor Zeiten vikarisiert, noch als Lehrer der Kleinen und Kleinsten, da oben am Bachtel beispielsweise. Ich
saß bei der Abwartfrau, die mir nicht anders als im Zusammenhang mit Räbenmus erinnerlich ist. Sie muß sich ein
wenig in das Lehrerlein verliebt haben, sie kochte mir täglich Räbenmus, weil ich's auf ihre Frage hin belobt hatte,
der Wahrheit meines Geschmackes denkbar gründlich entgegen; ich war aber schüchtern und muß sagen, den Lohn
meiner Artigkeit darin empfangen zu haben, daß das Räbenmus mir als das süße Innerste der Erinnerung geblieben
ist›.» (S. 70 und 71)

Nicht genau am Bachtel oben, etwas östlicher, aber auch
gleich hinter und über Zollingers Heimatdorf Rüti im Zürcher Oberland, an einem der welligen Ausläufer der beiden
Bergkämme der Allmann- und der Hörnlikette, kräftig über
die Senke gehoben, die zur Mulde des obern Zürichsees und
gegen Rapperswil abfällt, liegt der Bergweiler Mettlen, 700
Meter über Meer, 300 überm Spiegel des Zürichsees. Hier im
Dorfschulhäuschen hat Albin Zollinger als junger Schulmei-

---

* «Bohnenblust oder Die Erzieher». «Pfannenstiel» zweiter Teil.
  Geschrieben 1940/41, Atlantis Zürich, 1942.

ster stellvertretend gewirkt und hier hat sich ihm als jenes «süße Innerste der Erinnerung» der sonst eher widerwärtige Geschmack des Räbenmuses erwiesen – ihm und seiner Romangestalt Walther Byland.

Ein freundliches Zusammenspiel kleiner Umstände hat bewirkt, daß mir einige schriftliche Belege aus jener frühen Schulmeisterzeit Albin Zollingers zu Gesicht kamen; es sind Briefe und eine Postkarte, die er an den Lehrer richtete, den er für die Dauer eines Ablösungsdienstes zu ersetzen hatte. Die Schriftstücke tragen den Aufgabeort Rüti-Zürich, wo Zollinger damals bei seinen Eltern im Haus «Bergheim» wohnte; zwei spätere Briefe wurden in Basel geschrieben; sie tragen die Zeitangabe November bzw. Dezember 1916, sowie Januar bzw. März 1917. Sie sind gerichtet an Heinrich Krebser, Füsilier, Füs. Kp. III/63, 4. Zug, Feldpost. Heinrich Krebser hat die Blätter ein halbes Jahrhundert lang aufgehoben und gab mir nun Auskunft über die damaligen Verhältnisse, unter denen sie geschrieben worden waren. Herr Krebser amtete seit 1910 als Lehrer in Mettlen ob Wald, das bis 1907 noch eine selbständige Schulgemeinde war, dann aber mit dem Industrieort Wald vereinigt wurde. Mettlen zählte im Jahre 1910 164 Einwohner; es waren zumeist Bauern und eingemietete Fabrikarbeiter. Als junger Lehrer baute Heinrich Krebser die Walder Gemeindechronik samt einer regionalen Chronikbibliothek auf und aus, wirkte kräftig in der Wandervogelbewegung mit, nahm sich der Jugendfürsorge an und betreute die Gemeindestube und später die Volkshochschule Wald. Nach sechzehnjähriger Tätigkeit in Mettlen (1910–1926) ließ er sich hinunter nach Laupen-Wald wählen und wurde 1955 für sein Wirken als Chronist und im Dienste der Volkskunde von der philosophischen Fakultät I der Universität Zürich mit dem Ehrendoktor ausgezeichnet. «Unsere Gemeindechroniken», sagt er, «sind Gegenwartschroniken. Der Chronist sammelt das, was heute, was in einem Jahr geschehen ist, und er kümmert sich ebensosehr um das, was positiv gewertet wird, wie um das, was nicht gefallen kann, ja unbegreiflich scheint.»* Im ersten der sechs Schriftstücke, das zwölf Quartseiten umfaßt (vom 28. November 1916), wendet sich Albin Zollinger an den Kollegen, der an der Grenze steht, und bittet ihn um Auskunft über den Stand der Schulklassen, die er angetreten und zu unterrichten hat. «Ich bin erst im Frühling zu Küsnacht ausgebrütet worden, verstehe mich somit noch nicht auf alle Finessen des métiers.» Seit seiner Entlassung aus dem Seminar waren ihm lediglich einige wenige Vikariate anvertraut worden, das eine davon hat ihm, wie er gutgelaunt anmerkt, ein «geruhsames Schulmeisterdasein» im Baselbietschen (Rothenfluh) geboten, wo er nur vier Klassen und nicht alle acht wie hier in Mettlen zu meistern hatte. Er berichtet über seine ersten Versuche, die Schulkinder für die verschiedenen Fächer zu erwärmen, stoße jedoch bei den «Laustürken» und «Sakermentern» auf hochgemute Abwehr. «Scho gha!» heiße es, wenn er ein Stoffgebiet an sie herantrage, als bedankten sie sich für den längst erschöpfend behandelten Gegenstand, mit dem dieser junge Anfänger sie zu behelligen wage. In der Not klaubt er seine Seminarweisheit hervor und holt all sein Schulwissen zu Hilfe:

* «Us eusere Walder Heimet», Beilage zum Zürcher Oberländer, Nr. 93, Dezember 1966. «Unser Gemeindeleben ums Jahr 1920. Die Walder Gemeindechronik».

«In der Geschichte haben wir geradezu fabelhafte Raum-
und Zeitsprünge gemacht», berichtet er dem Klassenlehrer,
«sind im prähistorischen Tier- und Menschengarten unterge-
taucht und bei Römerlegionen und Germanentwings wieder
zum Vorschein gekommen, haben uns auf alemannischen
Eichen gewiegt und sind selbander aufs römische Forum
und mitten unter Gladiatoren, Togaträger und stolze Lucre-
tien gejuckt, wir haben gestaunt und im Amphitheater gesessen, mit dem Daumen gegen den Himmel oder vernich-
tend zum Hades gewiesen ... Dermaßen sind wir jetzt bei
Kaiser Karl angelangt; da aber einzelne behaupten, sie
wären bereits einem gewissen Rudolf von Habsburg vorge-
stellt worden, bitte ich Sie, auch hier mit dem rechten Licht
in unsere Wirtschaft zünden zu wollen. Mit der 7. und 8.
[Klasse] habe ich zusammenfassend die dreizehnörtige Eidgenossenschaft repetiert und werde jetzt deren Glück und
Ende inszenieren. Tu ich daran recht oder haben Sie einen
andern Wunsch?»
Sowohl im Gesangsunterricht als im Fach Biblische Geschichte und Sittenlehre, aber auch im Rechnen, im Schönschreiben, in Sprache und Realien stößt er auf die spitzbübische Überlegenheit: «Scho gha!» – «Na, wissen Sie, ich
bin rein geschlagen; meine Schüler wissen alles, was Men-
schenbegehr! Ich werde mir demnächst die Hosentaschen
vergrößern lassen, damit ich die Hände bequemer dreistek-
ken kann!»
Auch das Turnen bereitet ihm Sorge. Mit der Oberstufe
kann er nicht viel anfangen «außer ein bisschen ‹Korporä-
lis›-Machen oder sonstigen Felddienst; die Reckstange jetzt
zu berühren, müßte ein wahres Eskimostücklein sein, bei

dem man Gefahr liefe, daß einem augenblicklich alles Blut
von den Fingerspitzen bis an die Schulter hinauf gefrieren
würde, sodaß man die Schlagader wie ein rotes Glasstäb-
chen aus dem knisternden Fleisch herausbrechen könnte».
Mit entschärfendem Selbstbelächeln versucht er den Eindruck der Hilflosigkeit zu mildern, unterläßt es indessen
nicht, zwischenhinein die «Regsamkeit und Beredsamkeit»
der Bergkinder zu anerkennen. Es waren ihrer dreißig bis
fünfunddreißig Schüler, und es gab darunter neben einigen
Aufgeweckten einen Harst Mittelmaß und einige Schwer-
erziehbare und moralisch Gefährdete, die ihm zu schaffen
machten. Aber Albin Zollinger hält durch. Täglich zweimal
macht er den steilen Weg vom Elternhaus über Fägswil
durch den Wald nach Mettlen hinauf und zurück: «. . . der
morgendliche und abendliche Spaziergang von nahezu drei-
viertel Stunden – das ist ja ganz hübsch, wenn einem der
Schnee nicht in den Kragen hineinrieselt [. . .] Ich esse allerdings bei Frau Müller ganz vorzüglich, was meiner schwankenden Courage allemal hübsch fein wieder auf die Beine
hilft.»
Diese Frau Müller ist es, die den Abwartdienst im Schul-
häuschen versieht; an sie erinnert sich Zollinger-Byland
nach genau einem Vierteljahrhundert, 1941. Sie hatte sich
mit ihrer Tochter in der Schulhauswohnung eingemietet und
überließ dem «Lehrerlein» ein Wohnzimmer und eine Gie-
belkammer. Zollinger muß sich mit ihr gut verstanden
haben, und er erwähnte sie wiederholt in seinen Briefen. Als
Bernerin las sie gern ihren Rudolf von Tavel; aber daß sie
dem schmalbrüstigen, untersetzten Kostgänger, der seiner
Lebtag an einem empfindlichen Magen litt, Räbenmus als

Leibspeise vorgesetzt haben soll, das ist wohl eine in dichterischer Freiheit erfundene Zugabe. Die «schwankende Courage», der auf die Beine geholfen werden muß, hat ihre Ursache kaum in der täglichen Berufsarbeit, fand sich doch der junge Unermüdliche bald im Lehrplan zurecht und gefiel ihm überhaupt die Abgeschiedenheit dieser an die Luft und an die Sonne gehobenen ländlichen Stille. «Sie sind recht eigentlich zu beneiden um ihre Klause», schrieb er im Dezember 1916 von Rüti aus an den Wehrmann im Jura, «die Schüler sind eine ganz liebe Gesellschaft und Ihr Arbeitszimmer ideal, sonderheitlich, wenn man die herrliche Welt vor dem Fenster dazurechnet. Wer ist denn freier als so ein junger Schulmeister in Ihren Schuhen!»

Georg Baltensperger, der etliche Jahre später im selben Bergschulhäuschen unterrichtete und in einer kleinen Sammlung zartgetönter Betrachtungen* die Poesie der immer wieder sich erneuernden Schulmeisterlein-Maria-Wuz-Kleinwelt entdeckte und liebevoll ins Wort lockte, hat die Landschaft vor dem Schulzimmerfenster im Stimmungswechsel der Tageszeiten nachgezeichnet; er schreibt: «Ein weites Stück des Zürichsees blickt mir da in die Stube hinein. Dann liegen dort unten die Rosenstadt, der Seedamm und die beiden Inseln. Albis und Pfannenstiel verlieren sich weit im Westen. Links herein aber blicken die Schwyzer- und die Glarnerberge. Und all dies sind nicht tote Dinge, sie verändern sich des Tages stets. Am frühen Morgen starrt die Fläche des Sees grau und kalt herauf, am Mittag liegt sie blau und still und hält Siesta. Am Abend dann wird sie zur

---

* «Kleine Schulstubenwelt», Verlag H. Schraner Zürich-Altstetten, 1944 («Aus dem Alltag eines Landschulmeisters»).

großen silbernen Platte. [...] Direkt vom Hause weg senken sich Wiesen und Wälder wie ein gelb- und schwarzgrüner Wasserfall der Tiefe zu. – So ist es hier oben, und wenn mir meine pädagogischen Akrobatikkünste hier gelingen, dann vielleicht nicht zuletzt wegen diesem befreienden Bild, das mir mein Fenster Tag für Tag schenkt.» («Das Fenster», S. 17 u. 18.)

Es ist nicht die Verantwortung, die auf dem jungen Lehrer lastet und ihn in seiner Courage schwankend werden läßt, es ist die Weltlage und im Persönlichen die ständige Drohung, abberufen zu werden zum Grenzdienst. «Es heißt, uns werde man n'bisschen über'n Gotthard hinüberführen, am 5. Februar», schreibt er am 4. Dezember 1916. «Das finde ich greulich; denn im Militärdienst an einem schönen Ort vorbeizukommen, ist Spott und Hohn und eine Tantalußerei.» Erinnern wir uns, daß die V. Division den ersten Grenzdienst 1914/15 im Jura zu versehen hatte, den zweiten Kriegswinter (1915/16) im Tessin verbrachte und im November 1916, für unbestimmte Zeit wie zuvor, unter die Fahne gerufen wurde. Es bestand noch keine Lohnausgleichskasse für Wehrmänner, der Tagessold für den einfachen Soldaten war achtzig Rappen. «Damals galt bei uns das Wort ‹Zivilist› als größtes Schimpfwort; ein forscher Drill mit bis fast zur Bewußtlosigkeit immer wieder neu geübten Gewehrgriffen, Achtungsstellungen, Taktschritten sollte den Zivilisten im Soldaten ‹austreiben›.» So schreibt Heinrich Krebser, Laupen, in der Beilage «Us eusere Walder Heimet» zum Zürcher Oberländer, Nr. 91, Juni 1966.*

---

* «Die Kriegsjahre 1915 und 1916 im Licht der Ortszeitung».

Es ist diese geistige und wirtschaftliche Bedrängnis, die den
werdenden und suchenden Dichter aufwühlt und ihm Qual
bereitet. Noch ist ihm nicht gegeben, Kraft aus dem Mut zu
schöpfen, um dem leidenden Gemüt mit dem Zorn der Empörung zu Hilfe zu eilen, wie er es später im Tumult des
Zweiten Weltkriegs sowohl als Lyriker wie als Erzähler vermochte, sich freilich dabei zutod erschöpfte. Es sind mir
keine dichterischen Versuche aus den Kriegsmonaten der
Mettlen-Zeit bekannt; aber ein Bündel erster Versuche,
Mörikescher Abhängigkeit abgerungen, liegen in einer uner-
laubt genommenen Abschrift vor mir (abgeschrieben von
einer Freundin Zollingers, der er gebot, die Originale ver-
schwinden zu lassen, da er ihnen keine Gültigkeit mehr zu-
sprach). Eine Probe aus den über hundert Gedichten sei als
Zeugnis seiner damaligen Geistesnot preisgegeben:

Qual

Weiß ich denn immer noch nicht, daß man es
nicht sagen kann und nicht mit Worten schlichten,
leicht machen, gut und daß es ewig währe?

Will ich noch immer drängen wie ein Kind,
viel schönen Glauben an die Welt verschwenden,
das Herz, das wilde Herz mit Hoffnung blenden,
als wenn das Tor nicht fest verriegelt wäre!

Als könnt ich noch nicht wissen,
daß wir nun einmal bluten, stillestehn und schweigen müssen!

Am 6. Januar 1917 meldet Zollinger seinem Kollegen von Rüti aus, daß er zum militärischen Ablösungsdienst aufgeboten sei. «Es tut mir leid um die Tage, da ich noch hätte Schule halten können; jetzt ist dann ein anderer Meister und ich muß gehorchen, was mir, nebenbei gesagt, heillos schwer fällt, besonders wenn der Offizier ein ‹Affezier› ist.» Und in einem mit Bleistift auf der Kompanietrommel beschriebenen Blatt (Basel, 28. Januar 1917; Absender Schütz A. Zollinger, Schützen-Bat. 6/IV, 4. Zug) beklagt er sich, er habe im «ganzen großen Basel» bis jetzt noch keine Soldatenstube ausfindig machen können. Ihm graut vor der «Galeerenarbeit des Militärs». Am 2. März 1917 endlich hat er in Otterbach-Basel eine Soldatenlesestube entdeckt, und er gesteht dem immer noch an der Grenze stehenden Kollegen auf einem Lesestubenschreibbogen: «... aber Sie glauben nicht – doch Sie glaubens, welche Ungeduld und Sehnsucht nach Befreiung, nach dem Zivil, der schönen Heimat, den geordneten Verhältnissen mich plagt. [...] Aber wie manche Achtungsstellung, wie mancher Apell, welche Wagenladungen von Gewehrgriffen warten noch auf uns! Nicht zu reden von den Türks, Bivouacs und Märschen! Wenn man doch wenigstens ein bestimmtes Ende absehen könnte; aber es kann ebensogut wie bis Mai noch bis September und Oktober währen, ist gar nicht so absolut ausgeschlossen! [...] Aber das Schlafen mit den Schuhen und den gefüllten Patronentaschen auf dem (kranken) Magen ist auch kein Schleck.»
Mit diesem Schreiben fand der briefliche Verkehr mit Mettlen und dessen Lehrer sein Ende. Es fällt auf, daß alle Blätter dieselbe gekräuselte Handschrift aufweisen, mit bereits

hat er inzwischen nicht wieder einrücken müssen? Er hatte einen
Dreikäsehoch von einem Vikar!

Also, ich wünsche Ihnen nochmals
recht angenehme „Ferientage", die
Ihnen auch ja hübsch lang erscheinen
mögen. Grüßen Sie, sofern Sie
überhaupt in Mettlen sind, Familie
Müller freundlich, natürlich auch die
lieben Kinder im untern Stock. Vor allem
aber seien Sie selbst freundlich gegrüßt
von Ihrem

Albin Zollinger.

Albin Zollinger, letzte Seite des Briefes vom 2. März 1917
aus Otterbach-Basel an Heinrich Krebser

den auffallenden Besonderheiten der spätern endgültigen
Schriftzüge: schwungvoll dekorativen Großbuchstaben,
tiefwurzelnden Unterlängen, gut verbundener Brotschrift,
quirlig eingerollten Schlingen und den kleinen u mit ihren
in der Luft schwebenden wolkigen Böglein, den Überresten
der deutschen Frakturhandschrift, wo sie zur Unterscheidung des n vom u diente. Von auffallender Beharrlichkeit
zeugt ferner der Umstand, daß alle die sechs Unterschriften
genau denselben Duktus zeigen: jeder Namenszug schließt
mit einem kräftig gesetzten Punkt ab, und jedesmal wird
der volle Name entschieden unterstrichen. Ein mit Schwung
hingeworfenes, flatterndes Z hält die Zeilenmitte: der Buch-
stabe greift unter die Schreiblinie und hält die beiden Hälf-
ten im Gleichgewicht. Zollinger hat später dieses Antiqua-Z
seiner Unterschrift durch ein von der Fraktur abgeleitetes
sogenanntes deutsches Z ersetzt, ist jedoch mit den Jahren
zu jenem ersten zurückgekehrt, offenbar aus Abscheu vor
der fraktürlichen Deutschtümelei des Dritten Reichs.
Zu welchen Schlüssen kann nun diese Einheitlichkeit im Setzen der Unterschrift führen? Besagt der Schlußpunkt: Ein
Mann, ein Wort; punktum; dixi; es gibt nichts weiter zu
deuteln? Und das Unterstreichen? Ich bin zwar von un-
scheinbarem Wuchs, plage mich mit einem Magen, der mir
Sorgen macht; aber ich stehe auf festem Grund. Und der ist
meine ausgesprochene Begabung fürs Wort: ich kann schreiben! Und tatsächlich: der Einundzwanzigjährige drückt sich
in diesen Briefen mit einer Gewandtheit aus, die aufhorchen
lassen muß. Solche Ausdrucksleichtigkeit, dieser Schattie-
rungsreichtum ist mehr als nur technisches Können: es bezeugt sich eine gesteigerte Empfindsamkeit, der sich die

Sprache willig fügt. Beinahe läppisch zu erzählen, was Geringes er dort oben im Bergschulhaus von Mettlen überm Seetal erfuhr! und doch voll Wahrheit des Symbols: die Räbe, eine Futterrübe fürs Vieh, wird zur Trägerin der innersten süßen Erinnerung.

«Pax» in Uniform

Albin Zollinger als Soldat

Vor mir liegen fünf sogenannte Kollegienhefte. In jedem finden sich Einträge der Angehörigen einer Seminarklasse IV a, die eben die Abschlußprüfung hinter sich gebracht haben, mit dem frischerworbenen Primarlehrerpatent auf eine Anstellung im zürcherischen Schuldienst warten und durch die Einträge in die Hefte miteinander in Verbindung bleiben wollen. Im Verzeichnis der Anschriften wird auf 14 Burschen und 8 Mädchen verwiesen.

Das erste Heft.

Albin Zollinger hat das erste Heft, das rot eingebunden ist, Ende Dezember 1916 von einem Kameraden zugeschickt erhalten und einen weitläufigen, mitteilungsfreudigen Text eingetragen, den zu entziffern «ich übrigens niemandem geraten haben möchte». Er hat das Heft anfangs Januar 1917 weitergeleitet. Aus seinem gutgelaunten, aber sauersüßen Bericht über sein Befinden geht hervor, daß er noch nicht zum Militärdienst (Rekrutenschule) eingezogen worden ist; bald wohnt er bei seinen Eltern in Rüti-Zürich, bald ist er als Vikar an den Dorfschulen Rothenfluh (Baselland) oder Mettlen-Wald (Zürich) tätig.

Dieser erste Eintrag umfaßt zehn Schreibseiten. Zollinger entschuldigt sich vor seinen künftigen Lesern, an der Klassenversammlung im Dezember (in der Kittenmühle) bereits alles gesagt zu haben, jetzt habe er sich nach nichts mehr zu sehnen, und er fährt fort: «. . . nur die Hungernden interessieren, nur die Unzufriedenen werden angehört; die Anspruchslosigkeit ist ein Stillstand. Nun aber stehe ich rein still, selbst wenn ich auf den Zug renne, daß die Rockstöße fliegen (zufälligerweise besitze ich keine). Das Fähnlein meiner Unruhe und Neugierde hängt schlafend im Sonnenschein der Zufriedenheit.»

Er gedenkt der Klassenkameraden, der Seminarzeit, der Zusammenkunft derer, die an der «Landsgemeinde» (Kittenmühle) teilnahmen, und derer, die fernblieben, und er wünscht allen – «so auch mir» – eine Stelle (Anstellung als Lehrer), auf daß keiner in ungesundes Grübeln gerate und damit Bazillen ins Blut kriege. Und er beschließt den Bericht mit der ironischen Anmerkung: «Schaffen ist Herzlust, Schaffen macht reich! (7 Frs. pro Tag; Feiertage abgezogen).»

Das zweite Heft.

Im zweiten, dunkelblau gebundenen Kollegienheft finden sich Einträge von allen Ehemaligen, die sich inzwischen den Namen «Fieraner» (Klasse IV a) zugelegt haben. Albin Zollingers Bericht ist in St. Immer geschrieben worden, am 14. März 1917. Der vormalige, bisherige Aufenthaltsort Rothenfluh, Baselland, wo er als Vikar eingesetzt war, ist gestrichen; es gilt jetzt die Dienstadresse Schützenbat. 6/IV. Er ist somit inzwischen zur Rekrutenschule aufgeboten worden, hat sie bestanden und wurde den Schützen zugeteilt.

Zunächst erklärt er seinen Freunden, warum er mit Bleistift schreibe: er stecke im grünen Rock mit dem rauhen Kragen (im Unterschied zu den übrigen Infanteristen, die dunkelblau uniformiert waren und rote Kragen und Armspiegel

trugen, waren die Schützen in grünes Tuch gekleidet), sitze
mutterseelenallein auf einer lotterigen Bank neben dem Kan-
tonnementsstroh der Töchtersekundarschule St.-Imier, «weil
ich in der lauten Soldatenstube nicht schreiben kann noch
mag». Er habe keinen Federhalter; «das Geschreibsel macht
dann zugleich den echt ‹militärischen›, will sagen den Eindruck des Provisorischen, Ungemütlichen, Heimat- und
Kulturlosen, wie es sich ziemt für unsereiner». — Er dankt
für das Zirkulationsmäppchen mit den vielen Einträgen:
«Ihr glaubt gar nicht, welch köstliche Stunden mir Euer
fröhliches Geplauder in der Einöde meiner Gefangenschaft
bereitet hat.» — «Sollte einem von Euch das Schulmeister-
amt verleidet sein, so rate ich ihm, einmal ein paar Wochen
Dienst zu tun, und er wird die Finger lecken nach dem kleinen aber trauten Reich seiner Schulstube. Aber hier bin ich
an dem Punkt angelangt, wo unfehlbar das Wässerlein meines Trübsinns und meiner Bitterkeit zu rinnen anfängt,
wenn ich nicht mit einem Sprung zu anderem übergehe. Da
es aber unter meinen Kameraden so manchen halben General gibt und dies auch nicht der Ort ist, über Militär und
Dienstleben zu disputieren, breche ich mein Geschreibsel,
sehr unvermittelt allerdings, ab. Nur das muß auch an dieser Stelle heraus, daß ich die Stunden zähle bis zur endlichen Befreiung aus diesem Leben des Zwangs, der Unge-
rechtigkeit, der Rohheit, Dummheit und Trostlosigkeit.
Ich bin voll von Ungesagtem, das eben dieses Heft in mir
aufgewühlt; aber Ihr seht, ich bringe keinen vernünfti-
gen Satz fertig, kann und will auch nicht sagen, was mich
bewegt. [...] Im übrigen verspreche ich Euch, wie gesagt,
recht, recht froh und gut sein zu wollen, sobald ich wieder

in meinem Element bin – hinaus aus diesem – na, item... Und nun lebt alle wohl! Wir müssen jedenfalls noch heute nacht weiter – oder, was schlimmer ist, zurückmarschieren, an die Grenze, oder was weiß ich, etwas ist im Tun. Freundliche Grüße von Pax
NB. Habt Ihr denn, wie Ihr mich so tauftet, um meine Friedenssehnsucht gewußt? Aber nein, damals war ja noch nicht Krieg – seltsam:... damals war nicht Krieg!»

Das dritte Heft.

Es ist hellblau und wurde in Umlauf gesetzt und mit Zusätzen versehen vom April bis zum November 1917. Albin Zollinger steuert lediglich einige wenige Sätze mit Tintenstift bei, geschrieben in Therwil (Baselland) am 9. November 1917, Schützenbat. 6/IV, 2. Zug. Eigentlich hätte er sehr viel zu bemerken – «aber hier im militärischen Stroh? Lieber gar nichts und ein andermal dafür».

Das vierte Heft.

In diesem abermals hellblauen Heft läßt sich der Schütze Zollinger über Vikariatsnöte aus. Er schreibt die acht Seiten zuhause bei seinen Eltern im «Bergheim», Rüti, während eines militärischen Urlaubs Mitte Januar 1918 und setzt das Heft am 20. Januar wieder in Umlauf. Es sind sieben Mädchen und zwölf Burschen, die erreicht werden und ihre Beiträge eintragen. Einer namens Karl Fink wird als in Arosa verstorben gemeldet, ein anderer Name in der Liste ist gestrichen, unbegründet.

Einleitend bekennt Albin Zollinger, es wäre ihm ums Plaudern, nicht ums Schreiben; seit Menschengedenken habe er kein Fieranerbein gesehen, «und die paar, die mir in den Weg liefen, staken in Feldgrau*, welche Farbe mich nun einmal gräulich dünkt; ich getraue mich, dies abermals auszusprechen, indem eingefleischte Strategen in der Zeit auch eine ‹Schwenkung nach links› gemacht zu haben scheinen».

Es folgt eine seitenlange Klage über das Los des Stellenlosen, der auch nur auf Stellvertretung umsonst wartet. Von seinen Seminarfreunden heißt es: «Es könnte einem doch fast das Blut zu Kopfe treiben, daß zur Stunde so viele dieser guten Kräfte und schönen Herzen brach liegen, diese jungen, erdduftenden Äcker, die nach Saat und Arbeit hungern, denen es noch Lust macht, unter Sturm und Sonne und den Schmerzen des Pflugs Frucht zu treiben . . .» Er fährt bekümmert weiter und hat dabei Kollegenveteranen, die des Ruhestandes bedürftig sind, im Auge: «Liegt nicht manch ein Stoppelfeld im Land, das sein Pfand redlich verwaltet hat und dem Gott nicht mehr zürnen würde, wenn es ruhte? Ach, und wie mancher glaubt der Menschheit unentbehrlich zu sein und achtet nicht seiner kläglichen Ähren und des Wustes alten Unkrauts, das er treibt. – Doch was ist auch mit dem Pax – will er gar in alten Tagen Unfrieden stiften und gehässig sein? Rechnet es ihm nicht übel an, liebe Fier-

---

* Die Armee war in der Zwischenzeit von der alten blauen (und grünen) in die einheitlich feldgraue neue Uniform umgekleidet worden.

aner, es ist eine Zeit, wo alles, selbst der leibhaftige Frieden, kriegerisch wird.» – Er ist der Stellenlose, der Zurückgestellte, und wird er einmal als Vikar eingesetzt, hat er sich mit «sibe Fränkli Tagloh» zu bescheiden. «Und Du, Handlanger?» «Zwölf!»

«Wenn ich Euch nun aber, liebe Kollegen, Gutes, d. h. eine Stelle wünschen will, was bedingt denn das? – ‹Hoffentlich müssen jene einrücken; hoffentlich bricht jener ein Bein; hoffentlich wird *der* geschaßt; hoffentlich läßt *den* die Tuberkulose noch lange nicht heim; hoffentlich verschärft sich die Lage, damit dieses Regiment noch an der Grenze bleiben muß; hoffentlich stirbt der Serbling endlich, hoffentlich ...› Halt ein, o Herr! Meine Lieben: Auf dem Mist wachsen die Kürbisse gelb und rund, auf Napoleons Leichen sproßten die Vergissmeinnicht mitten in der Beresina – aus dem Unglück anderer erblüht das Heil des Vikars – es lebe der Vikarsstand!

Ich mein es aber ernst: Was wären die Misthaufen ohne Kürbisse, was die Leichen ohne die Blumen – die Vikare sind ein nützliches Übel.»

In einem verjuxten «Postscriptum» nimmt er quasi zurück, was er da vom Vikar gesagt habe, es sei alles erstunken und erlogen, denn: «Morgen darf ich nach Zürich – hurra!»

Das fünfte und letzte Heft.

Wieder in blau eingebunden. Er gab es am 12. September 1918 auf Fahrt, mit Dienstanschrift als Absender: A. Z., Schützenbat. 6, IV. Kp., 2. Zug. Es sind wie zuvor sieben

Mädchen und 13 Burschen als Beiträger beteiligt. Man befindet sich im vierten Jahr des Ersten Weltkrieges. Zollingers Standort: Martinsgrund-Hauenstein. Dieses sei der erste Dienst, der ihm wirklich gefalle, eben weil er kein Dienst sei. Nichts von Wache und Drill. (Man spürte das nahende Kriegsende, den Zusammenbruch der deutschen Fronten; die Grippe bedrohte den eigenen Bestand. Das Oltener Aktionskomitee tagte, der Generalstreik wurde beschlossen.) Albin Zollinger gedenkt der Seminarkameraden, die er in Uniform getroffen hat, und fragt nach dem Verbleib derer, die sich im Zirkulationsheft nicht haben vernehmen lassen. Allen, die noch keine Verweserei* haben, wünscht er von Herzen eine. – «Ich gehöre nämlich auch zu den Wartenden!»

«Also gut, auf Wiedersehen in absehbarer Zeit; wolle Gott, daß wir doch noch ein Endchen Weges in Friedenszeit wandeln dürfen, sonst ist's denn doch ein Elend, wie es uns unsere Lebenshoffnungen verschneit hat.» Er unterschreibt als «Schütz und nebenbei Vikar».

Damit hat sich seine Mitarbeit an den Heften erschöpft.

Aus den folgenden Monaten und Wochen des verflackernden Krieges und der stürzenden Ordnung im Lande sind uns außer den im Feld geschriebenen Briefen ein Bündel Gedichte erhalten geblieben, die er freilich hinterher nicht mehr gelten lassen wollte. Immerhin überließ er seiner Freundin Hedwig Ammann eine Abschrift, die sie selbst besorgt hatte, verlangte aber nicht ausdrücklich, daß sie zer-

---

* Verweserei im Unterschied zum Vikariat: der Verweser versieht eine Lehrstelle, an die er von der Schulgemeinde als vollamtlicher Lehrer gewählt werden kann.

stört werde und mochte sie wohl als Vorstufe gelten lassen.
Ich setze hier eine Probe aus der insgesamt 118 Gedichte
umfassenden Sammlung her. Das Gedicht ist bezeichnend sowohl für alle übrigen Verse dieser weltschmerzlichen Verfassung als für des Dichters formale Abhängigkeit vom sich
selbst bemitleidenden Klagestil eines blaßen Expressionismus.

Todesbereitschaft

Hier sitze ich beim Licht, das mich betrachtet,
schon halb gewöhnt an meine späte Wacht,
ich bin so tief allein, denn schlafbefrachtet
rauscht auf der höchsten dunkeln See die Nacht.

Da seh ich alle meine Wege leiten,
die, die ich kam und die noch vor mir stehn,
und weder fühl ich Lust, zurückzuschreiten
noch find ich Sinn, die neuen abzugehn.

Ich weiß nur dieses, daß mein Laub gefallen,
und daß mein Herz als wie der Wald entblößt,
daß ich, vielleicht das letzte Blatt von allen,
nur warte, bis ein guter Hauch mich löst.   (7. Nov. 1919)

An die Prüfungen, die «Pax» in Uniform zu bestehen hatte,
schließt sich eine ebenso schmerzhafte Reifezeit in der Einsamkeit an. Er zieht sich in die Dichtung zurück und dort

zunächst in die Historie, die er lyrisch freigiebig ausstattet im Versailler Roman «Die Gärten des Königs» (1921); auch das Märchen dient ihm als Freistatt und Refugium («Die verlorene Krone», 1922); und zur Meisterung des hinfälligen Gemütes bedarf es weiterer krampfhafter Anstrengungen. Acht Jahre nach dem Erscheinen des ersten Buches glückt ihm die Selbstbefreiung und gewinnt er Abstand von seiner schwermütigen Selbstbezogenheit: als Wendel Bach (im Roman «Der halbe Mensch», 1929, der wohl neben den Novellen als seine geschlossenste erzählerische Leistung angesprochen werden darf) tritt er aus sich selbst heraus, steht er sich selbst gegenüber und erkennt er im andern sein Gegenbild: eine befreiende Metamorphose hat sich vollzogen; «Pax» hat heimgefunden. Freilich nur für beschränkte Jahre des Friedens zwischen den Weltkriegen. Es war eben «doch ein Elend, wie es uns unsere Lebenshoffnungen verschneit hat». Es wurden einige Jahre der eiligen Ernte.
Im Kapitel «Hieronimus im Gehäus» des Romans «Der halbe Mensch» (S. 127) konnte er dankbar bekennen:
«Das Herz verhielt sich ruhig und begehrte kaum je zurück. In seiner Regenlandschaft saß der Dichter schreibend; blaugoldene Bogen erglühten im Laube, süße Verzückungen suchten ihn heim.»

«...zu tadeln, wo man lieben möchte»

Der Kritiker Eduard Korrodi

«Könnte ein Kritiker von einiger Menschlichkeit jenen Beruf üben, wenn er im Grunde seines Herzens nicht ein wohlwollender Mensch wäre? Ich lasse Ihnen diese rätselhafte und so unglaubliche Frage!»

So schrieb mir Eduard Korrodi in einem Brief vom 26. Oktober 1926, und es bereitete mir keinerlei Schwierigkeiten, die gar nicht rätselhafte Frage nach dem herzhaften Wohlwollen des Kritikers ohne Zögern zu beantworten, war mir doch zuvor von einem Verleger ein Romanmanuskript abgelehnt worden und hatte mich Eduard Korrodi wegen des Refüs zu trösten versucht und geschrieben (7. August 1925), ich möge mir darum nicht Blei auf die Schwingen legen lassen, bei C. F. Meyer habe er jüngst gelesen, er habe sich blutig geklettert, um auf die Höhe zu kommen. «Ich wünsche Ihnen von Herzen, daß Ihnen, weil Sie sich auch blutig geklettert haben, bald die verdiente Genugtuung wird ...»

Mit der Frage, ob sich Menschlichkeit und Wohlwollen mit dem Berufe des unabhängigen Kritikers vertrügen, wurde meines Erachtens eine geradezu grundsätzliche Entscheidung herausgefordert: Vermögen sich Schärfe und Unbestechlichkeit im Werten eines Kunstwerks neben persönlicher, freundschaftlicher Rücksichtnahme zu behaupten, ohne das Urteil zu trüben? Gilt der Grundsatz der strengen Güte und der gütigen Strenge? Ist hier Nachsicht erlaubt oder ist es nicht vielmehr des Kritikers Pflicht, fest zuzugreifen und auf dem Prüfstand die Zerreißprobe vorzunehmen, ohne Rücksicht auf die Empfindsamkeit des Autors?

Wir vermögen diese Schwierigkeit, in die sich der Berufskritiker wohl immer wieder versetzt sieht, ohne weiteres zu verstehen und halten drum E. K.s «rätselhafte und so un-

glaubliche Frage» für durchaus berechtigt und allgemeingültig. Er selbst hat sie in seiner Tätigkeit als Leiter des Feuilletons einer großen Tageszeitung praktisch beantwortet und
dabei versucht, die Gegensätze Schärfe und Milde zu vereinen, auch im Urteil über meine eigenen Arbeiten. In ein
Buch, das er mir schenkte, schrieb er als Widmung: «Bin
nicht im Kreise, / doch auf meine Weise / ich Dein Werk um-
kreise. / Tadelnd, liebend, laut und leise!» (17. August 1927).
Tadelnd liebend oder auch liebend tadelnd: so war seine
Einstellung sowohl zum Werk, das er bewertete, als zu dessen Verfasser. Er vermochte den literarischen Rang der Arbeit mit einer überlegen gehandhabten Methode zu bestimmen, zögerte jedoch oder hielt sich völlig zurück, wenn ihm
der Zugang zum Verfasser verwehrt war. So kam es zu keiner gegenseitig förderlichen Beziehung weder zu Emil Ermatinger, dem Ordinarius für Germanistik an der Zürcher
Universität, noch zum Gesamtwerk Walter Muschgs, dessen
Schüler, und blieb es hier wie dort bei einem höflichen
Übersehen. Beider Anspruch sowohl auf fachliche als auf
persönliche Geltung und ihr unverhülltes «besoin de gran-
deur» schätzte er ein als wissenschaftlich getarnte Herrsch-
sucht, und so blieb denn nicht aus, daß man sich gegenseitig
verkannte und beispielsweise Ermatinger eine geplante
Habilitation Korrodis an der Universität vereitelte, während dieser seinen Argwohn nicht zu überwinden vermochte, um Ermatinger die Spalten seines Feuilletons zu
öffnen, so daß der geflissentlich Übergangene sich auf
reichsdeutsche Tageszeitungen und Fachschriften zurückzog,
etwa auf die Münchener Neuesten Nachrichten. Und Walter Muschgs Monatsschrift «Annalen» wurde von E. K.

öffentlich überhaupt nicht zur Kenntnis genommen. Zwar erkannte Korrodi die ungewöhnliche geistige Stoßkraft des jungen Stürmers und Rechthabers, aber sie blieb ihm tief verdächtig, weil angeblich auf Ehrgeiz montiert, und so wurden Muschgs literarische Manifestationen, wie sie die Hefte des ersten «Annalen»-Jahrgangs bezeugten, nicht einmal eines Widerspruchs gewürdigt.

Da ich glaubte, bedauern zu dürfen, daß die beiden nicht imstande waren, ihre Kräfte auf ein gemeinsames Ziel auszurichten und es mir leid tat, zu sehen, wie an Stelle der Förderung einer so ernsten Sache, wie es das Begründen und Durchhalten einer literarischen Monatsschrift verlangt, so viel gutes Wollen vertan wurde, trachtete ich nach einer Vermittlertat, was sich freilich sogleich als völlig verfehltes Unternehmen erwies: Es ist bekannt, drum keineswegs weniger bedauerlich, daß in der Schweiz bis zur Stunde keine einzige die deutschsprachige Leserschaft erreichende literarische Zeitschrift verlegt wird, mit der ohne Snobismus, aber auch ohne Absinken ins verschmockt Gartenlaubige unser junges Schrifttum vor einer weiträumigen und vielschichtigen, wachen und aufgeschlossenen Öffentlichkeit sein kulturelles Anliegen vortragen könnte. Felix Moeschlin hat einst mit seinem «Schweizerland» versucht, die jungen Erzähler und eine neugierige, auf neue Versuche erpichte Leserschaft um sich zu scharen. Der Erste Weltkrieg und die nachfolgende Umschichtung haben dem tapferen Unternehmen den wirtschaftlichen und geistigen Tragboden und Nährgrund entzogen; auch Maria Wasers «Schweiz» war ja nach jahrelangem Gedeihen lautlos eingegangen, von vielen still beklagt. Max Rychners «Neue Schweizer Rundschau», hervorgegangen aus E. Bovets «Wissen und Leben», stellte ihr Erscheinen ein und «Raschers Monatshefte», von Hermann Weilenmann betreut, konnten sich nicht auf die Dauer halten. Es fehlte das Monatsmagazin, das dem epischen, lyrischen, dramatischen und essayistischen Worte offen stand. Hier hatte Muschg begonnen, mit jugendlichem Einsatz in die Lücke zu treten. Ich versuchte, zu retten, zu vermitteln, zu Burgfrieden zu überreden, und tatsächlich bot mir Eduard Korrodi an, den ersten Jahrgang der «Annalen», der eben abgeschlossen worden war (Ende 1927), im Feuilleton der NZZ zu besprechen. Ich tat's; der Aufsatz erschien. Erreicht wurde indessen nicht die geringste Wirkung und die Zeitschrift ging mit dem zweiten Jahrgang ein: Abonnentenmangel, Mißachtung durch die Tagespresse, Schwund der verlegerischen Mittel.

Eine ähnlich verlaufene, traurig-kleinliche Werde- und Sterbegeschichte folgte diesem Untergang wenige Jahre später: es ging um Albin Zollingers Monatshefte «Die Zeit». Die Unstimmigkeiten zwischen Eduard Korrodi und Albin Zollinger, die auch mir zu schaffen machten, hatten ihre Ursache in der verschiedenen Einstellung der beiden zum Wirkbereich des dichterischen Wortes, realistisch gefaßt: in ihrer gegensätzlichen politischen Einstellung. Zollinger hatte sich zum engagierten, aktivistisch gestimmten Schriftsteller gewandt: aus lyrischer Versponnenheit war er angesichts der Not der Zeit (Diktaturen von links und rechts!) aufgebrochen und erhob nun seine Stimme gegen den aufkommenden schweizerischen Defaitismus und die Anpasserei der Fröntler. Von Eduard Korrodi zur Mäßigung verwiesen, ließ er sich nicht einschüchtern und wetterte gegen die Be-

drohung des freischöpferischen Geistes durch den Merkanti-
lismus. Er, dem das musisch Entzeitlichte angeboren war,
trat als streitbarer Polemiker auf, führte in einem «Vorspruch» zum ersten Heft der «Zeit» eine aufbegehrerische
Sprache und richtete seine Vorwürfe gegen eine im Nütz-
lichkeitsdenken befangene Kulturduckmäuserei. Er zielte
gegen das Appeasement, wie es seiner Meinung nach die bür-
gerliche Tagespresse übte, und als der für soziale Mißstände
empfindlich gewordene Dichter wiederholt in die Schranken
gewiesen wurde, setzte er sich nicht eben schüchtern im
Gegenangriff zur Wehr. Eine wunderliche Neigung dazu,
alle künstlerische oder literarische Tätigkeit als persönlichen
Ehrgeiz zu übergehen, sei in dem praktisch nüchternen,
spöttisch diesseitigen Menschenschlag der Eidgenossen allzu
verbreitet, schrieb er verbittert. «Wie alles, ist auch der Bezirk der Dichtung von der Privatwirtschaft mit Beschlag
belegt, in redlicher Absicht sogar, da der Staat sich um Be-
lange der Käsewirtschaft ungleich mehr als um solche der
Literatur bekümmert.»
In einer größeren Notiz, überschrieben «In eigener Sache»
(«Die Zeit», Nr. 2, Juni 1936) befaßt er sich mit einer zu-
rechtweisenden Äußerung E. K. s in der NZZ; dort wurde
Zollinger vorgeworfen, er setze sich die Märtyrerkrone aufs
Haupt und begehe die Charakterlosigkeit, gegen die selben
Blätter zu polemisieren, deren Feuilleton er mit seiner Feder
bereichern möchte. Zollinger zieht verbittert die Schlußfolgerung aus dem Streit: «Ich hielt bis vor kurzem das Feuilleton für etwas wie eine öffentliche Anlage, ein Gemeingut,
besonders in der Demokratie; ich sehe aber ein, daß es un-
richtig war und ich da verboten spazieren ging.» (S. 43)

Seine Einsicht, daß «der Bezirk der Dichtung von der Privatwirtschaft belegt» sei, kam ihm freilich etwas spät und die Beruhigung über diese Tatsache hielt denn auch nicht lange vor. Immer wieder erwartete er vom Feuilleton führender Tageszeitungen, daß es eine Art Hyde Park Corner-Rolle übernehme, also jegliche Gesinnung zu Worte kommen lasse, wenn diese nur in angemessener Sprache vorgetragen werde. Solches Verkennen der wahren Verhältnisse im demokratisch ausgerichteten Zeitungswesen war denn auch weiterhin und dauernd Anlaß zu Mißhelligkeiten zwischen ihm und E. K. – Kein noch so weitherzig und großzügig aufgeschlossener Feuilletonredaktor ist letzten Endes – trotz absicherndem Statut – gänzlich unabhängig von der politischen Richtung, der sein Blatt zugehört, selbst wenn sich dieses Blatt zur nonkonformistischen Antifront bekennt. Kein Feuilleton, noch so liberal verwaltet, ist «etwas wie eine öffentliche Anlage» oder gar ein «Gemeingut». Umso dringlicher erhebt sich ja die Forderung nach jenem unabhängigen Organ einer gesamtschweizerischen literarischen Zeitschrift, einer Sammelstelle für Arbeitsergebnisse des wagefreudigen, jenseits der Parteipolitik erregten, aufgeweckten Nachwuchses. In der bedrängenden Enge unseres beschränkten Kulturraums erweist sich der Kleinstaat wohl als Treibhaus, in welchem zwar die Talente dichtgesät sprießen, es jedoch an genügend Freiland mangelt, auf dem das Versprechende sich zur Reife und Fülle entfalten könnte. So lange solches Tummelfeld für Black Horses nicht durch die öffentliche Hand bereit gestellt werde, so lange habe, forderte Zollinger, das Feuilleton der großen Blätter für jede Art der Aussprache großzügig offenzustehen, und Zollinger gestand denn in jener redaktionellen Anmerkung («In eigener Sache») beispielsweise dem Fröntler Paul Lang bedenkenlos den Abdruck einer Arbeit in der Zeitschrift «Die Zeit» zu, obgleich er mit Langs politischer Haltung nicht einig ging – wenn diese Arbeit nur «eine Dichtung» sei.

Solche gewagte Großzügigkeit war es wohl, die E. K. derart in Harnisch brachte, daß er Zollinger der Charakterlosigkeit zieh, blieb er selbst doch entschieden auf der Hut gegen jede totalitäre, diktatorische, links oder rechts gerichtete Anfälligkeit von Mitarbeitern seines Feuilletons und stellte er sein feines staatsbürgerliches Gewissen dauernd unter Beweis; es sei nur erinnert an seine Grenzbereinigung mit Jakob Schaffner, dessen Entwicklungsroman «Johannes» er doch zuvor erkannt und herausgestellt hatte, ferner an sein mahnendes Wort zu Knut Hamsuns Fall, den Irrungen des Dichters Emil Strauß und die rechtzeitigen Sperren gegen geringere schwankende Gestalten wie John Knittel, Hermann Burte und Dominik Müller.

Für Eduard Korrodi galt der Charakter als Bestandteil der Begabung; er setzte damit das sittliche Bekennen und Verhalten über den Kunstverstand, wie anders sonst wäre er fähig gewesen, Pestalozzis Roman «Lienhard und Gertrud» als ABC-Buch der Menschheit zu rühmen und ihm so hohen Rang beizumessen, oder Albert Steffen, den geisteswissenschaftlichen Moralisten, in seinen hellsichtigen, dichterischen Anfängen zu entdecken, vor allem in dessen Kausalroman «Ott, Alois und Werelsche»! («Schweizerische Literaturbriefe», 1918).

Mitzulieben sind wir da, bekannte er unbefangen und verlangte, daß der negativ vergleichenden die positiv vergleichende Literaturgeschichte entgegengestellt werde («Literaturbriefe», S. 82); sie soll den Geist zum Vater haben, aber mit dem Herzen noch weiter vorfühlen. So ausgerüstet, blieb ihm, wie er im Geleitwort zur Aufsatzsammlung «Erlebte Literatur» (Olten 1952) sich rühmen durfte, «das Ergötzen, sehr oft zuerst den Flügelschlag der Dichter und Essayisten bemerkt zu haben». Mit genauer Witterung folgte er den Fährten der Zeitgrößen durch Europas Literaturpark, sprach an Rilkes Grab in Raron, betrauerte den Tod Hugo von Hofmannthals, sah Stefan George und Gerhart Hauptmann gehen, beklagte den Verlust Paul Valérys, gab Meldung über André Gide, stand in anregender Verbindung mit Thomas Mann und Hermann Hesse, vertrug sich mit C. J. Burckhardt, kurz, bezeugte einen «Föderalismus des Geistes, in einem Bund, der Weltliteratur heißt», wie Werner Weber ihm bestätigt (NZZ, 6. September 1955). Und trotz dieser Weltbetroffenheit übersah er nicht das literarische Kleingeschehen innerhalb der Landesgrenzen, wenn es nur vom Menschlichen ins Menschheitliche und durch dieses hindurch ins Gemeingültige mündete. Ja, er schätzte das selbständige Provinzielle, weil er in ihm einen Humuszeiger erkannte. Als ich ihm einmal im Gespräch berichtete, es gebe Wildgewächse, die mit ihrem Standorte verrieten, daß unter ihrer Erdkrume eine verschüttete Kulturschicht liege, zum Beispiel finde man zuweilen im Walde die Balsamine (das Springkraut) an völlig unerwarteter Stelle und es erweise sich bei näherem Zusehen, daß sich hier vormals eine menschliche Wohnstätte befunden habe, da billigte er mir zu, daß die Mundart als ein derartiger Anzeiger verschüt-

teter und neu zu belebender Kultur zu betrachten sei. Es fiel
ihm freilich nicht leicht, gerade der Mundart als Schrift-
sprache gerecht zu werden und doch gelang es ihm, Erscheinungen der Dialektliteratur wie Alfred Huggenberger, Rudolf von Tavel, Simon Gfeller, Meinrad Lienert und Josef
Reinhart ihren Rang zuzuweisen. Im Provinzialismus, besonders im Volkslied, erkannte er ein unbekümmertes Blü-
tentreiben, das mit der Unverwüstlichkeit von Wiesenun-
kräutern zu vergleichen sei.

Albin Zollinger und Eduard Korrodi, nach jener Auseinan-
dersetzung über die Wünschbarkeit einer progressiven Ten-
denz der Monatsschrift «Die Zeit», blieben einander für die
kommenden Jahre entfremdet. Zwar bezeugte E. K. wiederholt objektiven Urteilswillen der Lyrik Zollingers gegenüber und erwies ihr in seinem Feuilleton gelegentlich ehrliche, wenn auch verhaltene Reverenz. Zollingers kämpfe-
rischer Eifer befremdete ihn dauernd. «Die Dominante der
Politik in allem Schrifttum, ihre elementaren Probleme und
Gegensätze lagen seiner Natur nicht...», schrieb Max Rychner in einem Nachruf auf seinen Freund und ehemaligen
Lehrer (Die Tat, 6. September 1955). Korrodi hat vorausgesehen, daß Zollinger sich in seinem Dichtertum gefährdete,
wenn er seine Lyra sozusagen zur Schlagwaffe erhob und
als Erzähler sich ins Parteigezänk mischte. So überließ er es
als Redaktor seinen Mitarbeitern, Zollingers Romane zu besprechen (Edwin Arnet, Carl Seelig, Max Frisch). War er
nachträgerischer Natur? Er war es, sowohl im guten wie im
abträglichen Sinn: er trug einem Freundschaft und Bestän-
digkeit dankbar nach, blieb aber dem Versagen gegenüber
unversöhnlich. «Ich bin ein Kämpfer», schrieb er mir

unterm 26. Oktober 1926, nachdem er als Kritiker vom Schriftsteller Konrad Falke im «Flugblatt der Buchhändler» angegriffen worden war, «und wer mich haut, dem geb ichs brüderlich zurück.» Er zählte nicht zur Gattung jener Kritiker, die als verhinderte Dichter ungerecht oder übergerecht urteilen, indem sie «an ihren nicht erreichten Idealen messen» (Moritz Heimann, «Die Wahrheit liegt nicht in der Mitte», Essays, S. Fischer, 1966). Er hatte sein Wertmaß am Werk C. F. Meyers geeicht (Dissertation bei Adolf Frey «Stilstudien zu C. F. Meyers Novellen») und mit seinen «Literaturbriefen», mit der Sammlung «Geisteserbe der Schweiz» und den Aufsätzen zur «Schweizerdichtung der Gegenwart» eine schweizerische kulturelle Kontinuität nachzuweisen vermocht und glaubte mit Fritz Ernst an die Möglichkeit des Vorhandenseins einer helvetischen Nationalliteratur. Das dichterische Nachempfinden eines vorhandenen Werkes wurde ihm zur schöpferischen Aufgabe, und so war er imstande, aus dem Keimblatt und dem ersten Sprießen auf künftige Erfüllung zu schließen, junge Talente anzuregen und Irrende vor Abwegen zu warnen. Er nahm es geradezu als persönliche Kränkung, wenn ein von ihm aufgespürter und ermunterter Dichter mit seinem spätern Werk nicht hielt, was er als Anfänger versprochen hatte oder in einer Richtung sich entfernte, die in der Anlage anscheinend nicht vorgewiesen worden war. So entwuchs ihm Walter Muschg, so entlief ihm Walter Lesch; freundschaftlich gesinnt jedoch verfolgte er den Weg zur Literaturwissenschaft, die andere seiner jungen Freunde gingen: Walther Meier, Max Rychner und Carl Helbling. Meinen gelegentlichen Hervorbringungen gegenüber blieb er kritisch gewogen, ließ zwei meiner Romane im Feuilleton abdrucken, brachte hin und wieder eine Erzählung, verwehrte aber meiner Mundart den Zugang zu seinem Gemüt und somit zu seinem Feuilleton. Eine Erzählung in Züritüütsch wies er mir zurück mit der Begründung, ein Weltblatt dürfe sich nicht provinziell einengen; Berntüütsch hingegen sei eine Art Weltsprache geworden durch Gotthelf, und er setzte seinen Lesern den Roman «Ring i dr Chetti» von Rudolf von Tavel vor. Ich wehrte mich gegen die Zumutung, meine Mundarterzählung in die Hochsprache zu übertragen und bot sie reihum den Redaktionen deutschsprachiger schweizerischer Tagesblätter und Zeitschriften an, wurde indessen jeweils postwendend abgewiesen. In einem Anfall von Charakterschwäche schrieb ich den Text hochdeutsch um und erfuhr die jämmerliche Genugtuung, die zur Novelle aufgeputzte Geschichte in einer der ersten Nummern der Zeitschrift «Du» gedruckt zu sehen («Betzeit am See»). Was E. K. nicht erwirkt hatte, war durch Demütigung zustande gekommen.

Eduard Korrodi sprach eine ungezierte Stadtmundart, die er von seinem Vater und dessen zweiter Gattin, seiner Mutter, übernommen hatte. Der Vater war Schreiblehrer gewesen und in einer kurzen Selbstdarstellung führt der Sohn mit liebenswürdigem Stolz an, in Amerika benütze man jetzt noch (die biographische Notiz wurde in den frühen Zwanzigerjahren aufgeschrieben) des Vaters zum Teil berühmte Vorlagen zum *Schön*schreiben. Und er fährt fort: «*Gut* schreiben dagegen wäre mein sehnlichstes Ziel. Mein Vater dichtete für den Hausgebrauch, Busch würde sagen im Kreise der Verwandten und theedurchglühten Tanten. Immerhin, es rührt mich, wenn ich diese Gedichte lese, sie brachten mir zum erstenmal und schmerzlich das Verhängnis der Kritik bei, dieses, zu tadeln, wo man lieben möchte.» Überließ ihm der Vater die Lust zur Feder, pflegte die Mutter im Knaben den Sinn zur Nüchternheit und erzog ihn zu kritischem Verhalten den Erscheinungen gegenüber: «Sie ließ nicht gerne ein Märchenbuch in seiner Hand.» Eduard war ihr einziger Sohn, den sie neben einigen ältern Kindern aus ihres Mannes erster Ehe zu erziehen hatte. Da sie katholischen Bekenntnisses war, die Stiefkinder sich aber wie ihre verstorbene Mutter zum reformierten Glauben bekannten, galt es zuweilen, im Familienkreise kleine, sauersüße Kulturkämpfe zu bestehen. Ich erinnere mich einer Episode, die E. K. in Heiterkeit berichtete: Jeweils an Freitagen bediente sich die Tafelrunde mit Ausnahme der Stiefmutter und ihres Söhnchens aus der Fleischplatte; der neckische Vater unterließ es dann nicht, den Jüngsten herauszufordern, indem er seine Gabel in ein saftiges Bratenstück stieß, es hochhob und über die Tischplatte hinweg dem gekränkten Muttersöhnchen entgegenhielt: «Eduardli, hetsch nüd au gëërn?»

Die Bindung an die Mutter bestimmte den zivilen Lebenslauf des Sohnes: selten fuhr er ins Ausland, nie gründete er einen eigenen Hausstand, Zürich behielt er als Wohnstätte und Wirkungsort. Mit seiner greisen Mutter hatte er sich an der Gemeindestraße, später ums Eck an der Asylstraße und zuletzt abermals im Umkreis von wenigen hundert Metern an der Freiestraße eingemietet. Gelegentlich kam er zu seinen verheirateten literarischen Freunden zum Tisch und teilte mit den jungen Eheleuten den abendlichen Hausfrieden, erwies sich als aufmerksamer Genießer und bedankte

sich bei der Hausfrau mit großzügig gewählten, ritterlichen
Geschenken. Auch entgalt er mit Gegeneinladungen in
italienische Speiselokale oder suchte einen am Ferienorte
oder im Militärdienst auf, ließ sich dabei gerne von einem
Adepten begleiten, der ihm als Schatten folgte. Er liebte es,
sich mit hochgewachsenen Jünglingen zu umgeben; sein
Ideal war, über die Hünengestalt eines stummen Dieners
verfügen zu können. Eisenbahn oder gar Schiff bereiteten
ihm auf Reisen tiefes, ständiges Unbehagen; es war eine Art
Platzangst in ihm angelegt. Einmal, als er mich und meine
Frau in Risch am Zugersee besucht hatte, zögerte er am
Steg, die Motorschwalbe zu besteigen; wir gingen mit ihm
an Bord, und an unserer Seite wagte er die Überfahrt. Ein
andermal besuchte er mich, als ich auf der Landschaft einen
militärischen Wiederholungskurs bestand und unsere Kompanie zur Erntezeit in einer Bauerngemeinde Quartier bezogen hatte. Es war zwischen den beiden Kriegen, während
eines ebenso trügerischen wie süßen, weil lang entbehrten
Friedens. Man wollte das Aufkommen einer neuen, europäischen Sturmzeit nicht wahr haben und drum nicht wahr-
nehmen. Die ländliche Idylle mit dem Geruche gärenden
Obstsaftes in den Dorfgassen, durchsäuert von den Rauch-
opfern der Kartoffeläcker und gewürzt vom Gulasch unserer Soldatenküche, stimmte uns sehnsüchtig. Die Wehrmänner standen mit den Mädchen unter der Dorflinde vor dem
«Löwen»; E. K. war in Begleitung von Walter Lesch in
mein Quartier gekommen und ich lud sie nach dem abendlichen Hauptverlesen zu einem als Fabrikverwalter wirken-
den Dorfbewohner ein, von dem ich wußte, daß er sich als
Mitarbeiter an einer ländlichen Tageszeitung betätigte und

rührende kleine Kinderverse in Mundart veröffentlichte. Es wurde eine wahre Stubete fern allen Literatenbetriebs, und das Töchterchen des Bauerndichters sprach, sich kindlich verschämt-vertraut an die Kniee des leutselig gewordenen Großstadtredaktors schmiegend, ein paar Dialektgedichte seines aus der angeborenen Bescheidenheit aufgestörten Vaters. Uns blieb diese Lampenstunde als zwar gewagtes, unzeitgemäßes, aber unentgeltbares Geschenk in der Erinnerung erhalten. Eduard Korrodi, ergriffen von der Echtheit einer ins Zeitlose abgedrängten ländlichen Rückständigkeit, suchte später den guten Mann auf irgend eine Weise zu entgelten. Wie konnte er dem Vertreter einer versunkenen Epoche in seinen Spalten danken? Mit einem Kinderlied «Los, deet säb Mäisli pfyfflet äis!» durfte er seine Leserschaft nicht herausfordern. Und obendrein: Welche Springflut von Pfusch wäre einer derartigen Veröffentlichung gefolgt! Er fand einen Ausweg: der Dorfpoet – es war Jakob Bersinger in Volketswil – durfte für die NZZ einen gedruckten Geburtstagsgruß an Meinrad Lienert, den er verehrte und dem er nacheiferte, verfassen.

In jener Kurzbiographie aus den frühen Zwanzigerjahren kommt Eduard Korrodi auf eine Berufsschwierigkeit zu sprechen, die ihm geradezu als «Konflikt des Herzens» zu schaffen machte. «Mein Beruf gewährt mir Einblick in so viele Wirrsale der Einzelleben; ich sehe so viel Kummer, verursache ihn mit, wenn ich mit einer blauen Karte oder auch brutal nur mit einem gedruckten Wisch Beiträge refüsiere.» Und er fährt nach einer Zwischenbemerkung über den «Zudrang aus aller Herren Länder» fort: «Dennoch ein beglückender Beruf, immer dann, wenn die Möglichkeit da

72

ist, eine wirkliche Begabung durchzutrotzen. Beglückend auch darum, weil im allgemeinen mit den größeren Dichtern, die etwas können, besser Kirschen zu essen ist als mit den kleinern.»
Wen hat er denn «durchgetrotzt»? Oder wem das erste Geleite gegeben? In der ersten Front stehen Albert Steffen, Robert Walser, Karl Stamm, Meinrad Inglin, C. F. Ramuz, Jakob Schaffner, Konrad Ilg, Felix Moeschlin, Cecile Inez Loos, Cecile Lauber; im Tessin fand er Chiesa und Zoppi und im Welschland stieß er auf die Kritiker Godet, Seippel, de Traz und de Reynold, und die letzten vier nennend, beklagt er den Umstand, daß wir in der deutschen Schweiz im Gegensatz zur welschen so wenig Kritiker finden, «die mit künstlerischer Wortverantwortung schreiben und als Kritiker ein bestimmtes Profil haben». Er hat sich diesen Nachwuchs ernsthaft gewünscht und trug zur Erfüllung des Wunsches das seine bei. Seine einstigen Schüler und deren Freunde traten die Erbfolge an: Max Rychner, Walther Meier, Carl Helbling. Über den Freund und Mitstreiter Fritz Ernst, den Komparatisten, schrieb er einen Essay («Erlebte Literatur», Olten 1952) und rühmt ihm nach, es müsse ihm ein Trieb im Geblüt liegen, den geschichtlichen Gegenstand so zu verwandeln, daß er sich zur Kunst umformen lasse. «Er kommt uns wie der junge Thorwaldsen vor, der in der Tasche immer ein Klümpchen Ton trug und daran fingernd und knetend ihn in ein Kunstgebilde verwandelte.» (S. 65)

Eduard Korrodi leitete während fünfunddreißig Jahren von 1915 bis 1950 (er starb 1955) das Feuilleton der Neuen Zür-

cher Zeitung, zuvor war er während knapp drei Jahren als
Hilfslehrer am Gymnasium und an der Industrieschule
Zürich tätig gewesen, und einer seiner Schüler, Max Rychner, gestand (Nachruf, Die Tat, 6. September 1955),
Deutsch sei für alle durch ihn zum wichtigsten Fach geworden; in seinem Unterricht seien zwar alle pädagogischen Ge-
setze aufgehoben worden; der momentane Einfall habe ge-
golten, und gerade damit habe er die Klasse bezaubert.

Solches sprunghaftes Angehen des Ziels blieb zeitlebens
seine Nichtmethode; diese unpedantische Frische kam ja
auch den Erfordernissen des Feuilletons einer dem Tagesge-
schehen ergebenen Zeitung entgegen. Carl Helbling, der
auch in der Klasse des Siebenundzwanzigjährigen gesessen
hatte, bezeugte Korrodis Methode als «zackig» (NZZ, 20.
November 1955). Seine ihn auch späterhin kennzeichnende
geradezu rührende Nervosität hatte ihre Ursache in einer
rasch zugreifenden und einordnenden Intelligenz, die sich in
schnellen kritischen Wertungen der Werke zeitgenössischer
Schriftsteller zu bewähren hatte, denen nicht mit gelassener
Gründlichkeit beizukommen war und die man in ihren
Schattentiefen lediglich mit aufzuckendem Blitzlicht für
Augenblickslänge aufzuhellen vermochte. Wiederholt erwähnte er einen «rührenden Brief», der ihm von Hugo von
Hofmannsthal zugekommen war, nachdem er dessen «Deutsches Lesebuch» ausführlich besprochen hatte, und er stellte
ebenso gern und wiederholt fest, es sei J. V. Widmann gewesen, der ihn im Kritikerberuf bestärkt habe und zwar auf
Grund einer Arbeit, die E. K. als Zweiundzwanzigjähriger
über die von ihm hochverehrte österreichische Dichterin En-
rica von Handel-Mazzetti verfaßt hatte. Es sind keine mit

den Mitteln neuerkannter und selbstgeschaffener Grundbegriffe ausholende, zu Monographien ausgeweitete Werkanalysen, die Korrodi vorlegte; es genügte ihm der hingetupfte Entwurf, die herausfordernde Studie in Briefform oder die gewagte Collage, die er zum Sammelband vereinigte, etwa die ausgewählten Geschichten von David Heß und Rodolphe Toepffer im Band «Schweizer Biedermeier» oder die Anthologie «Geisteserbe der Schweiz» (erste Auflage «Schriften von Albrecht von Haller bis Jakob Burckhardt», zweite Auflage «... bis zur Gegenwart») oder die Briefsammlung «Deutsch-Schweizerische Freundschaft». Der unentwegte Förderer des Patrimonium helveticum, Fritz Ernst, begrüßte in einer achtspaltigen eingehenden Besprechung des Bandes «Schweizer Biedermeier» (NZZ, 20. November 1935) die Begegnung der beiden Helveter, des Zürchers David Heß und des Genfers Rodolphe Toepffer, und stellt fest, es werde hier durch Korrodi ein neues Beispiel «der Lehre vom helvetischen Blutkreislauf geboten». Die schweizerische Geisteshaltung aller Zeiten sei voller Schwierigkeiten gewesen: «Immer drohte uns die doppelte Gefahr, im Allzuabgegrenzten zu ersticken und im Uferlosen zu ertrinken.» Es gebe nur den Mut, um diese beiden höchsten Güter unentwegt zu kämpfen. «Wer wollte behaupten, die Formel sei gefunden, die Helvetien und Europa gibt, was einem jeden zugehört?»

Diesen Mut hat Eduard Korrodi, im Niemandsland zwischen kriecherischer internationaler Weltsüchtigkeit und stumpfer, selbstverliebter Bodenbrunst kämpfend, während drei Jahrzehnten eingreifender wirtschaftlicher, politischer und kultureller Wandlungen auf vorgeschobenem Posten

bezeugt; dabei warf er sich nie heldisch in die Brust, blieb
jedoch im Bemühen redlich, die Tageskritik – nach eigenem
Geständnis – «ranglich zu einem Kunstgebilde zu machen»
(Biographie). Sein Ehrgeiz ging indessen über die Kunstleistung hinaus; und wenn es keine Mühe genannt werden
darf, so war es doch ein ermüdendes Zielen, ein Streben:
den täglich anfallenden Stoff zu formen, an ihm zu kneten
wie jener Bildhauer, auch sich selbst im Zustande der Bereitschaft zu erhalten, zwischen Irren und Behaupten. Es läßt
sich dieses sein Bemühen, das ihm Menschenpflicht war,
schriftlich belegen: ich habe einige Briefe von seiner Hand
aufgehoben. Den einen lege ich hier als Bruchstück aus dem
Mosaik seines Lebensfrieses vor: Am 30. Januar 1928
schrieb er mir von Davos-Platz aus:
«Oh, heute hätte ich Sie gern neben mir gehabt! Ich habe
etwas erlebt, was *Sie* zu *schildern* den Mut, ich als *kritischer*
Mensch nicht das *Herz* hätte, denn man muß zu seinem
Leben, seiner Erziehung, seiner Bildung, ja fast zu seinen
Vorurteilen stehen! – Ich hielt hier einen Vortrag über
Rilke, da schrieb mir ein junger Zuhörer, er ‹hätte sich ein
Herz genommen›, da er als Zwölfjähriger Rilke kennen ge-
lernt... etc... ob ich ihn besuchen würde, er habe nur *4*
Cavernen in seiner linken Lunge! – Natürlich, ich war ent-
schlossen!
Da stellen Sie sich den Zufall vor, den die Kritiker immer
beargwöhnen, wenn er im Roman vorkommt: Ich hatte
mich mit einem berühmten Arzt verabredet, der mir seine
‹Tränierpferde› seiner Kranken vorführen wollte – so
reden sie – da waren vier Menschen – und da kommt
einer, – ich sehe die Krankengeschichte, den Namen –

30. Jan. 28

Liebe Freund!

[handschriftlicher Brief, schwer leserlich]

Eduard Korrodi,
erste Seite des Briefs vom 30. Januar 1928 aus Davos
an Traugott Vogel

mein eigenes Herz steht still — er weiß meinen Namen nicht — es ist der junge Mensch, der mir geschrieben —

Können Sie sich das vorstellen, ich soll durch den schonungslosen Apparat der Röntgen-Strahlen seine Lunge sehen ... ach, das wäre nichts, aber das Herz! er hatte es auf der *rechten* Seite! Dieses unförmliche (unförmige?) Gebilde, dieser tapfere, dieser hingebende Motor, es war wie ein bellender Hund, ein beispielloser Proletarier, der schaffen mußte in dem gezeugten Leib zweier Menschen, die Edelrasse waren!

Können Sie sich den Augenblick vorstellen, als er halb nackt hinter der Platte zurücktrat und er durch Zufall meinen Namen erfuhr — durch eine telephonische Meldung — und drei schwere Tränen auf meine Hand fielen, der ich sein Herz — die Lunge geht mich nichts an — drei schwere Tränen auf meine Hand fielen! Ich war erschüttert!

Nun wird man unten im *Flachland,* wo man aus der Hand, aus der Schrift, aus dem Gesicht alles liest, sagen, das seien Alltäglichkeiten, aber Sie, lieber Traugott Vogel, der Sie vor allem ein Herz haben, werden Dichter genug sein, zu fühlen, wie man bestürzt ist, wenn das *körperliche* Herz, dieser materielle Beutel und das immaterielle, das gefühlte, das geahnte Herz so symbolisch genähert sind, daß man bewegt ist und vielleicht noch mehr bewegt, wenn man das eigene Herz geleugnet —, ziehen Sie die Lehre!

Hätte ich Ihnen diese Herzensgeschichte erzählt ohne die Sympathie, die uns verbindet?

Und so sage ich in *Herz*lichkeit
Ihr Ihnen und Ihrer Frau verbundener   E. K.»

Die «rätselhafte und so unglaubliche Frage», die er seinerzeit an mich richtete, ob ein Kritiker seinen Beruf üben
könne, wenn er im Grunde des Herzens nicht ein wohlwollender Mensch wäre, hat er mit einem derartigen Zeugnis
sich selbst beantwortet. Er war sprunghaft und raschwechselnd im Verteilen von Lob und Tadel; seine nächsten
Freunde rechneten mit seiner Launenhaftigkeit, ja wurden
nicht selten durch deren Ausbleiben heiter überrascht; er
selbst ließ sich ja von einer angeborenen Nervosität einschüchtern, und so bot sein Gesicht oft den Ausdruck liebenswürdiger, um Nachsicht bittender Verlegenheit. In
einem aber war er jeder Laune enthoben: im Vertrauen auf
eine Grundstimmung, die aus verläßlichem Herzensadel genährt wurde.
Zuweilen, wenn er sich bedrängt fühlte vom Geschiebe
neuer Bücher, lud er junge Freunde ein, sich gütlich zu tun
an den Vorräten. In seinem Wohnzimmer lagen dann die
Werke in Stapeln auf den Stühlen und am Boden. Es gab
Wein und kleine Zutaten, und es bereitete ihm Kurzweil, aus
der Wahl, die einer getroffen hatte, auf seine geistigen Vorlieben, ja auf den Charakter zu schließen und einen das
Ergebnis unverblümt wissen zu lassen. Er saß dann mit
übergeschlagenem Bein da, etwas erhaben unsere naive Gier
und Neugier belächelnd, und hinter ihm hing an der Wand
sein Bildnis in ganzer Figur, gemalt von Hans Sturzenegger,
dort ebenfalls ein Bein über das andere geschlagen.
Zu den Büchern, die ich aus dem Überfluße zog und bis
heute bewahrt habe, gehört der Kleine Brehm und die Ausgabe von Gottfried Kellers Briefen, besorgt von Bächtold
und Ermatinger.

Eduard Korrodi war von untersetzter Statur; aber ich glaube, daß sein Körperbau – kretschmerisch gesprochen – seinen Charakter weder bestimmte noch ausdrückte. Es geht die Fama um, Kleinwüchsige erhöben sich gerne geistig auf die Zehen, um größer zu erscheinen als sie sind. E. K. hatte solche Selbsterhöhung nicht nötig; der gute Aufbau seines Kopfes ließ übrigens vergessen, daß er auf einem gedrungenen Rumpf saß: das Gesicht wuchs länglich zur Stirn hinauf, die sich kräftig erhob und von hellen lebhaften, ja unruhigen Augen bewacht wurde. Auf jenem gemalten Bildnis hält die nervig gegliederte Hand ein Zeitungsblatt, das so sorgfältig gefaltet ist, daß kein Zweifel besteht, um welche Tageszeitung es geht, und der Betrachter des Bildnisses zur Antwort auf die Frage herausgefordert wird, wer was oder was wen auszuzeichnen habe, ob E. K. die NZZ oder diese jenen.

Das Letztunmögliche

Walter Muschg

Gegen Ende des Ersten Weltkriegs, im Jahre 1917, hatte ich meinen eben erworbenen Grad eines Fouriers abzuverdienen, das heißt, die Beförderung mit zusätzlicher Militärdienstleistung zu begleichen und zwar durch Bestehen einer weitern Rekrutenschule im neuen Dienstgrad. Während eines Truppenurlaubs wurde ich nach Herisau aufgeboten, wo man Rekruten der Infanterie zu Wehrmännern ausbildete. Während der abendlichen Kantinestunden saß man jeweils mit den Kameraden zusammen; es waren jedoch weniger die Gleichgradierten und nicht die Offiziere, zu denen ich mich in der Freizeit hingezogen fühlte, sondern eine Gruppe lebhafter Rekruten, meistens Studenten, denen ich mich nach Feierabend zugesellte. Mit dem einen unter ihnen war ich in Verbindung gekommen, als ich, einer eigenen Anregung und dem Wunsche meines Kompaniekommandanten folgend, beschlossen hatte, eine Art Bierzeitung vorzubereiten, mit welcher die ulkigen Vorkommnisse während der Rekrutenschule vergnüglich ironisierend in Zeichnungen, Versen, Sprüchen, Glossen und Späßen kommentiert wurden. Wir hatten die Mannschaft zur Mitarbeit eingeladen; es gingen indessen nur wenig taugliche Texte und Skizzen ein; die meisten Vorschläge waren gröblich, plump beleidigend oder sonstwie unbeholfen. Jedoch hatte sich ein Rekrut bei mir gemeldet und einige lustige, pfeffrige Verse vorgelegt. Ich forderte ihn zu weiterer Mit- und Zusammenarbeit auf. Er gehörte zu jener Gruppe von Rekruten, mit der ich jeweils in der Kantine oder in einer Kaffeestube saß, und hieß Walter Lesch. Er war Studierender der Germanistik, und bald wurde die werdende Kompaniezeitung lediglich Vorwand für unser Zusammenkommen mit Gleichgesinnten.

Einer seiner Freunde war Walter Muschg, ein anderer
Walther Meier, und ich blieb mit den drei Waltern auch fer-
nerhin in bald enger, bald gelockerter Verbindung. Damals
bewegte uns das Schicksal des Dichters Karl Stamm, dessen
Sammlung «Aufbruch des Herzens» uns vertraut war und
dessen Grippetod uns als Sühneopfer eines rebellischen Herzens schmerzte. Man wußte zu berichten, wie Stamm unter
der immanenten Last des europäischen Kriegsgeschehens zusammenbrach, sein Gewehr hinwarf und sich in Gewahrsam
nehmen ließ; um ihn nicht vor Militärgericht ziehen zu
müssen, übergab man ihn der Psychiatrie, und zwar einer
Allerweltsärztin, die seiner Schwermut mit vermehrter Kör-
perhygiene beizukommen versuchte. («Säubern Sie zuerst
einmal Ihre Fingernägel, bevor Sie sich ans Dichten
machen!») Es erschien uns dann als eine von der Natur angebotene, freilich allzu radikale Lösung, als Karl Stamm
von einer ausbrechenden Grippeseuche erfaßt und dem Spital überliefert wurde, wo er am 21. März 1919 dem Fieber
erlag.
Karl Stamms nächster Freund war der Maler Eduard Gubler, mit dem wir nach des Dichters Tod in Verbindung
kamen. Eduard Gubler betreute den Nachlass Karl Stamms
und besorgte eine zweibändige Ausgabe des lyrischen und
epischen Werkes, auch eine Briefsammlung.* Mit Walter
Muschg und Walter Lesch traf ich mich, von der Uniform
befreit, zu literarischen Stubenstunden; wir lasen einander
vor, zerklaubten das modische Schrifttum und stellten uns

* Karl Stamm, «Dichtungen», 1. und 2. Band, Rascher Zürich, 1920.
  «Briefe von Karl Stamm», Rascher Zürich, 1931.

gegenseitig in eigenen kühngemeinten Versuchen in Frage. Der Kreis erweiterte sich allmählich. Von Dietikon aus, wo ich an der Primarschule unterrichtete, besuchte ich als Hörer das deutsche Seminar bei Emil Ermatinger an der Universität, wo ich wieder mit jenen ehemaligen Herisauer Dienstkameraden zusammentraf. Eduard Gubler hatte inzwischen geheiratet und sich in einem der Atelierhäuser der Stadt (Spielweg/Nordstraße) eine kleine Wohnung eingerichtet, wo wir uns gelegentlich zu Aussprachen, Atelierbesuchen und Vorlesungen trafen. Walter Muschg schrieb über Eduard Gublers Anfänge einen mit sieben Abbildungen belegten Aufsatz, den Max Rychner in der Neuen Schweizer Rundschau (Februar 1926) brachte, und mit diesen zwei Seiten wies sich Walter Muschg vor unsern Augen als hellsichtig aus für das diffuse Spiel zwischen Wort und Bild, zwischen Anschauen und Deuten. Er schrieb zum Beispiel, Eduard Gublers Augenlust, die sich anfänglich in einem könnerischen Impressionismus bezeugte, habe sich mit dem Kriegsausbruch (1914) umwölkt. Die Verzweiflung über das Weltgeschehen hätte einen stechenden Dualismus zur Folge gehabt, und erst nach einer jahrelangen Alleinherrschaft des Schmerzes habe sich der Verletzte und mönchisch Vereinsamte zurückgefunden zum Frieden der Dinge. «Und siehe: er fand, daß auch sie ohne feindliche Zwischenräume und verborgenen Widersinn zusammenwohnten. Auch sie liebten die Gemeinschaft, überschnitten und kreuzten sich immerzu; sie gingen ineinander ohne Grenze und brachten dadurch Raum hervor. Der Raum war nicht ohne sie, sie konnten nicht verloren gehen und waren alle unersetzlich; denn die Welt bestand aus ihnen und brauchte sie.»

Diese aus Versenkung gewonnene Einsicht ins Wesen nicht
allein eines Malers, sondern der expressiven Malerei überhaupt, hat mich seinerzeit derart aufhorchen lassen, daß ich
uber den Einzelfall und dessen augenblickliche Gültigkeit
hinaus mit Andacht, aber auch mit leichtem Argwohn und
mit Vorsicht der künftigen Entfaltung des Kunstbetrachters
Muschg folgte: Was er beim gemeinsamen Malerfreund
Gubler entdeckte und als Maxime feststellte und festhielt:
das Werden, Bestehen und Fortdauern des Raumes, in dem
die Dinge versöhnlich ihren Platz innehaben und damit den
unverletzten Fortbestand der Welt gewährleisten, diese
postulierte Gewißheit (den Glauben an die Daseinsgebor-
genheit im Verband der Dinge!) hat er später als wissenschaftlicher Deuter der Dichtkunst nicht mehr bestätigt gefunden. Sein Einstehen für den literarischen Expressionismus (Barlach, Döblin, Hans Henny Jahnn) zeugt von einer
Skepsis gegenüber der Weltordnung, die ihren Ursprung jedoch nicht in einer verfehlten anthropologischen Struktur,
sondern in der Verpfuschtheit unserer brüchig gewordenen
Kultur zu erkennen glaubt. Über Hans Henny Jahnn
schrieb er später zum Beispiel, dieser sehe im Christentum
die Ursache der Katastrophen, die Europa heimsuchten. (Im
Geleitwort zu «Gespräche mit Hans Henny Jahnn», Euro-
päische Verlagsanstalt Frankfurt a. M., 1967.)
Mit diesem scharf- und kläräugigen Warner Walter Muschg,
mit dem ich an Emil Ermatingers Seminarübungen teilnahm,
schloß ich mich zusammen, und er verbrachte während der
letzten Semester die Wochenenden in unserem Haushalt in
Dietikon. Er schrieb Gedichte, befaßte sich mit einem Büh-
nenstück und lag dem Studium Heinrich Kleists ob. Die

Doktorarbeit über Kleists «Penthesilea» wurde von Professor Ermatinger angenommen und hierauf zum Buch über Kleists Werk erweitert. («Kleist», Seldwyla Verlag Zürich, 1923.) Den Wortlaut seines bisherigen Lebenslaufs hat Walter Muschg im Anhang zu seiner Dissertation derart gefaßt: «Geboren am 21. Mai 1898, durchlief in Zollikon die Primarschule, besuchte von 1911–17 das kantonale Gymnasium und studierte darauf während acht Semestern Germanistik, Psychologie und Latein an der Universität Zürich.» – Sein Vater, so sei beigefügt, amtete als Lehrer in Witikon bei Zürich, wo die Kinder zur Welt kamen (zwei Schwestern und ein Bruder), übersiedelte dann nach Zollikon, hielt dort Schule, besorgte im Nebenamt die Redaktion des Lokalblattes «Der Zolliker Bote» und veröffentlichte Kalendergeschichten. Nach dem Tod der Frau, der Mutter der vier Kinder, verheiratete sich Vater Muschg abermals, und dieser Ehe entsproß ein weiterer Sohn, Adolf. Noch heute steht am Dorfeingang von Witikon das einstige Schulhaus (nunmehr Polizeiposten), in welchem Walter Muschg und seine Geschwister zur Welt kamen.

Von jeher bewunderte ich Walter Muschgs Begabung, sowohl in wissenschaftlicher als in künstlerischer Arbeit aufzugehen und in ihr Befriedigung zu finden, ja Außerordentliches zu leisten: er konnte Gedichte schreiben und daneben über einen Dichter oder die Sprache Freuds abhandeln. Als ich ihm einmal mein Staunen über diese seine geistige Wendigkeit ausdrückte und beifügte, ich vermute, sein wissenschaftliches Schaffen sei eigentlich zur Hauptsache eine verkappte, verschämte dichterische Ersatzleistung, stimmte er mir verschmitzt bei, verbesserte mein Meinen lediglich mit dem Zusatze, es handle sich freilich nicht um ein «nur», denn Wissenschaft sei für ihn – und wohl allgemein! – nicht mehr und nicht weniger als ein in seiner Ursprünglichkeit keimfreies Walten der schöpferischen Phantasie, also Dichtung.

Dieses frühe Geständnis, will mir scheinen, gilt auch für sein späteres Schaffen. Wie anders wäre ein fruchtbares, wertendes, klärendes Durchstrahlen des vorhandenen Kunstwerkes möglich als mit den Mitteln des mit- und nachschaffenden Geistes!

Im Jahre 1923 schloß ich meinen ersten Roman «Unsereiner» ab. Zuvor hatte ich einige kurze Erzählungen in der Neuen Schweizer Rundschau (bei Max Rychner) und im Feuilleton der Neuen Zürcher Zeitung veröffentlicht. Nun unterbreitete ich meinen Romanerstling Eduard Korrodi, und er entschloß sich, ihn in Fortsetzungen zu bringen, wünschte jedoch Kürzung gewisser Kapitel. Dazu war ich nicht imstande. Walter Muschg erklärte sich bereit zu diesen heiklen Eingriffen, und seine kleineren und größeren Schnitte taten der Wirkung auf den Feuilletonleser keinen Abbruch, da sie mit der Vorsicht des Eingeweihten und dem Stilempfinden des Überblickenden vorgenommen worden waren. In der Buchausgabe (Grethlein-Verlag Leipzig, 1924) erschien dann der beinahe volle Wortlaut, nur der beinahe volle, denn ich konnte die erreichte Straffung durch Walter Muschgs Abstriche zu einem guten Teil auch hier gelten lassen, ja nahm sie als Freundschaftsdienst entgegen. Walter Muschg habilitierte sich im Jahre 1930 an der Universität Zürich und hielt als Privatdozent die Antrittsvorlesung über «Psychoanalyse und Literaturwissenschaft» (Ber-

lin 1930). Den Ertrag des «bisschens Wissenschaft», wie er
in der handschriftlichen Widmung in einem Sonderdruck
sein Bemühen belächelt, läßt sich in der Selbstbescheidung
zusammenfassen, die sich im Bekenntnis äußert, es könne
sich die moderne Literaturwissenschaft je länger je weniger
damit begnügen, «nachträglich die Einheit eines Dichters
und seiner Leistungen festzustellen»; sie möchte endlich
«ihre Einsicht in das Wesen des schöpferischen Individuums
bis zum Letztmöglichen präzisieren, um das Letztunmögliche desto ehrerbietiger auf sich beruhen zu lassen ...» (S. 25)
Dieser Einsicht hat Walter Muschg denn auch nachgelebt.
Sie hat ihn geführt, wenn er sich von der Historie weg der
Gegenwart zugekehrt hat. Die visionäre Darbietung der
«Mystik in der Schweiz» (1935) ergibt sich aus der Sicht des
zweifelsüchtigen Suchers, der die Abgründigkeit der Reli-
giosität aus dem Verstande zu erkennen, auszudeuten und in
den Bauplan des Schöpfergeistes einzuordnen unternimmt.
– Während der Jahre 1926 bis 1928 versuchte er, der jun-
gen Schweiz Stimme zu verleihen: er gab im Verlag der
Münsterpresse in Horgen die Monatsschrift «Annalen»
heraus. Zu den Mitarbeitern zählten unter andern Albin
Zollinger, Walter Lesch, Meinrad Inglin, Max Geilinger,
Max Pulver, Hermann Hiltbrunner, Rudolf Utzinger, Hermann Weilenmann. Sein Sinn war offen für Robert Walser,
Albert Steffen, Cécile Inez Loos; ein einziges Mal, daß ich
es erfuhr und es ihm übel nahm, versagte er: Von einem
Verlag war ihm ein Romanmanuskript Albin Zollingers zur
Bewertung unterbreitet worden; Muschg schrieb als Lektor
ein kritisches Gutachten, das einer Ablehnung gleichkam –
er rügte die pathetische Monotonie der Zollingerschen

Sprache, seuchenhaftes Auftreten der Lieblingsausdrücke und das Fehlen eines tragfähigen, durchgehenden Ablaufs –, kurz, er hatte offenbar jenes «Letztunmögliche» nicht zu erkennen vermocht. Albin Zollinger trug lange und schwer am Versagen dessen, der vor Robert Walser bestanden hatte.

Es lag nie in meiner Absicht und nicht in meinem Vermögen, hier die Gestalt des wissenschaftlichen Forschers, Denkers und Lehrers Walter Muschg nachzuzeichnen; ich begnüge mich damit, dem Zeitgenossen gerecht zu werden, wie er sich bei so viel leidenschaftlicher Hingabe an sein akademisches Lehramt mir als Freund darbot. Sein Blick ging über die nationalen Grenzen hinaus. Aber sein oft geradezu kränkendes Vorbeisehen an den neuern schweizerischen epischen und lyrischen Hervorbringungen reizte diesen und jenen unter uns zu Leistungen eigenster Prägung. Muschgs Optik blieb jedoch entschieden auf größere Distanz eingestellt: der deutsche Expressionismus einerseits und der kulturelle Niedergang im Dritten Reich andrerseits füllten sein Blickfeld bis zum Rande, so daß darin so komplexe Erscheinungen wie Albert Steffen (dem er lediglich im Lyrischen zustimmte) oder Jakob Schaffner oder Otto Wirz kein Unterkommen fanden. Ich erinnere mich eines Ausspruchs, mit dem er meine Bemühung um das Andenken an den Zürcher Karl Stamm belächelte. Er sagte: Gibt es den noch?

Als er sich in St. Gallen verheiratete, wurde ich vom Freitagsfreundeskreis bestimmt, am Hochzeitsfest teilzunehmen und ihm eine Gabe aus Zürich zu überbringen. Ich bin kein begabter Redner, hatte mich drum vorsorglich schriftlich vorbereitet und kam dennoch während meiner Tischrede ins

Stottern. Ich sehe ihn, wie er vor Braut und Schwiegervater statt meiner verlegen wurde und errötete; ich sehe die Heftpflaster an seinem starken Kinn, mit denen er Spuren aufgeregten Rasierens verklebt hatte; die Pflästerchen verblaßten im selben Maße, wie sich seine erhitzte Haut verdunkelte... und seine rührende stellvertretende Verlegenheit half mir schließlich, mich zu mir selbst und zu meinem Text zurückzufinden und die Ansprache sogar mit einem Scherzwort abzuschließen, das er mir dann während Jahren wohlgelaunt nachtrug. Das Wort, das mir da aus verschütteten Schichten des Erinnerns aufstieg oder eingegeben wurde, spielte auf seine Kleistinterpretation an und bezog sich auf den Versuch, die Ergebnisse der Freudschen Psychoanalyse auf die Kleistsche Problematik anzuwenden; kurz ich rühmte meines Freundes Vertrautheit mit der Dämonen-Domäne. Er atmete statt meiner ob meinem Spaß befreit auf, und als Tischredner hatte ich – wenn auch nicht summa cum laude – bestanden.

Walter Muschg hatte, wie wir andern vom Freundesbund, nicht wenig Sinn für solches Blödeln, das uns vertraut geworden war im Umgang mit Max Pulver, der von jeher einen Hauch weltstädtischen, nonchalanten Literatenstils aus München, Wien und Paris in unsern Kreis getragen hatte. Im Roman «Himmelpfortgasse» z. B. wußte Pulver von der Drogenverseuchung zu berichten, und als Gerichtsgraphologe war er in indirekte Berührung mit der europäischen Unterwelt gekommen. Aus dem Vergnügen an absurden, grotesken, grandguignolesken Verzerrungen der Sprache zog Max Pulver die Unverfrorenheit zum sarkastischen Bonmot. Er reizte zum Beispiel Muschg, mit dem er

Walter Muschg
Bleistift- und Farbstiftskizze von Traugott Vogel

verschwägert war, indem er ihn im neckischen Gespräch mit Muschgetnuß (Muschget = Muskat) anrief, worauf Muschg ungesäumt und ebenso pfeffrig mit Insekten-Pulver zurückstäubte. Jack, der Bauchaufschlitzer wurde bei Pulver zu Cognac, der Bauchaufschlitzer; ein wendiger Schriftsteller jener Tage hieß fürderhin nicht mehr einfach Zweig, sondern Erwerbs-Zweig, und Gotthard Jedlicka, der während einigen Jahren auch im Kreis verkehrte, ärgerte er, indem er dessen Namen tschechisch als Jedlitschka aussprach, dabei den helvetischen Vornamen Gotthard als Gottardo hervorhob.

Muschg und Pulver kreuzten in unserer Gesellschaft aus naturgegebener Andersartigkeit (des Geistes wie des Temperaments) oft die Waffen, uns Freunden zum Vergnügen, mir obendrein zur Förderung von Wachsamkeit und Urteilskraft. Pulver neigte dazu, die analytische Menschenzergliederung zu belächeln und zitierte gerne den Wiener «Fackel»-Träger Karl Kraus: die Psychoanalyse sei eine Krankheit, für deren Heilung sie sich halte, während er sein Maßsystem – als Graphologe – synthetisch in Jungschen Kategorien aufbaute.

Im Jahre 1936 wurde Walter Muschg zum Ordinarius für Deutsche Literatur nach Basel als Nachfolger Franz Zinkernagels berufen. Wir Zürcher Freunde hatten bis dahin geglaubt, er warte hier als Privatdozent den Rücktritt seines Lehrers Emil Ermatinger ab, um dessen Lehrstuhl zu übernehmen. So hielten wir es für Voreiligkeit oder Übereifer, als wir von seiner Bewerbung und der darauf folgenden Berufung nach Basel erfuhren. Er hätte Zürich gehört, meinten wir, und sahen erst später ein, daß die Verpflanzung aus dem Zürcher Heimatgrund ins oberrheinische Basel das Gewächs in seiner ausgesprochenen Eigenart nur bestärkt und gefestigt hat. Nie ist er in Basel heimisch geworden, ebensowenig hat Basel die Hand auf ihn gelegt.

Während der folgenden Jahrzehnte besuchte ich ihn etliche Male in seinem Heim an der Reservoirstraße und nachher an der Bruderholzallee, wo er das Landhaus des verstorbenen Rechenbuchverfassers Justus Stoecklin* bewohnte. Dort an der Bruderholzallee ist Walter Muschg gestorben; er sank auf der Postablage zusammen und erlag einer Herzschwäche, es war am 4. Dezember 1965. Aus einem großgeplanten und zielsicher gemeisterten Leben ist er von seinem Werkplatz weggetreten, das Geplante und Begonnene in einem derartig geordneten und aufgearbeiteten Zustande hinterlassend, daß es zumindest als bereinigt gelten darf. (Neben den bereits erwähnten «Gesprächen mit Hans Henny Jahnn» ließ Elli Muschg eine Sammlung literaturwissenschaftlicher Aufsätze aus dem Nachlaß erscheinen: «Gestalten und Figuren», Francke Bern, 1968.)

Ich glaube, Muschg war ideengläubig, im Hegelschen Sinne – ohne Idealist zu sein! – der Ideenrealität ergeben. Die Radikalität seines Denkens stand geradezu im Widerstreit mit dem gefühlsmäßigen Erkennen der Daseinsrealität und schien die Möglichkeit des Irrens auszuschließen, so sehr war er sich seiner selbst und der Richtigkeit seiner geistigen Wahrnehmung und Einordnung sicher. Solches Verhalten

* Justus Stoecklin wurde mit seiner Methodik des Rechenunterrichtes an der Volksschule über die Landesgrenze hinaus bekannt. Er verfaßte ferner ein Werk über Liestal, «Das Poetennest» (mit sieben Dichterbiographien).

hatte schließlich für mich und andere seiner Freunde etwas
Erkältendes und Verhärtendes, und so lockerten sich mit den
Jahren meine Beziehungen zu ihm. Als er mich einst nach
einer Teestunde anlässlich eines Abendbesuches in seinem
Heim zur Bahn hinabführte, saß er straff aufgerichtet neben
mir am Steuer, gleichsam auf einem Kutschbock, und meister-
te den Wagen im städtischen Abendverkehr mit derart korrekter Sicherheit, daß er für mich zu einem Stück roboterhafter
Mechanik wurde, und ich sah ihn wieder als Student an der
ländlichen Orgel in der Kirche Weiningen sitzen. Er hatte
uns so begeistert von seinen Bachstudien erzählt, daß wir
ihn für einen angehenden Meister des göttlichen Instruments
hielten und nun, da er für meine Frau und mich spielte,
welche Ernüchterung: diese Musterschülerperfektion, dieses
gnadenferne Sichere, dieses Risikolose, beinahe Ridikolose!
«Fensterbrett, du lieber Orgeltisch, wo ich alles, alles mir
erspiele»: einzig die Vorstellung war seine Wirklichkeit! So
wie er damals saß und spielte, so saß er jetzt am Lenkrad,
bewegte beherrscht und herrschend Hand und Fuß und
steuerte uns durch Strudel und Schnellen gefahrlos, muster-
haft; und erst als ich ihm ins Gesicht sah und im Auge den
Widerschein eines erhellten Innern erkannte, ging mir auf,
was es war, das ihn dennoch aus aller Schwere des Denkens
erhob über das Gemein-Allgemeine: die durchbrechende
Kraft seiner Phantasie, der er ein Leben lang Fesseln angelegt und die er in die Wissenschaftlichkeit gebändigt hat –
und die im Spiel die Ketten sprengte. Um ihn nicht bedauern zu müssen, liebte ich ihn umso mehr: er hat sein Mu-
sisches völlig an die Wissenschaft verschenkt.
Walter Muschg plante, einmal vom Lehramt befreit, den

Ruhestand nicht in Basel zu verbringen; er sprach von einem Sitz in der Gegend des voralpinen Zürcher Oberlandes. Als ich von seinem Tod erfuhr, war es mehr als Bedauern und etwas anderes als Leid, das mich befiel: etwas wie Empörung bemächtigte sich meiner, und diese Auflehnung gab mir den argwöhnischen Gedanken ein, er weiche zurück, er gebe sich geschlagen. Er weicht zwar nicht in die Unverantwortlichkeit aus, sondern sinkt getroffen zusammen, im Vorfeld des Kampfes, der eben angehoben hat. Und ich griff in die Lade, in der ich die Reihe seiner Schriften bewahre. Er hat sie mir jeweils bei deren Erscheinen zugestellt und sie mit einem Grußwort aufgewertet. Gehorsam habe ich jeweils die Gaben gelesen und mich in brieflichen Glossen bedankt. Meine Anmerkungen haben ihn gewiß nicht sonderlich befriedigt, da ich bei seinen Arbeiten mit Vorliebe und Vorbedacht das versteckt Dichterische hervorhob und mich kaum zum wissenschaftlichen Ertrag und Gehalt zu äußern wagte, sondern mich zur Hauptsache auf stilkundliches Lob beschränkte. Nun, von ihm allein gelassen, griff ich ohne wählende Absicht nach dem Sonderdruck aus dem Jahre 1956 der Akademie der Wissenschaften und der Literatur in Mainz mit dem Aufsatz «Die Zerstörung der deutschen Literatur» und las die folgende beklemmende Bestätigung meines Verdachtes, daß er inzwischen als Überwältigter auf dem Kampfplatz zurückgeblieben ist. Nachdem er festgestellt hat, daß heute «die Machtlosigkeit des Geistes in offene Geistfeindschaft» ausarte, macht er die folgende warnende Feststellung: «Die Verdrängung der Elite und der mit ihr verbundene Niveauverlust sind aber nicht auf die Diktaturen beschränkt. Es gibt auch unpoliti-

sche Formen der Nivellierung, und diese haben heute
überall gesiegt. Der Kollektivismus regiert auch in den
freien Ländern mit alles niederwälzender Wucht: die Geringschätzung des Menschenlebens, das Getöse der Propa-
gandamaschinen, der absurde Leerlauf der Banalität, die ge-
spenstische Unwirklichkeit einer Lautsprecherkultur, die
von Rekorden und Reklame beherrscht wird ... Überall
Gewimmel von Massen, aber keine Menschen» (S. 17/35).
Walter Muschg war es nicht beschieden, in die zürcherische
Landschaft heimzukehren. In Trauer und in Auflehnung
vernehme ich – lesend und wiederlesend – sein mahnend
beschwörendes Wort, das Einkehr und Umkehr fordert.
Und von unerheblicher Bedeutung wird nun die Frage, ob
er als Dichter oder als Deuter des Wortes sich reiner und
reinigender der Zeit gestellt habe. Ich lese weiter in jener
Abrechnung mit dem Ungeist der Zeit, der kaum Zeitgeist
genannt zu werden verdient, und stärke mich an dem Wort
des prophetischen Bußpredigers:
«Die Zukunft der Dichtung hängt davon ab, ob sie aus einem luxuriösen Gesellschaftsspiel und einem staatlichen
Propagandamittel noch einmal eine Lebensmacht werden
kann. Das ist nur möglich, wenn es eine Jugend gibt, die den
neuen Ernst des Dichters versteht und annimmt. Die Kunst
unserer Zeit steht unter ihrem eigenen Gesetz. Sie hat ihre
Blutzeugen, die ihrer Berufung bis in den Tod treu geblieben
sind. Die Leiden der gemarterten Dichter sind vielleicht imstande, die Sache der Dichtung zu retten. Sie sind das Kost-
barste, was die deutsche Dichtung heute besitzt. Sie haben
einen neuen Begriff von dichterischer Größe geschaffen ...»
(S. 29/47).

Streit um Gotthelf

Neulich geriet mir beim Ordnen alter Schriften eine der
kleinen Zeichnungen in die Hand, wie ich solche zuweilen
von einer Reise heimbringe. Statt zu knipsen, kritzle ich mit
Blei oder mit dem Kugelschreiber rasche Skizzen aufs Blatt.
Mit tastenden Strichen war hier das Bild der Jesuitenkirche
in Luzern umrissen, und die Zeichnung erinnerte mich jetzt
an eine Begegnung, die trotz ihres ernsten Hintergrundes
etwas erheiternd Kolportagehaftes an sich hat.
Am ersten Maiwochenende des Jahres 1958 traf man sich in
Luzern zur Jahresversammlung des Schweizerischen Schriftstellervereins. Als ich am Sonntag früh vor Beginn der Ge-
schäftsverhandlungen als Zaungast der Messe in der Jesuitenkirche beigewohnt hatte (in der Predigt sprach der Prie-
ster über Debora, die dem Herrn ein neues Lied singen läßt)
und nun wie ein Fremdling in unvertrauter Stadt das Reuß-
ufer entlang schlenderte, etwas benommen von der mir
nicht ganz verständlichen feierlichen Zeremonie des Gottes-
dienstes, sprach mich jemand an, der vor einem Kaffeehaus
saß und sich sonnte. Der Mann stand auf, kam heran und
reichte mir die Hand, ein großer, wohlgebauter Berner mit
väterlicher Baritonstimme: Adolf Schaer-Ris. Ich setzte
mich zu ihm an eines der Tischchen vor dem Kaffeehaus,
ließ mir etwas Warmes zu trinken bringen und begann so
nebenbei zum Gespräch die Zwiebeltürme der überm Fluß
aufragenden barocken Kirche in mein Skizzenbuch zu
zeichnen. Dr. Schaer fing auch zu stricheln an und benützte
als Unterlage seine Papierserviette. Ich gab ihm ein Blatt
aus meinem Buch, und während wir mit Aug und Hand
tätig waren, begann er ein Gespräch über eine Sache, die ihn
allem Anschein nach stark bewegte und beunruhigte. Er

fing so an: «Sie kennen Walter Muschg.» Nach einer Pause,
während der auch unsere Hände ruhten, fuhr er fort: «Sie
wissen, was sich zugetragen hat, ich meine zwischen ihm
und Ernst Balzli, und daß der Streit dem einen ans Lebendige geht.»
Gewiß, ich wußte, worum es ging; beinahe jedermann im
Land wußte es: der vormalige Lehrer und Jugendschriftstel-
ler Balzli, ein Berner, hatte fürs schweizerische Radio Gott-
helfromane zu berndeutsch gesprochenen Hörspielen verar-
beitet und mit den Sendungen über den Landessender Beromünster weite Kreise und tiefe Schichten von Hörern erreicht. Für Walter Muschg, den Ordinarius für Germanistik
an der Universität Basel, der Jeremias Gotthelf in seinem
gleichnamigen Buch, das den Untertitel «Die Geheimnisse
des Erzählers» (1. Aufl. 1931) trägt, war das Vorgehen
Balzlis ein Ärgernis, und er prangerte die Hörspiele als ent-
stellende Verharmlosung an. («Der verballhornte Gotthelf»,
Basler Nachrichten, 1954, «Neue Schweizer Rundschau»
1955; auch im «Schweizerspiegel» und andern Orts meldeten sich Freunde und Gegner des zurechtgestutzten Schul-
meisters Peter Käser von Balzlis Gnaden.)
In den Streitgesprächen und Streitschriften ging es um
grundsätzliche Gestaltungsfragen, ob man zum Beispiel
einem Erzählwerk, wie es auf uns gekommen ist, eine neue
Form, eine andere Sprache gar und damit eine andere
Struktur und veränderten Gehalt geben dürfe. Auch handelt
es sich um Fragen des Taktes und Anstandes im Verkehr
unter Berufskollegen. Es waren die verschiedensten Talente
zum Gefecht angetreten, und Muschgs entschiedene Verwahrung vor Verfälschung des prophetisch mahnenden Gotthelf

hatte verletzend auf das Gemüt nicht nur der gekränkten Hörer, sondern auch auf den gutmütigen Bearbeiter Balzli gewirkt. (Muschg: «In der Kunst ist die Rücksicht auf die Masse das sichere Kennzeichen des Schlechten.») Es gab versöhnliche Radiohörer genug, die glaubten, soviel Heftigkeit entspreche nicht den Spielregeln einer literarischen Polemik und stehe nicht im gerechten Verhältnis zu den Eingriffen Ernst Balzlis.

Ich für mich hatte von Anfang an Stellung bezogen gegen Balzlis biedere Bauernballaden, war ich doch vor Jahren mit Gotthelfs Starkstrom in Berührung gekommen und hatte unvergessene Wochen im Banne von «Geld und Geist» im Ferienhaus eines Freundes auf Braunwald verbracht, gewissermaßen von Gotthelf durchglüht. Ich billigte Muschgs These, Gottfried Keller verkörpere ein Jahrhundert, Gotthelf ein Jahrtausend, war für den unverfälschten Bußprediger und Epiker und bewunderte Muschgs Bemühen, «ein in seinem Heimatboden besonders tief wurzelndes Genie mit dem ganzen Unterreich seiner Erscheinung auszuheben», auch wenn dabei eher «zu viel als zu wenig Erde» mit ausgehoben wurde (S. VII). Der bittere Ertrag seines grimmigen Unterfangens war mir näher und lieber als Balzlis Anbiederungen im Stile des urchigen Heimatschutzes.

Wenn ich von «grimmigem Unterfangen» rede, denke ich an eine Stimme, die vor Muschgs «Verheidung» des Erzählers Gotthelf warnte. Dieser beschwörenden Stimme war ich in einem kleinen wissenschaftlichen Werk begegnet, und ich trug einige Stellen aus der Arbeit in Abschrift damals bei mir, als ich am Ufer der Reuß an der Morgensonne saß.

Als nun mein zeichnender Kollege Schaer-Ris auf den

«Fall» Muschg kontra Balzli anspielte und in immer wieder neuen, wenn auch schüchternen und dennoch ausdauernden Anläufen mich zu einer bekennenden Stellungnahme drängte, zog ich mein Merkbuch aus der Brusttasche meines Rockes und las ihm einige Stellen vor, mit denen man sich gegen Muschgs Gotthelfbild verwahrte. Es war eine Verfasserin, wohl eine Doktorandin, und sie hieß Doris Schmidt, und ihre Arbeit war überschrieben «Der natürliche Mensch. Ein Versuch über Jeremias Gotthelf», Gießener Beiträge zur deutschen Philologie, 1940. Die Verfasserin wendet sich gegen das von Muschg dämonisierte Gotthelfbild und sagt, von allen Auslegern habe sich Muschg «am tiefsten über Gotthelf geirrt» (S. 7).

Zu Dr. Schaer-Ris gewandt, führte ich ungefähr so aus (wieder an meiner Zeichnung herumbastelnd): Während Balzli ahnungslos sich an die handfeste Fabel hält und diese dialogisch-dramaturgisch auswertet, ja ausweitet, erkennt Muschg, «daß alle Erscheinungen der dinglichen Welt bei Gotthelf Symbole sind. Die Dinge sind Ausdruck von dahinterstehenden Mächten.» Muschg glaube, so sage Doris Schmidt, die Beseeltheit der Außenwelt sei Gotthelfs «mythischem Sehen» entsprungen, und Muschg wage den verhängnisvollen Schritt, die Symbole selbst zu vergöttern, Gottheiten zu setzen an Stelle Gottes, «als habe diese heidnische Mythisierung der Welt» in Gotthelfs wahrem Wesen gelegen. Muschg spreche von der Göttin Erde, Gotthelf selbst jedoch von Gottes Erde (S. 8ff., dazu die Fußnote, S. 59: «Die Fruchtbarkeit ist nicht göttlich, sondern Gott: diese Verwechslung, die sich auf die ganze Natur erstreckt, war der Gegenstand von Gotthelfs ständigem Protest.»).

– Es ist hier freilich gerechterweise beizufügen, daß
Muschg in spätern Aufsätzen seinem heidnisch-magischen
Gotthelfbild auch christliche Züge verliehen hat.
Wir saßen, nippten vom Kaffee und zeichneten. Ohne
Zweifel spürte mein Gesprächspartner, daß ich nicht gesonnen
war, jetzt Stellung für oder wider den einen oder
andern zu beziehen. Immerhin bekannte ich mich gar nicht
nebenbei zur Ansicht, in der pseudodramatischen Verflachung
durch Balzli sei mir Gotthelf ferner und fremder als
in der vorchristlichen, heidnischen Beheimatung durch
Muschg. Mein Tischnachbar zerriß sein Zeichenblatt, erhob
sich, trat zur Ufermauer und ließ die Fetzchen ins Wasser
flattern. Er setzte sich wieder zum Tisch und sagte: «Aber
der Erfolg? Spricht er nicht doch für Balzli? Ich meine
nicht nur den Beifall aus Hörerkreisen zu Zehn- und Hunderttausenden,
sondern ich denke an das Ansteigen der Verkaufsziffern
bei den verschiedenen Ausgaben, bei Rentsch
und bei der Büchergilde. Gotthelf wird wieder gelesen; diese
Nebenwirkung rechtfertigt doch allerlei, nicht wahr?»
Gewiß, die Büchergilde Gutenberg hatte an die fünfhunderttausend
Bände Gotthelf mit den Holzstichen von Emil
Zbinden umgesetzt, das wußte ich, zweifelte jedoch, ob
diese Bücher auch gelesen würden, wenigstens wußte ich
von einer Erfahrung zu berichten, die mich hatte nachdenklich
werden lassen: Ich war nämlich jüngst bei einem Nachbar
zu Besuch, der an Hexenschuß litt und mit Rücken- und
Hüftschmerzen im Bett lag. Es war ein Mann mit Bildung,
er stand einem großen staatlichen Werk als Leiter vor. «Sieh
an, Sie lesen Gotthelf», sagte ich und schlug den braven Leinenband
auf, der auf dem Nachttisch gelegen hatte. «Ich

versuch's», antwortete der Kranke mit Seufzen und schmerzlichem Lächeln und griff zum Trinkglas, um mit dem Wasser ein paar Pillen hinunterzuschwemmen. «Aber das ist ja gar nicht der gleiche Gotthelf wie der vom Radio; der da ist ein Traktätchenschreiber . . .» Er schwieg, wie ob sich selbst erschreckt, verzog abermals schmerzlich den Mund und versuchte, sich besser hinzulegen. «Ich meine», fuhr er fort, «dort läuft doch allerhand, nicht wahr?»

Mein Kollege hörte mir gelassen zu, leicht gelangweilt; wahrscheinlich waren ihm Bedenken und Einwände dieser Art schon bis zum Überdruß vorgetragen worden. «Das mag sein», erwiderte er ruhig, «wir alle verlernen das Lesen, bald auch das Zuhören und werden zu Kinohockern und Fernsehguckern. Dort läuft allerhand, gewiß. Nun hören Sie aber zu: es geht mir nicht darum, abzuwägen, ob der vertiefte oder der verflachte Gotthelf echter sei, der unter- oder der überbelichtete, sondern es handelt sich für mich darum, die beiden Gegner, nein, nicht zu versöhnen, wohl aber als meine Freunde nicht zu verlieren. Ich bin im Begriffe, den einen wirklich zu opfern. Die Sache liegt so: demnächst wird Walter Muschg sechzig. Sie wissen, er ist ein gebürtiger Zürcher, und zu seinem Tag will die Neue Zürcher Zeitung einen Aufsatz über ihn bringen, im Feuilleton. Auf einem Umweg wurde ich als künftiger Verfasser des Geburtstagsartikels bestimmt, und auf einem weitern Umweg kam es Ernst Balzli zu Ohren, daß ich diesen Auftrag nicht abgelehnt habe; ich stehe gut mit Muschg, mit Balzli ebenfalls. – Meine Bereitschaft, Muschg in der NZZ zu ehren, hatte auf Balzli die heftigste Wirkung. ‹Schaer, wenn du dazu imstande bist und meinem Todfeind den Lor-

beer reichst, bringst du mich um.› So ungefähr hat es ge-
tönt. Und: ‹Schaer, so viel an Treuebruch werde ich nicht
überleben; ja, ich brächte mich selber um. Nun entscheide:
er oder ich!› Was soll ich nun tun? Sagen Sie, lieber Vogel:
was soll ich tun? Kann ich seinen Freitod verantworten und
auf mein Gewissen nehmen? Darf ich andrerseits Muschg
und Werner Weber enttäuschen? Mit Muschg bin ich wahrhaftig freundschaftlich und in gemeinsamer Verehrung für
Gotthelf verbunden.»
Wir saßen und schwiegen. – Es bleibe der Ausweg, der
NZZ abzusagen und den Redaktoren vorzuschlagen, den
Aufsatz selbst zu schreiben, lautete schließlich mein
schwächlicher Vorschlag.
Solches habe er der Feuilletonredaktion bereits vorgeschla-
gen; dort sei man aber der Ansicht, es gehöre sich, daß ein
Berner, dem Gotthelf und Muschg zu einer gewissen Einheit
geworden seien, hier die Stimme erhebe. Zudem wisse
Muschg bereits, daß man ihm, Schaer-Ris, den Auftrag er-
teilt habe. – Was er nur tun solle?
«Er wird sich nicht umbringen», sagte ich und legte ein paar
Schraffen an meine Kirchenfassade. «Oder halten Sie Ernst
Balzli für so wenig standfest?»
Er sei dazu imstande, sagte Schaer-Ris leise vor sich hin.
Und es wäre weißgott schade um ihn. «Er ist begabt, er hat
eine junge Frau, und an Gotthelf wollte er sich nie vergrei-
fen, beileibe nicht! Die Radio-Sache schlug im Volk ein, und
man begehrte mehr von dieser Art. Heute greift das Radio
bereits zu Wiederholungen der ganzen Reihe.
«Er wird es nicht tun. Und tut er's doch, so liegt die Ursache tiefer.» So wagte ich zu urteilen.

«Tiefer?»

«... in der Einsicht, sich tatsächlich an Gotthelf vergriffen zu haben. Er würde nur Muschgs Protest rechtfertigen. Das müßten Sie Balzli beibringen.»

Schweigen. Ich zeichnete an den Türmen herum und verdarb mit den vielen planlosen Strichen, was bis dahin annehmbar gewesen war. Eine Skizze ist etwas Hingehuschtes, darf kein Bild sein wollen, sonst erhebt sie einen Anspruch, den zu erfullen ihr nicht gegeben ist. Auch hier im Berichten darf ich nicht zu ausführlich werden. So begann ich eine neue Zeichnung.

Nach einer Weile des Vorsichhinsinnens sagte Schaer-Ris: «Und dennoch, ich schreibe den Aufsatz nicht. Muschg muß mich begreifen.»

Die Maisonne lag auf den Fliesen der Uferpromenade und erwärmte von unten unsere Füße. Wir schwiegen.

Ich habe jenes zweite Blatt aufbewahrt, nicht weil ich die Zeichnung für erhaltenswert erachte; aber mir ist, wenn ich sie ansehe, ich sitze drinnen in der Kirche, fern von Nötigung und Ehrgeiz. Und ich erinnere mich der Predigt, in der von Zimbeln die Rede war und Debora dem Zug voranschritt, der dem Herrn ein neues Lied sang.

Später erfuhr ich, daß Muschg seinem Freund Schaer-Ris geboten habe zu schweigen und verboten, seinen Geburtstag öffentlich auch nur zu erwähnen. – Alle Beteiligten am Streit um Gotthelf sind inzwischen dahingegangen; Gotthelf lebt in uns weiter durch sein Werk.

Rudolf Utzinger

Im Verlag Grethlein & Co., Zürich und Leipzig, ließ der Schweizerische Schriftstellerverein eine Sammlung kurzer Prosastücke von Rudolf Utzinger erscheinen. Das Bändchen, in gelbe Ballonleinen gebunden, trägt den Titel «Ruhe auf der Flucht»; die Texte waren vom Verfasser selbst knapp vor seinem Tod zusammengestellt und später in leicht veränderter – ergänzter und gekürzter – Form von Walter Muschg dem Druck übergeben worden. Das Buch ist im Jahre 1931 erschienen, wurde damals übersehen und ist seither völlig vergessen worden, zu Unrecht, handelt es sich doch um die geisterhellte Dokumentation einer kulturellen Zeitspanne, die man als europäisch wie kaum eine zuvor ansprechen darf. Ich weiß von einer einzigen Stimme, die sich, neben Muschg, zu Utzinger und seiner Nachlassprosa bekannte: der Elsässer René Schickele, Freund und Schicksalsgenosse – auch er, wie Utzinger, stand als Grenzerscheinung und Teilhaber germanisch-romanischer Kultur zwischen und über den Nationalismen. René Schickele hat sich im Literaturblatt der Frankfurter Zeitung (vom 24. Juni 1932) zum Einzelgänger Utzinger liebend-verständig geäußert und dessen Prosa gewürdigt. «Ruhe auf der Flucht vor sich selbst» hat er seinen Aufsatz überschrieben und mit der Ergänzung «vor sich selbst» bereits angedeutet, daß er den Freund als geistigen Emigranten durch Europas kultivierte Wildnis fliehen sieht. «Er war Schweizer», schrieb Schickele in der Frankfurter Zeitung, dem führenden liberalen Blatt Deutschlands jener Jahre, «was hauptsächlich besagt, daß er seinen Heimatschein von Bülach in der Schweiz anzufordern hatte. Er wuchs in Deutschland auf, besuchte die Volksschule in Nürnberg, das Gymnasium in

Berlin (sein Vater war Bahningenieur). Er studierte kurze
Zeit in Genf, fand seine Lebensgefährtin wiederum in Stutt-
gart und starb, 38 Jahre alt, in Davos.» Diesem knappen
Lebenslauf ist der wunderliche Umstand beizufügen, daß
Rudolf Utzinger im November 1918 während sechs Stunden
Minister für Volksaufklärung war (Kapp-Putsch), ferner
daß er in zwei Büchern seinen Spürsinn für die Kraft des
Primitiven bezeugte, in den Bänden «Masken» und «India-
nerkunst». Als weitere Zugabe zu seiner Biographie ist zu
erwähnen, daß er als Lungenkranker, bevor er sich nach
Davos, «diesem Symbol bedrohter Existenzen», begab, in
Zürich Aufenthalt nahm und in Unterstraß ein Mietzimmer
bewohnte. Er fand Aufnahme im Kreise meiner Freunde,
die sich jeden Freitag zu Vorlesungen und Streitgesprächen
bei Wein und viel Rauch trafen; hier begegnete er Max Pulver, Walter Muschg, Hermann Weilenmann, Hermann
Hiltbrunner, Ernst Aeppli und Eduard Gubler, und Gregor
Rabinovitch radierte sein Bildnis. Wir sammelten für ihn, als
wir bemerkten, daß er knapp zu leben hatte und über keine
Mittel verfügte, seine geliebten Bücher aus Deutschland in
die Schweiz kommen zu lassen. Ich erinnere mich, ihn in
seiner nüchternen Mietkammer an der Rötelstraße zu ebener
Erde mit einem nackten Fenster auf den kahlen Hinterhof
hinaus, besucht zu haben, um ihm im Namen der Freunde
den gesammelten Betrag zu übergeben, wir beide ebenso tief
verlegen wie gerührt. Im Zimmer schwelte die ozongesät-
tigte Luft des Zerstäubers, die er sich gegen die stetig drohende Atemnot eingespritzt hatte, und in einem Winkel
schwankte das bleiche weibliche Skelett, das ihn durch
Jahre hindurch begleitet hatte. Valeria nannte er das knö-

cherne Schemen, dessen Lebensgeschichte er kannte und über das er ein blankes Stück Prosa geschrieben hat und in Eduard Korrodis NZZ-Feuilleton veröffentlichen ließ (15. November 1927). Der Aufsatz wurde auch in den Nachlaßband «Ruhe auf der Flucht» aufgenommen («Valeria», Seiten 11–15). «Damals, vor dem Krieg, erwarb ich für eine niedrige Summe Valeria. Und jene Skelett-Geliebte hat mich überallhin begleitet. In den Logen der Vergangenheit und der Gegenwart saß sie, sie klapperte ihren knöchernen Dialekt in den gottlosen Städten, schritt mit mir über Wiesenland, war die Gefährtin so manchen Güterzugs, der ihre bleiche Traurigkeit friedvoll neuen Landschaften entgegentrug. Immer war sie der Lieblingsschüler meiner Gedanken, Zeuge meiner Unterhaltungen und schlüpfte in das Traumkleid meiner Nächte, bis sie im Morgengold wiederum die Bazare verwobener Dunkelheit abstreifte, um mich als Zofe bei der Arbeit zu trösten.» So erzählte der surreale Liebhaber und fährt realistisch fort: «Doch der Tag der Trennung nahte. Zwei Freunde, ein Maler und ein Dichter, saßen in meinem Zimmer ... da kam ein Herr, machte zynische Bemerkungen – und kaufte mir Valeria ab ... In einem museumähnlichen Institut wird sie weiterträumen, fern dem Lebenshunger, als merkwürdige Trappistin ihre Autobiographie für sich bewahrend.»

Ich selbst war der eine jener beiden Besucher, und wir hatten den Freund Utzinger (es war im November 1927) aufgesucht, um Abschied von ihm zu nehmen. Es war ihm ärztlich verordnet worden, die Stadtluft zu meiden und sich in einen unserer Höhenkurorte zurückzuziehen. Die brieflichen Zeugnisse jener wenigen Jahre tragen denn bald als Auf-

Rudolf Utzinger
Bleistiftskizze von Traugott Vogel, 1927

gabeort den Poststempel «Davos-Wolfgang», und in dem einen Schreiben steht über sein Befinden das folgende: «... aber die zweifelhafte Lungen-Mitgift – so unkontrollierbar in ihrer aktiven Erscheinung – hat alles (Geplante) vereitelt. Da die Situation gar nicht zur Besserung schreiten will, so sah sich mein Arzt veranlaßt, einen chirurgischen Eingriff vorzunehmen. Im Oktober (1928) habe ich so die linksseitige Phrenicotomie – im Davoser Morbiditäts-Parlament eine wohl alltägliche Sache – bekommen. Das ist ein Nervenschnitt über der linken Schulter, der das Zwerchfell lähmen soll, um die Lunge durch die Atembewegung nicht zu stark zu gefährden. Vielleicht wird zu Beginn des nächsten Jahres nochmals operiert, d. h. man will dann die Phrenicoexairese, also die Herausreißung des Nerven – vornehmen.»

Diesen Eingriffen ist er tatsächlich nicht entgangen; dennoch bleibt sein Geist wachsam auf der Lauer und gibt dem Todkranken den Trost wenigstens des Planens ein. «Ich selbst bewege mich auf einem ziemlich mesquinen Schaffensniveau. Als morbider Emigrant hat man mit Hemmungen zu kämpfen. Man zerbröckelt unter den Ärzten ...» Er liest viel und setzt sich – auch in den Briefen – mit dem Aufgenommenen ernsthaft, ja leidenschaftlich auseinander: Über Hamsuns Roman «Das letzte Kapitel»: «... nicht gerade ein allwissendes Buch, das immerhin wachsam für manche Leiden ist»; über den «Paracelsus» des Gundolf: «... gescheit, gelehrt, aus dem aber ein richtiges Paracelsus-Denkmal nicht ersteht»; ferner zu Gorkis Erinnerungen an Zeitgenossen: «... ganz nett und sauber, aber zum Nußknacker für Genies, die Gorki in Nachsicht umleuchtet, eig-

net sichs doch nicht». Viele heute versunkene Namen und Titel werden namhaft gemacht und befragt; einmal trifft er Hugo Marti vom Berner Bund als Kurgast an, Klabund kurt in Davos. «... sonst ist man auf seine eigenen Monologe angewiesen.» «Nach Davos selbst komme ich nur selten, fast nur zum Arzt. Bücher bleiben die einzigen Columbusfahrten. So las ich jetzt den neuen Wirz ‹Die geduckte Kraft› (Engelhorn Stuttgart, 1928), ein bewegtes Buch, aber seltsam, seltsam, seltsam; ein wenig spirituelles Kino, gewiß keine Kaffeehaus-Magie, eine Art geistige Biologie ... Aber ich muß gestehen, das Lesen hat mir keine innere Freiheit geschenkt, wie ich das oftmals bei anderen Büchern empfinde. Warum der multiplen Halluzinationsbilder soviele?»
Nach längeren Aufenthalten in Pensionen hat er sich dann in Wolfgang in einem Bauernhaus einmieten können, von seiner Frau (Marianne Amos aus Stuttgart) betreut, mit Hund Banjo und Katze Wutki als Gesellschafter; er starb im «weißen Sommer» (bildhafte Evokation des Bergwinters durch René Schickele), nachdem er auch im Kehlkopf erkrankt war. Die Sonne schien ihm trotz allem «wundervoll aufs Davoser Panoptikum». Walter Muschg schrieb den Nachruf für die Davoser Revue (15. November 1929), Hermann Hiltbrunner nahm im Feuilleton der Neuen Zürcher Zeitung von ihm Abschied (7. November 1929) und M. Silberroth sprach zur Kremation am 2. November (Volksrecht, 6. November 1929). In der Radierung (Kaltnadel) von Gregor Rabinovitch, die etwas einseitig den Literaten Utzinger im ironisch-liebenswerten Zerrbild gibt, mögen einige Gesichtszüge ergänzend gesetzt werden: das zeichnende und bezeichnende Wort der obengenannten Freunde ziehe das

Bildnis des Dahingegangenen behutsam nach. Walter Muschg: «Höflich und überbescheiden, ein lautloser Gast wie stets, hat er sich aus den Reihen derer, die das Licht genießen, ausgetilgt ... Aber in der tieftraurigen Unauffälligkeit dieses Verschwindens blickt mich nochmals der rätselhafte Glanz dieses Menschenauges an, den ich seit der ersten Stunde lieben mußte, weil er das Zeichen des Einzigen enthielt ... Ein Roman*, den er in Arbeit hatte, ist nicht beendigt worden, so daß der Name des Toten ganz in der Erinnerung an die wundervoll geschliffenen, in Schönheit und Bizarrerie aufglitzernden kleinen Essais gebunden bleibt, die er an Zeitungen und Zeitschriften gab ... Aber das Seltene waren ja nicht die Stoffe, die ineinandergriffen (‹Masken›, ‹Indianerkunst›), sondern die Seele, die sie verband.» Hermann Hiltbrunner: «Und wenn er schrieb, so blitzte die Sprache in Regenbogenfarben; die Welt der Vergleiche und Bezüge bereicherte und erweiterte sich in ihm um Neubildungen – manchmal war es wie Wetterleuchten, manchmal wie Phosphoreszenz: ungewöhnliche Lichtquelle aus eigener Kraft, nicht Widerschein, und manchmal erreichten seine Prägungen solche Schärfe, daß der Wortfall seiner Sprache an den Klang gekreuzter Klingen mahnte. Er gebrauchte von sich das Wort ‹Wortequilibristik› und lächelte dazu.»
Was wir an ihm verloren haben, der auf der «Lagune der Ewigkeit» dem «Evangelium der Gipfel» lauschte und dank solcher Versenkungskraft wochenlang den «niederträchtig-

---

* «Am Wege»; ein erstes Kapitel ist in der Neuen Rundschau erschienen; nachgedruckt im Sammelband «Ruhe auf der Flucht».

sten Qualen» (M. Silberroth) standzuhalten vermochte, kann keiner ermessen, der ihm nicht leibhaftig begegnet ist; aber was und wieviel zu gewinnen wäre, läse man ihn wieder, ist abzuschätzen aus seiner nachgelassenen Prosa. Ein kurzes Stück sei hier ausgezogen aus dem Aufsatz «Legende um einen Maler»; die Wahl wurde freilich nicht vom Zufall bestimmt; wir trafen sie, um eine wahrlich schicksalhafte Begegnung jener Jahre zwischen den beiden Weltkriegen zu belegen; es finden sich zwei Landsmänner auf gemeinsamem, imaginiertem Grund: Rudolf Utzinger trifft Otto Meyer-Amden. In einer Ausstellung entdeckte Rudolf Utzinger drei kleine Bilder und beschreibt sie genau und ausführlich: «Die Genialität, die man hier spürte, lag nicht in der Formung, nicht im Aufwand einer faszinierenden Gestaltung, sondern ich glaube, im Verbergen eines großen Erlebnisses.» «Jene Bilder bedeuteten für mich eine Klinik des Leidens, in der es jedoch keine Heilung gibt, nein, wo man vielmehr in schlimme Hysterien hineingehetzt wird, sie sind gemalt als Foltertribunal, als Angsttraum, als Umzingelung schwacher Menschen... Bilder ohne Heimat und Ruhe. Doch die Melancholie ist ihre Freundin, von der man sich beinahe nicht trennen kann...» (Thema der Bilder: Andacht im Waisenhaus.) Über Meyer-Amdens Ausstrahlung heißt es weiter: «Vom Baum seiner Erkenntnis hat besonders die moderne Kunst abstrakter Richtung reichlich genossen. Er war ihr Vorbild und suggestiver Anreger. Er war der erste, der die Gebundenheit des naturalistischen und impressionistischen Sehraums verließ und eine eigenwillige Formenwelt aus sich heraus erschuf.» Die schaffenden Männer am Bauhaus Dessau, Oskar Schlemmer, auch Willy Baumeister, sind ihm verpflichtet, ihm, der seine Werkstatt in einem Bauernhaus hoch überm Walensee abseits vom lauten Korso aufgeschlagen hat. Es kommt also zu einem Besuch Utzingers bei Otto Meyer und damit zu ein paar Seiten gestrafftester Prosa, mit denen die «Legende um einen Maler» voller Ehrfurcht und doch aus wertendem Abstand entschleiert wird. Freilich, Rudolf Utzinger, auch ein Einzelgänger und als solcher vor sich selber fliehend, nennt den Maler einen Sonderling. In ihm sieht er – ohne es selbst zu gewahren – das Abbild seiner eigenen schweifenden Geistigkeit. Er lebe in Hieroglyphen, sagte er von Otto Meyer-Amden, in denen die Weisheit unsinnlicher Einsichten dekoriert sein möge, «und er bleibt einsam darum, wie ein Prophet, weil die Sensibilität seines Geistes nicht das schöne farbige Himmelreich dieser Erde zu ertragen» gewillt sei. Ob solches auf den derart Enthüllten stimme, mag bezweifelt werden; es trifft aber bestimmt auf Utzinger zu. Er selbst zwar wäre gewillt gewesen, das irdische Himmelreich zu ertragen, war es aber, der Hinfälligkeit seiner leiblichen Organe wegen, nicht imstande.

Rudolf Utzingers Freund René Schickele beklagt in jenem Literaturblatt der Frankfurter Zeitung den frühen Tod des Dichters und beschließt sein Gedenkwort mit einem Lob auf den begonnenen Roman, in dessen erstem Kapitel er ein reines Versprechen erkennt; einen Strom von Herzenswärme sende er in sein Gedankenspiel und verwandle das Erdachte in sinnlich Gestaltetes. Einen Achtunddreißigjährigen hätten wir zu bedauern, «der uns in der gleichen Stunde verließ, in der er als Künstler, das heißt Verwirklicher, geboren wurde».

Es war zwei Jahre vor seinem Tode, im Jahre 1927, da war
er in meiner Stube in Zürich gesessen, vom Siechtum gezeichnet, und im Gespräch erschien mir sein schmächtiger,
jünglinghafter Körper wie ein artistisches Präparat aus dem
Wachsfigurenkabinett, gleichsam die lebensgroße Kopie
seiner selbst. Sein Kopf mit dem hochgewölbten runden
Schädel saß unsicher auf dem dünnen Hals. Horchend ver-
weilte er, das Auge weit offen; der Mund blieb bescheiden
schmal. Ich zog mit meinen Blicken seine Gesichtszüge nach;
dann begann ich sein Bildnis zu zeichnen, und er hielt geduldig still. Nachher lobte er das dürftige, jedoch ehrliche Ergebnis, der Ähnlichkeit mit der Naturvorlage wegen, zeigte
aber kein Verlangen, das Blatt zu erhalten. Ich habe die
Zeichnung zu seinen Briefen gelegt und bis heute aufgehoben.

Mit einem Bekenntnis lyrischer Art ließ er einst sein Ro-
manfragment enden: «Wenn ich in die Berge schaue, vergesse ich meinen Rufnamen.» Er konnte das, ich nicht. Ich
habe seinen Namen nicht vergessen, noch sein Bestehen im
Leiden.

II

Dienstverweigerer

Paul Kessler und Albert Ehrismann

Paul Kessler, 17. Juni 1929

Da liegt mein militärisches Dienstbuch, in graue, abgeschossene, an den Rändern zerschlissene, fasernde, stockfleckig gewordene Leinwand gebunden. Ein an den Ecken geradezu zierlich abgerundetes Papierschildchen ist wie bei einem Inselbändchen aufgeklebt, trägt den Aufdruck «Diensthüchlein» (nicht Dienstbuch) und darunter in fremder Handschrift meinen Namen, meinen Bürgerort mit dem Geburtsjahr.

Ich blättere in den vergilbten, brüchigen Seiten; etwas wie Ordonnanz-Moderduft stimmt mich nachdenklich, ja, verdrossen.

Der Träger und Inhaber, dessen Diensttage da drinnen in Zahlen vermerkt sind – mit Stempeln und Unterschriften bezeugt wie ein Guthaben im Sparheft! –, hat eigentlich sein Leben längst verwirkt; zumindest verdankt er sein Überdauern zweier Sintfluten dem glücklichen Umstande, nicht nördlich und nicht westlich unserer Landesgrenze zur Welt gekommen zu sein. Denn vor bald sechzig Jahren wäre er nach aller Wahrscheinlichkeit vor Verdun gefallen und hätte somit den Heldentod entweder hüben oder drüben zu sterben gehabt. Nun also besteht er noch, verweilt über diesem verklecksten Dienstbüchlein und blättert die Jahre auf. Da liest er unter der Überschrift «Personalien» fünfmal in Stempelaufdruck «Zürich»: als Geburtsort, als Wohngemeinde, als Bürgergemeinde, als Kantonsname und als Rekrutierungsort. Er wird somit als gebürtiger Stadtzürcher amtlich bezeugt. Dafür kann er nichts; um so mehr bildet er sich ein auf die Einträge unter Ziffer 2: «Prüfungsergeb-

114

nisse». Viermal Note 1, nämlich in Lesen, Aufsatz, Rechnen, Vaterlandskunde, und dreimal in Weitsprung, Heben und Lauf. Dazu ist freilich einschränkend zu bemerken, daß die eine Note 1 nicht wohlverdient war, diejenige in Vaterlandskunde, im besondern in Heimatkunde. Auf einer stummen Landkarte der Schweiz hätte er dem damaligen Examinator zwei Landesteile zu bezeichnen gehabt, die beide über die natürlichen Gebirgsgrenzen der Schweiz hinausragten, den Pruntruterzipfel im Jura und das Puschlav in den Bündner Alpen. Er war zu dieser geographischen Auskunft unfähig. «Was studieren Sie?» fragte der Prüfende. Antwort: «Germanistik, Kunstgeschichte, stud. phil.; aber ich soll zuerst Lehrer werden, um mir das weitere Studium zu verdienen.» Der Mann muß im Prüfling den künftigen Kollegen erkannt haben und war wohl darauf bedacht, seinem Stand die Schande zu ersparen, die dadurch droht, daß einer von seinesgleichen mit ungenügender Zensur im Fache Heimatkunde durchs Leben und durch die Amtsstuben walle. Aus Erbarmen und in Selbstachtung rundete er nach oben auf und gestand dem zukünftigen Schulmeister die vier Einser zu. Der geschonte Prüfling ist ihm heute noch, nach sechzig Jahren dankbar für den Vorschuß und stellte sich zeitlebens bei jedem Zensurieren auf die Seite der Betroffenen.
In meinem Dienstbüchlein folgen Einträge über Gesundheitszustand, Blutgruppe und bestandene Aufenthalte in Sanitätsanstalten; dann werden die Einteilungen in die Bataillone und Kompanien des Auszugs, der Landwehr, des Landsturms und des HDs vermerkt; drauf die Änderungen im Grad: vom Rekruten zum Füsilier, zum Korporal und

zum Fourier. Als besondere Auszeichnung: zweimal Schüt-
zenabzeichen. Wahrhaftig, das sind keine umwälzenden
Mutationen und hatten dennoch jedesmal eine wahre Kon-
stitutionsveränderung zur Folge! Dann alle die gefaßten
Ausrüstungsgegenstände, denen man zu dienen hatte und die
einem zu dienen kaum gewillt waren: Schußwaffe (mit viel-
stelliger Nummer, als handle es sich um ein Individuum und
ja nicht um ein Gerät!), Munition, Nebelkappe, Helm leih-
weise, Gasmaskenaugengläsernummer; und alle die Klei-
dungsstücke: zuerst blau mit rotem Passepoil, hierauf Einkleidung in Feldgrüngrau; im schluttigen Waffenrock kam
man sich stets ein wenig als braver Soldat Schwejk vor, ein-
fältiger als man von Natur aus war, aber auch pfiffiger.
Ich setze mit Blättern im Dienstbüchlein aus. Es steht ja
ohnehin nirgends vermerkt, welche Meriten man sich erwor-
ben hat mit Aufdemmaulhocken, mit Ärgerverschlucken
und was alles man an «geistiger Landesverteidigung» leistete, wenn man beispielsweise das Buch eines verehrten
Dichters im Tornister mittrug und sich über Rücken- und
Kreuzweh, Wolf und offene Fersen wegtröstete, indem man
an jene freigewählte musische Last dachte, die alle andere
Belastung entwirklichte.
Übrigens: die Uniform! dieser Bastard aus Sträflingskleid
und Ehrenkluft! Eigenartig, daß es im Deutschen dafür kein
angestammtes Wort gibt, in der Sprache eines Volkes, das
sich doch so wohl fühlt in der uniformen bunten Einkleidung, sei's im Musikverein, in des Königs Rock, im Amt
oder als Lakai. Die Livree, das Kostüm, die Uniform: lauter
Fremdwörter; einzig Tracht ist deutsch und wirkt entsprechend harmlos, sowohl aufs Gemüt als auf den Geist des

Trägers oder der Trägerin. Um das Wort Uniform zu ent-
schärfen und den darin verpackten Menschen als Mensch zu
erhalten, verfielen unsere Tätel auf einen geradezu hinter-
hältigen Ausweg: sie verwandelten die Uniform in ein
Gwand, nannten sie Gwändli und Solidate-Gwand, derart
sich der Staatskluft und dem zweierlei Tuch anbiedernd.
Was übrigens mein besonderes Verdienst als Wehrmann betrifft: eine Leistung, auf die ich mir nicht wenig einbildete
und die nirgends im Dienstbüchlein ist: mein Einstehen für
Dienstverweigerer. Vielleicht aber gehörte dieser Vermerk
in die (fehlende) Rubrik «Entehrendes Verhalten vor dem
Feind».
Ich verbiete mir, weiter zurückzublättern und den Stech-
mückenschwarm der Erinnerung an den «Dies irae» aufzu-
scheuchen. Da stand man als Friedfertiger vor der Nötigung, mit dem Waffenhandwerk vertraut zu werden. Auf
irgendein fremdes, vielleicht höheres Geheiß hin zählte man
zu den Gezeichneten, die während zweier Weltkriege in er-
starrter Achtungstellung an der Landesgrenze auszuharren
hatten. Man stand die Prüfung durch, die insofern heikler
zu bestehen war, als es zu keiner tätlichen Prüfung kam,
weder von 14 bis 18, noch von 39 bis 45. Aber man leitete
aus solcher Beharrlichkeit die Berechtigung ab, für andere,
die von weniger robuster seelischer Bauart waren, vor den
Militärgerichten als Zivilverteidiger und Rechtfertiger ihrer
Dienstuntauglichkeit aufzutreten. Zu solcher Anmassung
war ich bereit und habe ich mich zweimal erkühnt. Sie hat
für mich verwunderlicherweise keinerlei nachteilige Folgen
gezeitigt... wohl allein aus dem einen Grunde: mich plag-
ten keine militärischen Beförderungsgelüste; als Fourier war

ich nichtkombattant, blieb jedoch durchaus bereit, mit ent-
sicherter Pistole sowohl die Kasse als die Fahrküche vor
feindlichen Übergriffen zu verteidigen. In diesem Stück war
ich nie zimperlich: Ich hätte genau gezielt und unverdrossen
geschossen, auch als Füsilier, weil ich vaterländisch gesinnt
war und davon überzeugt bin, mit meinem Land die denkbar würdigste Staatsform und Gesellschaftsordnung zu verteidigen. Und gerade weil in dieser Ordnung auch die reli-
giöse Glaubensfreiheit eingeschlossen ist, konnte ich mich
zum Fürsprech und zeitweiligen Wortführer zweier Dienstverweigerer aus Gewissensgründen machen.

Der erste war ein Jünger des Theologen Leonhard Ragaz; er
bekannte sich zu dessen neue Besinnung forderndem Buch
«Die neue Schweiz» und folgte der Wegrichtung der Zeit-
schrift «Neue Wege» (Ragaz), der Zeitung «Aufbau»
(Rusch) und den Bekenntnisschriften der Religiös-Sozialen.
«Nie wieder Krieg» war deren Losung, also Antimilitaris-
mus, und als Vorstufe einer radikalen militärischen Abrü-
stung die Einführung des Zivildienstes für Kriegsgegner aus
Gewissensgründen.
Diesem einen war ich zum ersten Mal begegnet, als er an der
Zürcher Universität bei Professor Emil Ermatinger Germa-
nistik studierte und ich dort als junger Primarlehrer von
Dietikon aus den Seminarübungen der philosophischen Fa-
kultät als Hörer beiwohnte. Er war Appenzeller und hieß
Paul Kessler. Zu den Kommilitonen zählten Walter Muschg,
Walter Lesch, Walther Meier, Carl Helbling und Max
Rychner, die damals bereits über ihren Dissertationen saßen.
Paul Kessler war eines Tages nicht mehr im Kolleg erschie-

nen, und es hieß, er habe aus religiösen Bedenken sich geweigert, seine Bürgerpflichten als Soldat zu erfüllen. Als Student
sei er zwar Mitglied der Verbindung Manessia in Zürich gewesen und sein soldatischer Eifer habe ihm dort den Bier-
namen Mars eingetragen. Dann war es also über ihn gekommen: wegen Versäumnis von Schießpflicht und Inspektion
hatte er sich vom Militärgericht der sechsten Division wiederholt verurteilen lassen: 1925 zu sechs Wochen Arrest,
darauf zweimal zu drei Wochen Gefängnis (1926 und 1927)
der gleichen Vergehen wegen, jedesmal zusätzlich Einstellung im Aktivbürgerrecht über die Strafzeit hinaus; dann
war Entsetzung aus dem Grad eines Korporals erfolgt.
Als er nun abermals vor Militärgericht beordert wurde,
wandte er sich an mich mit der Bitte, ihn zu verteidigen. Ich
wußte, daß in der Militärstrafgesetzordnung dem Großrichter, dem Ankläger (hier Auditor genannt) und dem Richter-
kollegium, die alle vom Obersten bis zum Geringstchargier-
ten in Uniform amteten, ein Offizialverteidiger beigegeben
war, der aber durch einen Verteidiger in Zivil ersetzt werden konnte. Und diesen zu ersetzen war ich von Paul Kessler ersucht worden.
Ich sagte ungesäumt zu, wußte ich doch aus einigen Begegnungen mit ihm, daß er sich trotz der wiederholten Bestrafung von keiner drohenden wirtschaftlichen Schwierigkeit
abhalten ließ, zu seiner Überzeugung zu stehen, der er als
einer heiligen Sache ergeben war. Man hatte ihn von zu
Hause genötigt, das Studium abzubrechen, da der Vater die
christliche Starrköpfigkeit seines Sohnes verurteilte und ihm
das Wohnrecht und die Mitarbeit auf dem elterlichen Gut
versagte. Seine junge Frau war an Gicht erkrankt, ein Kind

war ihnen gestorben, und nun suchte der beruflose, stecken-
gebliebene Student und Halbbauer irgendein Auskommen;
schließlich trat er als Hilfsarbeiter in die Seidenspinnerei
Steckborn mit zweihundert Franken Monatslohn ein und
schrieb mir, als er um Beistand vor Gericht bat, in bitterer
Selbstverspottung: «Ja nun, dachte ich, einen Schwärmer
schalt man dich schon lange, so wirst du halt auch noch ein
Spinner.» Er hoffe wenigstens auf eine saubere Sonderzelle
mit Einzelbett. Mit einem Erfolg, also einer Einwirkung auf
das Gericht und Milderung des Strafmaßes, dürfe ich freilich kaum rechnen, es handle sich lediglich darum, die Möglichkeit des Gesetzes zu nützen, nämlich die geringste Strafe
zu erbitten, also den Artikel 45 zur Geltung zu bringen, der
«achtungswerte Beweggründe» in Betracht ziehe, um kür-
zeste Dauer der Gefängnisstrafe zu erwirken, oder ich
möchte auf Artikel 29/II hinweisen, nach welchem die Möglichkeit zu Gesetzesverletzung dadurch aus dem Wege ge-
räumt werde, daß man den Angeklagten aus dem Heer aus-
schließe; zur Leistung von Zivildienst habe er sich ja von
Anfang an bereit erklärt.
Ich bereitete mich auf die Gerichtsverhandlung wie auf ein
Examen vor; mir kam zustatten, daß ich den Beteuerungen
der Pazifisten uneingeschränkt traute und auch redlich
glaubte, sie handelten aus reiner Menschen- und Vaterlands-
liebe und seien überzeugt, daß jeder künftige Krieg besonders das Fortbestehen der Kleinstaaten bedrohe und in der
Folge zu Selbstmord der Völker ausarte. Ich merkte mir ein
Zitat aus Gottfried Keller, es gezieme dem Manne, «in kräf-
tiger Lebensmitte zuweilen an den Tod zu denken», und so
möge er auch «in beschaulicher Stunde das sichere Ende

seines Vaterlandes ins Auge fassen, damit er die Gegenwart desselben umso inbrünstiger liebe», ferner ein Wort von Alexandre Vinet: jeder Mensch empfinde es als Naturnotwendigkeit, seine «Handlungen in Übereinstimmung zu bringen mit seinen Überzeugungen». Und vom Basler Strafrechtslehrer Professor Baumgarten entlieh ich einen kraftvollen Ausspruch zugunsten der Dienstverweigerer: Der Gehorsam gegenüber dem eigenen Gewissen sei die Essenz des Achtungswerten, daher die Aberkennung der bürgerlichen Ehrenrechte der «Ausdruck der Mißachtung seitens des Staates», und darum halte er diese gesellschaftliche Disqualifikation gegenüber dem Dienstverweigerer aus Gewissensgründen für «durchaus unangebracht».

Einem befreundeten Graphologen, Dr. Ernst Aeppli, hatte ich Schriftproben von der Hand Paul Kesslers vorgelegt; das Gutachten bestätigte, daß sich «eine außerordentliche Sauberkeit des Charakters, große Sachlichkeit, überstarkes Gerechtigkeitsempfinden, Bedürfnis nach Klarheit und klarer Situation» manifestiere. «Der Schreiber ist kein Gefühlstypus, sondern eher introvertierter Denktypus. Der primäre Bezug zur Welt ist immer zuerst ein sachlicher, auf das Reale gehender. Er ist kein Fantast, obgleich seine Geistigkeit zum Ideellen tendiert ...»

So fuhr ich wohlgerüstet, gewissermaßen gewappnet nach St. Gallen zum Gericht, ins Gericht. Ein «Pazifist» war ich nicht. Ich kannte Pestalozzis Ausspruch und hielt ihn mir vor, damals als ich in aller Herrgottsfrühe von Zürich wegfuhr, um einem stillen Dulder beizustehen: «Ich träume mir den endlichen Sieg der Liebe über das Schwert.» Nein, ich schmähte und verwarf nicht das Schwert, wünschte es jedoch in die Hand des Liebenden. Obschon ich nicht eigentlich verzagt war, fuhr ich doch keineswegs siegesgewiß ins Abenteuer. Nicht daß das gestickte Gold der Galonierten mich im vorneherein einzuschüchtern vermocht hätte. Ich hielt obendrein etwas wie einen Theatercoup bereit: das Aufgebot, das mir der Großrichter auf Formular 8 der Militärstrafgerichtsordnung hatte zustellen lassen («... wird hiermit aufgeboten, den 17. Juni 1929, vorm. 8 Uhr in Militärstrafsache des Kessler Paul, in St. Gallen, Bezirksgerichtsgebäude, als Privatverteidiger zu erscheinen»), dieser unangebrachte militärische Befehl forderte meinen Trotz heraus. Waren die Vertreter einer Sonderjustiz befugt, einen Privatmann «aufzubieten»? Und hatte ich zu gehorchen, wenn man mir befahl (wie du wörtlich vorgedruckt stand!), «in Diensttenue» zu erscheinen? Ich hatte in Erfahrung gebracht, daß es dem Privatverteidiger anheimgestellt war, in Zivil oder in Uniform anzutreten; aber so stand es einmal unmißverständlich in dem Aufgebot, und ich war bereit, diese Anordnung zu mißachten und allfällige Folgen in Kauf zu nehmen.

Es konnte nicht diese Unsicherheit im äußern Verhalten sein, die mich einschüchterte und ein Versagen voraussspüren ließ; es ging ja nicht darum, als Unteroffizier mit Hochgradierten über Sinn oder Unsinn der Abrüstung zu rechten; ich hatte mir lediglich vorgenommen, mich zu diesem einfachen Menschen zu bekennen, der nicht imstande war, wider das Gebot des gewaltlosen Lebens zu handeln, und bereit, in Demut und Stille für sein Bekenntnis jede Strafe und Verachtung auf sich zu nehmen.

Ich selbst war nicht fähig und auch nie willens gewesen, als

Friedensapostel aufzutreten; ich beneidete die so gar sichern
Gegner zu beiden Seiten: sowohl die Verfechter der Gewaltlosigkeit als die ebenso fanatischen Kraftmeier der unentwegten Aufrüstung. So befand ich mich zwischen den Fronten und sah, wie standhaft und hart die unangefochtene, be-
sessene Einseitigkeit sie werden ließ. Mir war eben von jeher
diese Fähigkeit abgegangen, mich nach Ideologien auszurichten, und es bestand das Wort zu Recht, mit dem einer
meiner Freunde – es war Edwin Arnet – mich eichte: ich
sei eher bereit, eine Idee als einen Freund zu verraten. Ich
bangte also im voraus um mein Sorgenkind Kessler; es
würde mir nicht gelingen, dem Grobfeuer des Anklägers mit
wirksamem Gegenbeschuß zu begegnen: Ist es denn ehrlos,
dem Gewissen zu folgen? Darf man es verbrecherisch
nennen und mit Gefängnis bestrafen, wenn einer sich wei-
gert, gegen das Gebot «Du sollst nicht töten» zu verstoßen?
Werde ich die Kraft aufbringen und die Waffengläubigen
bedenklich und einsichtig stimmen? Ich kannte den Schöp-
fer des Militärstrafgesetzbuches, der sich seinerzeit einer
durchaus unsentimentalen Haltung dem auflösend Musischen gegenüber gerühmt hatte und triumphierend zu berichten pflegte, wie er als Testamentsvollstrecker den Nachlaß des Dichters Conrad Ferdinand Meyer rücksichtslos be-
seitigte, im Garten des Dichterheims in Kilchberg ganze
Haufen ungesichteter Schriftstücke verbrennen ließ und
dabei mit der Mistgabel selbst Hand anlegte. Werden die
Vertreter solcher Justiz auf einen hören, der darauf hin-
weist, daß es gerade aus Verbundenheit mit dem Vaterland
geschehe, wenn ein Zartsinniger und Hellhöriger unter den
Angefochtenen wie dieser unbürgerliche Bürger namens

Kessler seine Stimme gegen den organisierten, legitimen Brudermord erhebt? Er begehrt ja solches Ausnahmerecht allein für sich, wissend, daß er sich als Ungehorsamer dem Unwillen der Mitbürger ausliefert. Gerade die Liebe zur Heimat läßt ihn um deren Fortbestand besorgt sein, denn jede Waffe, so glaubt er, fordert zur Anwendung und die andern zur Gegenwehr heraus.

Solche Überlegungen, die ich mir auf der Hinfahrt vortrug, stärkten meinen Mut keineswegs; ich würde lächelnder Abwehr und mitleidigem Bedauern begegnen, waren die andern doch keine Werwölfe und keine Marshörigen! Wären sie es, wie üppig ließe sich in Rhetorik machen. Durfte man die Richter im Tressenkleid als bestellte Folterknechte, als Eisenfresser und Sadisten bloßstellen, die es darauf abgesehen haben, einen Weichling durch wiederholte drakonische Bestrafung auf die Knie zu zwingen? Zu solchem Schauprozeß waren keine Voraussetzungen gegeben. Weder war Paul Kessler gesonnen, seine Gewissensverstrickung plakatär herauszustellen – ging es ihm doch einzig um christliche Treue, sich selbst, seinem Glauben und dem Lande gegenüber –, noch gedachte man auf der andern Seite, der heiklen Sache der Dienstverweigerer ein unnötig weithallendes Echo zu verschaffen.

So bangte ich, ein Zauderer zwischen zwei Mächten, der Macht der Gewaltlosigkeit und der Macht der Gewalttätigen, und als ich an den Schranken stand, sah ich mich einem abschnurrenden Uhrwerk gegenüber, dem mit keinem affektiven Einsatz beizukommen gewesen wäre.

Es hatten sich als Publikum einige Presseleute und ein paar Gesinnungsfreunde des Angeklagten eingefunden, darunter der tapfere, streitbare Pfarrer Jakobus Weidenmann und die Dichterin Julia Weidenmann; im Gerichtshof erkannte man Oberstleutnants, Majoren, einen Hauptmann und etliche Unteroffiziere. Sie saßen schweigend im Halbkreis, der sich gegen die Schranke öffnete, mit verschlossenen Gesichtern; es sprach einzig der Großrichter und der verwies dem widerrechtlich in Zivilkleidern erschienenen Angeklagten den Sitzplatz, den er eingenommen hatte, bevor er gerichtlich befragt worden war; und zu meiner Enttäuschung (aber auch zu meiner Erleichterung!) stellte mich Zivilisten niemand zur Rede, und so hatte ich keinen Anlaß, meine kecke Antwort, die ich vorbereitet hatte, an den Mann zu bringen: ich hätte eben vermeiden wollen, daß mir Sold ausbezahlt würde, wüßte ich doch aus früheren Gerichtsentscheiden, daß man dem Verurteilten die Kosten des Verfahrens überbinde.

Hingegen legte der Auditor (Ankläger), ein allzu schmucker Justizmajor, mächtig gegen die Seuche der Verweichlichung unter den Halbintellektuellen los, wünschte sogar die Landesverräter «an die Laterne»*, was jedoch ein vom Großrichter ausgehendes, über alle Gesichter des Gerichtshofes weiterhuschendes, willfähriges Lächeln auslöste und in mir eine Erschlaffung erwirkte, gegen die ich nicht mehr aufzukommen vermochte. Alles, was ich zu plädieren mir vorgenommen und reinlich notiert hatte, war schal geworden. Es zersetzte sich vor der steifen Sicherheit dieser Front der Gerechten: tief innen war ich ja ihnen verbunden, war hier im

* Nach dem berüchtigten Wort des deutschen Generals Baron von Seeckt: «Der Pazifist gehört noch immer an die Laterne, und wenn es auch nur eine moralische ist.»

irdischen Lande daheim und nicht drüben in einer befriede-
ten Jenseitigkeit.

Ich sah diesen stillen, christgläubigen Mann vor seinen
Richtern stehen, wehrlos wie ein wundes, parforce-gejagtes
Wild, das bereit ist, sich der Meute zu ergeben und im
Untergang zu schweigen. Ich erinnerte mich auch der kindlichen Verse, die er im Kerker bei geschwollten Kartoffeln
aufgeschrieben hatte («fecit in carcere»): «Das gottver-
heißne Paradies / Oh, glaube Herz, es kommt einmal», und
wie ihm des Messias Friedensreich stetsfort vor dem Geiste
stand:

«Die Wölfe werden bei den Lämmern wohnen
und die Parder bei den Böcken liegen.
Ein kleiner Knabe wird Kälber und junge Löwen
und Mastvieh miteinander treiben.
Kühe und Bären werden auf die Weide gehen,
daß ihre Jungen beieinanderliegen,
und Löwen werden Stroh essen wie die Rinder ...»

Ich hörte mich meine Rede halten; gewiß, es war Wort für
Wort zu vertreten; aber es zuckte und knisterte keine Hoch-
spannung darin. Nichts von Leidenschaft ließ mich er-
glühen. Ich kam mir als Zwitter und lauer Müdling vor, ja
als Verräter sowohl an diesem bleichnasigen, schmalstirni-
gen, unheldischen Helden als an dessen kühlbeherzten
Widersachern. Ich schämte mich meiner Schwäche, kämpfte
kraftlos gegen sie an und entwertete völlig meinen unsicher
vorgetragenen Einsatz.

Es kam so, wie Paul Kessler es vorausgesehen hatte: Gefängnis, Ehrverlust, Gerichtskosten; der Verurteilte verzichtete selbstverständlich auf den im Gesetz vorgesehenen «ehrenvollern» Strafvollzug auf einer Festung und zog das Zivilgefängnis vor.

Völlig zerknirscht hat mich in meiner Niederlage der sarkastisch-lakonische Vermerk des Großrichters, der Entzug der bürgerlichen Ehrenhaftigkeit enthebe den Verurteilten nicht der militärischen Dienstpflicht: der Entehrte ist somit nicht der Pflicht enthoben, fürderhin im «Ehrenkleid des Wehrmannes» Dienst zu leisten. Was mich jedoch hinterher am schmerzlichsten traf: mein eigenes Versagen als Ergebnis meiner Unfähigkeit, mich für oder wider die eine der Parteien zu entscheiden, also mein zögerndes Stehenbleiben in der Gefahrzone zwischen den Fronten. Erst nach Jahren kam ich zur Einsicht, daß ich mit solchem Verharren im Niemandsland meine eigentliche Leistung zu erkennen hatte, ja daß mir aufgetragen war, das Verbindende im Gegensatz, das Gemeinsame im Verfeindeten aufzudecken und zu kräftigen.

Wie solches, das sich auszuschließen scheint, trotz der scheinbaren Unmöglichkeit möglich werden kann, sei am Beispiel eines zweiten Gerichtsfalles dargestellt, am Straffall des Lyrikers Albert Ehrismann.

Albert Ehrismann, 15. Januar 1932

Es gibt Dienstuntauglichkeit sowohl aus körperlichem als aus geistigem Ungenügen. Neben Schwachsinnigen werden mehr oder weniger gesunde Burschen mit Krampfadern,

Plattfuß, zu geringem Brustumfang oder andern organischen Gebrechen bei der militärischen Musterung entweder ausgeschieden oder zurückgestellt. Wenn solche Mängel in der geistigen oder körperlichen Entwicklung zu Ausschluß aus der Armee führen, warum sollten seelische Anfälligkeit und gesteigerte Sensibilität nicht dieselbe Rücksichtnahme bewirken? Der so oder anders Hinfällige trägt ja ohnehin zur Schwächung der Truppe bei. Ich denke da an den Menschenschlag des Künstlers, und es steht mir der Fall des Dichters Karl Stamm vor Augen, der als Grenzsoldat während des Ersten Weltkriegs zusammenbrach, sein Gewehr hinwarf und sich in psychiatrischen Gewahrsam nehmen lassen mußte.

Der Zwischenfall wurde damals nicht zum Fall aufgebauscht; einsichtige militärische und zivile Instanzen griffen vermittelnd und dämpfend ein. Man erinnerte sich dabei einiger Vorfälle, die Nationalrat Hermann Greulich dazu bewogen hatten, im Dezember 1917 eine Motion, die Einführung des Zivildienstes für Militärdienstverweigerer betreffend, im Nationalrat einzureichen. Vier Jahre später hat er seine Eingabe zugunsten einer weitergehenden Zivildienst-Petition des st. gallischen Nationalrates Johannes Huber zurückgezogen. Papa Greulich, wie er von seinen sozialdemokratischen Freunden genannt wurde, hatte bei der Begründung der Petition das bedenkliche Geschick zweier junger, braver Schweizerbürger erwähnt, die vom Ausland übers Meer heimgekommen waren, um nach Ausbruch des Ersten Weltkrieges dem Vaterland mit der Waffe in der Hand beizustehen. Beide gerieten in den Bannkreis der Friedensideen Leo Tolstois und verweigerten in der Folge nach längern innern Kämpfen den Dienst. Der eine war Artillerieoffizier; man bestrafte ihn mit Gefängnis und Degradation und stieß ihn aus der Armee. Der andere, ein Soldat ohne Gradierung, wurde ebenfalls bestraft, erneut einberufen, verweigerte abermals und nahm doppelt harte Haft auf sich; umsonst hatte er um zivile Arbeitsleistung anstelle des Militärdienstes gebeten. Um einer dritten Verurteilung (Zuchthaus) zu entgehen, verließ er das Land.

Weder Hermann Greulichs Motion, noch Johannes Hubers Petition hatten irgendwelche Änderung in der Praxis der eidgenössischen Militärjustiz bewirkt. Erst in den Jahren nach dem Zweiten Weltkrieg zeigte sich in der Öffentlichkeit eine gewisse Bereitschaft, die Problematik der Dienstverweigerung aus Gewissensgründen ernsthaft zu bedenken und ihr ein echtes Verständnis entgegenzubringen. Sowohl im Ausland als in der Schweiz waren es aufgeschlossene kirchliche Kreise, die sich regten. So hat der Rat der evangelischen Kirche in Deutschland (EKD) im Jahre 1965 erklärt, er erachte es als «nicht befriedigend», daß die Vorsitzenden der Prüfungsausschüsse (für Dienstverweigerungsfälle) Beamte der Bundeswehr sind (NZZ, 12. Dezember 1965). Und die paritätische «Gesellschaft der Feldprediger der schweizerischen Armee» bejahte an ihrer Generalversammlung (im Mai 1966) die Einführung eines auf verfassungsmäßigen Grundlagen ruhenden Zivildienstes für Dienstverweigerer aus Gewissensgründen (NZZ, 26. Mai 1966).

Der Einführung eines zivilen Ersatzdienstes steht neben der politischen die psychologische Hinderung entgegen: es ist schwierig bis unmöglich, jeweils die wahren Beweggründe für das Verweigern des Wehrdienstes zu erkennen. Von den 80 Dienstpflichtigen, die im Jahre 1964 wegen Dienstverweigerung vor ein Militärgericht gestellt wurden, entzogen sich die einen aus Trotz, Furcht, Unlust oder Quengelei dem Waffendienst (nach einem Bericht des Oberfeldarztes), es waren deren 18. Weitere 8 Mann machten nicht politische, sondern ethisch-weltanschauliche Gründe geltend. Von den 54 Renitenten, die aus religiösen Bedenken den Dienst, auch den Sanitätsdienst, versagten, gehörten 48 den Zeugen Jehovas an. (Nach «Dienstverweigerer und Dienstscheue», NZZ, 16. April 1966.)

Ich erwähne diese Zahlen, um die komplexe Vielschichtigkeit der aufgeworfenen Fragen und die Schwierigkeit einer einigermaßen befriedigenden Lösung anzudeuten. Aber das Verwickelte und Hartnäckige einer Aufgabe ist doch noch kein gültiger Vorwand, diese Aufgabe zu mißachten, im Gegenteil: je heikler die Fragestellung, desto löblicher das Wagnis eines Lösungsversuchs.

Einige Bewegung unter Gleichgesinnten erregte im Jahre 1932 die stille Rebellion des Lyrikers Albert Ehrismann, eines Dichters aus der Generation nach Karl Stamm. Ich wage nicht zu sagen, der Fall habe Aufsehen erregt; aber aufgewühlt hat er damals etliche Vaterlandsfreunde. Man bedenke die Zeitläufte: das Jahr mit dem Aufkommen und Anschwellen der deutschen Bewegung der Braunhemdenrotten! Ich nahm damals an einer Schriftsteller- und Erziehertagung in Ermatingen teil, und wir alle fühlten uns bedroht und herausgefordert vom Knattern, Knallen, Signalisieren und Trommeln von einem nationalsozialistischen Ausbildungslager, das Tag und Nacht über die Wasser des

Untersees rollte. Eine Art Grenzlandkoller hatte die schweizerische Bevölkerung befallen; die einen zeigten sich gedrückt, die Mehrzahl aber war erregt. Brandstifter gingen um. Man trug die Erregung mit sich herum und fühlte sich an der Grenze, auch wenn man im Innern des Landes wohnte.

Bei Albert Ehrismann muß diese Erregtheit nach innen geschlagen haben. Wie konnte es anders sein, als daß ihm, dem Lyriker vom drohend Kommenden mehr als nur ein unbestimmtes Ahnen ins Blut gefahren war! Nicht messianischer Erlösungsglaube, aber psychische Anfälligkeit ließen ihn zurückschrecken vom Waffendienst; eine erregbare Vorstellungskraft zeichnete dem Friedfertigen das Grauenhafte der europäischen Zukunft vor die Sinne. Solche geistige Zerbrechlichkeit bedurfte der Schonung, und so konnte ich, all der Umstände eingedenk, für diesen Gefährdeten aus unangefochtener Überzeugung einstehen.

Albert Ehrismann hatte mit einer Gedichtsammlung «Lächeln auf dem Asphalt» die unbewehrte Offenheit seiner Sinne vor den harten Dingen der Welt bezeugt. Nicht die gütige Mutter Erde läßt den Stadtpoeten singen; es ist das Pflaster und der Asphalt, über denen ihm ein müdes Lächeln zu erblühen vermag. Einheimische und deutsche Kritiker spendeten dieser jungen Stimme ihr Lob, voran Eduard Korrodi und Rudolf G. Binding. Zu einem lyrischen Zyklus «Schiffern und Kapitänen», mit Schnitten von Eugen Früh (Verlag Dr. Oprecht und Helbling AG Zürich, 1932, typographisch gestaltet von Albert Ruppli), hatte ich für den Verleger den Waschzettel verfaßt und darin vorahnend ahnungslos geschrieben, der Dichter bezeuge mit diesen zehn

Proben «eine große Sensibilität, deren schmerzliche Gegenseite die Verletzbarkeit des Gemütes» sei. Dennoch bleibe sein Herz diensttauglich und dienstwillig; es brauche vielleicht die Verwundung, da es anders nicht ausfließen könnte. Wie der vierundzwanzigjährige Albert Ehrismann darauf kam, mich zu seinem Verteidiger vor dem Divisionsgericht zu bestellen, vermag ich heute nicht mehr genau zu erkennen. Als Sanitätssoldat der Jagd-Fl. Kp. 17 hatte er zu einer am 9. Oktober 1931 beginnenden Fliegerrekrutenschule in Dübendorf einzurücken, jedoch in einem Brief der Militärdirektion mitgeteilt, daß er diesen Dienst, in voller Kenntnis aller Folgen, nicht erfüllen werde. Das Jahr zuvor hatte er seinen Eltern zuliebe sich nicht geweigert, die Rekrutenschule und einen Wiederholungskurs zu bestehen, war nun aber zur Erkenntnis gelangt, sowohl aus Gefühls- als aus Vernunftsgründen nicht mehr mitmachen zu können. Ich vermute, er habe damals meinen Roman «Der blinde Seher» oder wenigstens dessen Eingangskapitel gelesen. Das Buch ist 1930 in Leipzig erschienen, wo später die ganze restliche Auflage bei einem Fliegerangriff verbrannte. Es blieb mein einziges Werk mit politischer Zielrichtung und galt als ungehöriges Beispiel eines angriffigen, kritischen Zeitromans. Zu Beginn der Erzählung, die sich über beinahe 400 Seiten ausbreitet, verweigert der erwachsene Sohn Viktor seinem Vater den Gehorsam: er sträubt sich, auf der Linotype des väterlichen typographischen Unternehmens einen von der staatlichen Druckschriftenverwaltung erhaltenen Auftrag abzusetzen, da es sich um ein Militärreglement handelt, das die Durchführung von Feldgottesdiensten in der Armee ordnet. Viktor lehnt sich gegen die Heuchelei auf, die er darin sieht, daß besoldete Feldprediger Mannschaft und Waffen segnen. Im Tiefsten aber empört er sich gegen die Herrschaft veralteter, brüchig gewordener herkömmlicher Mechanismen: im Vater bekämpft er eine verkalkte Generation. – In der Vossischen Zeitung, Berlin, vom Dezember 1931, hieß es in einer ausführlichen Besprechung, es gehe in dem Buch um nichts anderes, als darum, «die liberale Tyrannis der Väter durch den tyrannischen Liberalismus der Söhne» zu ersetzen.

Die erwachende Jugend jener Jahre, zugleich in der Nachkriegszeit als in einer Vorkriegszeit lebend, in einer Zwischenzeit des Aufbruchs also, war einem hochgemuten Expressionismus geradezu hörig verfallen, dabei eigentlich jeder lauten Demonstration ihres Argwohns abhold; sie versagte sich die ausholende Gebärde und lieferte sich mit solcher Selbstbescheidung umso wehrloser – weil unbewehrt – den neuen Mächten aus. «Aufbruch des Herzens» hieß eine Gedichtsammlung von Karl Stamm; «Revolution des Herzens» war ein dramatischer Alarmruf Felix Moeschlins. Die Freunde um Albert Ehrismann, neben Hermann Hiltbrunner, Albin Zollinger und Paul Adolf Brenner auch Felix Moeschlin, waren überzeugt, daß Ehrismann jedes Märtyrertum zuwider lief, und ich kann seine Abneigung gegen lärmige Publizität hier belegen: anschließend an die Gerichtsverhandlung, die ihm galt, wurde ein zweiter Dienstverweigerer aus Gewissensgründen verurteilt; Albert Ehrismann hatte ohne Pathos erklärt, er könne seine Gedanken nicht länger durch Taten verleugnen, die er widerwillig dennoch tue; sein literarisches Bemühen sei, «zu künden von Menschen und Menschlichkeit», so in jenem Briefe an die

aufbietende Militärbehörde. Und vor Gericht betonte er
nun, er stehe für sich allein und habe keine Sendung zu erfüllen. Mit dieser Erklärung stellte er sich ohne Absicht in
Gegensatz zum zweiten vor die Schranken gerufenen Dienstverweigerer jenes Tages, der von seinen Partei- und Gesinnungsgenossen als Demonstrant gegen den militaristischen
Gewaltglauben herausgestellt wurde. Von Seiten jener Kämpfer wurde Ehrismann hinterher vorgeworfen, er habe durch
mich lediglich seine persönliche Sache verteidigen lassen; ja
einige Eiferer schimpften ihn Verräter und ziehen ihn der
Gesinnungslosigkeit, weil sie nicht billigen wollten, daß
einer aus persönlicher Notwehr den Waffendienst ablehne.
Aber gerade der Einzelfall war es ja, der mich antrieb, für
den Gefährdeten einzustehen. Es muß freilich eingeräumt
werden, daß nicht allein Ehrismanns individualistisches, auf
die Person bezogenes, proklamationswidriges Verhalten
Anlaß gab zu solcher Anfeindung, wohl auch nicht eigentlich meine Verteidigungsrede (mit der ich feststellte, man
habe weniger eine Handlung, eher eine Haltung zu beur-
teilen); ausgelöst wurde der peinliche Protest der enttäusch-
ten Gesinnungsgenossen durch die beiden Schiedssprüche:
den einen Angeklagten, Albert Ehrismann, verurteilte man
zu zwei, den andern, mit Namen Eugen Lyrer, zu vier Monaten Gefängnis. Und Albin Zollinger hat hinterher diese
ostentativ unterschiedliche Behandlung des gleichen Ver-
gehens auf seine Weise literarisch glossiert: er verfaßte einen
Bericht «Militärgericht über einen Dichter», der im «Geistesarbeiter», dem offiziellen Organ des Schweizerischen
Schriftstellervereins, erschien (Januar 1932). Darin schrieb
er, die Verhandlungen über den Dienstverweigerer Albert

Ehrismann hätten sich «zu einem ordentlichen kleinen Kammerkonzert gegenseitiger Rücksichtnahme und Toleranz» gestaltet. «Hier bemühte man sich offensichtlich, einem Sonderfalle gerecht zu werden, die Überschneidungen von Geist und Gesetz auseinanderzulegen. Im Bestreben, dem sympathischen Delinquenten goldene Brücken zu bauen, deutete man seine Träumerei allzusehr nach der Richtung des Unklaren, Unverbindlichen hin. Wenn Ehrismann sagt, ein geistig regsamer Mensch unserer Tage bürgt nicht für die Anschauungen, die er späterhin haben wird, so ist das natürlich etwas anderes als die halbe Reue eines unsicheren Sünders*. Allein auch die Richter versäumten», fährt Zollinger in jenem Bericht fort, «von dem Verteidiger, T. V., freundlich geöffnete Törchen zu passieren. Psychisch dienstuntauglich nannte er seinen Poeten und vermehrte die Dispensationsgründe damit um eine unstoffliche Spezies, deren Existenz von der Militärmedizin allerdings nicht so bald wird wahrgenommen werden. – Schon dieses psychologische Exerzitium mochte die Männer in Feldgrau nervös auf Taten gemacht haben: An ihrem nächsten Opfer aßen sie gewissermaßen einen Rettich.»
Diese Rettich-Anspielung auf das Mörike-Gedicht «Restauration, nach Durchlesung eines Manuskripts mit Gedichten»,

---

* Auf die Frage des Großrichters, ob er den Dienst für alle Zeiten verweigere, hatte E. geantwortet, für heute sei sein Entschluß endgültig, er halte es jedoch nicht für ausgeschlossen, später einmal Dienst zu tun (was er tatsächlich dann auch tat, als das Land seine Grenzen zu sichern hatte). Eben diese Antwort nahmen ihm die empörten Gesinnungsgenossen übel, die von ihm erwartet hatten, er begehre gleiches Strafmaß wie jener andere, dem sie dann öffentlich zu seinen vier Monaten gratulierten.

wurde hier und dort falsch oder überhaupt nicht verstanden. Mörike spricht in jenen Spottversen von süßem Zeug, «ohne Saft und Kraft»; die Strophen, die er gelesen habe, hätten «wie lauter welke Rosen und Kamilleblümlein» gerochen. «Ich sah mich schnell nach etwas Tüchtigem um,/ Lief in den Garten hinterm Haus,/ Zog einen herzhaften Rettich aus,/ Fraß ihn auch auf bis auf den Schwanz,/ Da war ich wieder frisch und genesen ganz.»

Der «Geistesarbeiter» hatte schamhaft das «fraß» zu «aß» verniedlicht, und der eigentlich Betroffene, jener, an dem sie gewissermaßen einen Rettich fraßen, der zu seinen vier Monaten gekommen war, mißdeutete den Scherz Zollingers: er schrieb an Ehrismann vom Gefängnis aus, Zollinger halte ihn wohl für einen scharfen Rettich; auch entschuldigte er sich für die Anrempelung, mit der einige seiner Anhänger ihrem Unmut Luft gemacht hatten über das vom Gericht verwendete zweierlei Maß, und er vermutete, zu solchem Urteil sei man wohl gekommen, einmal weil Ehrismann keine «Dauerbürgschaft für seine Haltung» habe übernehmen können und andrerseits nicht gesonnen war, «vor dem Gericht ein Anklageschauspiel für märtyrerlustige Pazifisten» aufführen zu lassen.

«Nicht das Unternehmen, sondern das Unterlassen einer Handlung hat ihn straffällig werden lassen», hatte ich zu seiner Verteidigung gesagt und daraus gefolgert, daß er leidend nicht imstande gewesen sei, dem Aufgebot Folge zu leisten. «Er weiß, daß es einfacher und bequemer wäre, diese vierzehn Tage Wiederholungskurs in Dübendorf über sich ergehen zu lassen; aber trotz aller vernunftgemäßen Bedenken: Er kann nicht. Der ganze Mensch, nicht ein störrischer

Kopf oder ein wehleidiges Gemüt, versagt sich ihm. Er erkennt, daß es Selbstverrat gewesen wäre, wenn er weiter gedient hätte ... Und zudem: Er hätte seiner psychischen Zerbrechlichkeit wegen versagen müssen; wenn Sie ihn dafür
strafen, verurteilen Sie nicht nur diesen einen Menschen,
sondern Sie rücken ab von einem Teil seiner Generation.
Denn Albert Ehrismann ist nicht ein zeternder, zimperlicher
Hasenfuß; seine Sensibilität hat sich künstlerisch bezeugt; er
ist der Sprecher junger, zukunftgläubiger Menschen, die
seine eindringliche lyrische Stimme vernommen haben. Sie
hören und sehen weiter auf ihn, und Ihr Spruch, meine Herren, wird auch sie treffen und erregen ...» So gesprochen
vor Divisionsgericht Va im Schwurgerichtsgebäude am 15.
Januar 1932 in Zürich. Und auch hier wie zuvor beim Gericht über Paul Kessler in St. Gallen ließ ich durch ein gra-
phologisches Gutachten meine Argumentation untermauern
und ihr Teile aus einer literarischen Kritik folgen, mit der
sich Eduard Korrodi, der Redaktor des Feuilletons der
Neuen Zürcher Zeitung, zu Ehrismann, dem Lyriker, bekannt hatte (NZZ, 31. Oktober 1930): «... man spürt einen
beinahe sympathisch zu nennenden Zwiespalt des jungen
Dichters, der seinen Mitmenschen liebender Bruder sein
wollte, aber durch viel Leid und Unbill das Welt- und
Brudererlebnis so oft vergällt sieht ...»
Albert Ehrismann wurde zu acht Wochen Gefängnishaft
verurteilt. Aus dem Heer wurde er nicht ausgeschlossen. Der
bedingte Strafvollzug wurde ihm verweigert, zudem verfügte das Gericht die einjährige Einstellung im Aktivbürgerrecht, da er durch sein Verhalten nicht nur das höchste militärische Rechtsgut, die Mannszucht, sondern auch die Ver-

fassung verletzt habe (nach pz. in der NZZ, 17. Januar
1932). – Er hatte sich im März 1932 in Meilen zur Ver-
büßung der Haft einzufinden. Aus der Zelle hat er mir über
seine innere und äußere Verfassung in bleistiftgeschriebenen
Briefen Auskunft gegeben. Einmal hieß es da: «Zollinger
hat mir einen lieben Brief geschrieben und eine sehr, sehr
schöne Geschichte geschickt. Fritz Ernst ist ein prächtiger,
gütiger Mensch, Gewinn meiner Gefangenschaft...» Die
Briefe aus der Haft geben eine Art Kardiogramm und lassen
den, der zu lesen und zu horchen gewillt ist, das Innenbild
eines Menschen erkennen, der seiner Heimat gegenüber ohne
Groll und Voreingenommenheit, auch ohne Argwohn, jedoch kritisch prüfend, offen steht; denn er hat das Gleichgewicht gefunden. Dieser Ausgleich ist ihm freilich nicht geschenkt worden, vielmehr mußte er und muß er weiterhin
immerzu verdient werden.
Bevor ich einen der Briefe aus dem Gefängnis im Wortlaut
hinsetze, sei versucht, die nüchterne, armselige Umwelt ab-
zugrenzen, in die sich der Verurteilte für zwei Monate gesteckt sah.
Das Bezirksgebäude mit Gericht, Verwaltung, Notariat und
Gefängnistrakt, das heute in Meilen zu finden ist, stand damals, als Albert Ehrismann seine Strafe abzusitzen hatte,
noch nicht; es wurde 22 Jahre später, Ende November 1954,
eingeweiht. Das alte Gerichtshaus mit Amtsräumen und Ge-
fängnisbau, voll Anstaltsgeruch, einem Gemisch aus Sauer-
kraut, Aktenstaub und Mäuseduft, nahm den Häftling auf.
Das Gebäude war merklich gegen den See in die Seekreide
eingesunken und stand schief. – Unter den Gefangenen, die
früher in Meilen «Gastrecht» genossen hatten, finden wir

den deutschen Linkssozialisten Willi Münzenberg, den
Freund Lenins, der hier als Antimilitarist und Revolutionär
interniert war und 1919 aus der Schweiz ausgewiesen
wurde. Ein Korrespondent, der bescheiden mit «c» zeichnet,
erzählt in der Zürichsee-Zeitung vom 5. Dezember 1954 über
weitere frühere Insaßen des alten Bezirksgefängnisses und
erwähnt die Kantonsverwiesenen, die Tippelbrüder und die
kleinen Übeltäter, die sich vom Dorfpolizisten nicht ungern
verhaften ließen, um im Chefi geruhsam zu überwintern
und dort in Pension genommen zu werden. Es soll aber –
besonders im Frühling – nicht selten vorgekommen sein,
daß nicht ein einziger Fehlbarer in Gewahrsam saß, sodaß
der Verwalter die weiße Fahne hissen konnte.
Und nun folgt einer der Briefe aus dem Gefängnis. Albert
Ehrismann schrieb ihn im März 1932.

Lieber traugott vogel und frau
sollten sie nicht wissen, daß ich die fährschiffe sehr lieb
habe? ich habe sie zuerst gesehen auf dem rhein. da fuhren
sie, von karlsruhe und der schweiz herkommend, über die
holländische grenze ins meer. drei und vier mit langen tauen
aneinander gehängt; und vorn war ein kleines dampferchen,
das sie zog und seine rauchfahne weiß und manchmal – in
der abendsonne – kupferbraun, wie der arm einer schönen
frau, über das erste und zweite bis zum letzten legte und die
schmutzigen dreckbretter und die schwarzen männer streichelte. und dann sah ich sie in feldbach*; vier monate lang.

* Feldbach: Der Schriftsteller Konrad Falke (Frei), Verfasser des «Kin-
  derkreuzzuges», hatte sein Haus in Feldbach über dem Zürichsee dem
  Schriftstellerverein als Arbeitsheim für einzelne seiner Mitglieder zur
  Verfügung gestellt.

vom frühen morgen bis in die nacht hörte ich sie klopfen;
die sonne schien über sie, und ein mann stand manchmal am
bug und sah in die sonne. schwarz war er und das schiff
schimmerte goldig. und nun bin ich in *meilen*; im *gefangnis*.
aber wieder sind meine schiffe bei mir, und sie waren mir
noch nie so nahe wie jetzt. manchmal sehe ich sie nicht. aber
dann höre ich das rauschen des wassers, das von ihren plan-
ken getrennt wird und das wohl weiß und gischtig auf die
seite springt, und ich höre die wellen am ufer sich zerschla-
gen und um die mauern meines *schlosses* spielen; erst, wenn
sie ziemlich weit weg sind, kann ich sie sehen. wenn ich auf
den Stuhl steige und durch den schmalen Spalt sehe, dann
höre ich sie nicht mehr. aber beides – geräusch und anblick
– habe ich nun in meiner zelle. und sie spielen wieder im
rhythmus meines daseins, und das klopfen des motors hört
nicht auf weiterzugehen im klopfen meines herzens. so sitze
ich in meinem *schloß am see*, lausche auf die geräusche der
welt und warte auf die morgen und abende. und warte auf
die freunde und ihre briefe und ob sie kommen und mir
etwas bringen.
sie fragen mich, ob ich trost brauche. nein. ich bin im
gefängnis; wohl. aber ich gebe mich keinen illusionen hin.
ich weiß, wo ich bin und daß ich es willens bin. das genügt.
um mich sind mauern. sie sind das einzig reale, sichere. aber
wer weiß, ob diesseits oder jenseits die freiheit, die kleinere
zelle ist. ob der schlüssel hier oder draußen steckt, ist nicht
so wichtig. auf diesen schlüssel kommt es in diesem falle
nicht an.
ich bin vielleicht zu sehr materialist. aber sehen sie, das
päckchen, das sie mir geschickt haben, bedeutet mir sehr

viel. und dabei haben sie wohl gar nicht gewußt, daß von
allen erfindungen des lieben gottes die kakaofrucht mir die
liebste ist. freilich, die zigaretten darf ich erst rauchen,
wenn ich wieder auf der straße bin. vielen dank.

bücher? ja. ich möchte: hauffs märchen; schloß gripsholm
von tucholsky; ein roman von inglin; der befreier von weilenmann; und dann noch irgend ein buch, das sie mir aussu-
chen, nur kein so schweres.

bis heute habe ich mich mit kaffee-hag-tüten beschäftigt.
nun ist mein gesuch um arbeitsbefreiung bewilligt worden.
ich muß mich aber jetzt auch selber verpflegen. ich denke
morgens und am abend rohkost zu essen; das mittagessen
möchte ich aus einem alkoholfreien in der nähe beziehen. da
aber die lieben nachbarn in allen häftlingen selbstmordkan-
didaten sehen, muß ich aufenthaltsgeld und pensionsgeld für
zwei monate zum voraus bezahlen. wollen sie mir das theaterhonorar*, das ja noch zur hälfte mir gehört, für diesen
ganzen monat schenken?

lieber mann, nun weiß ich nichts mehr. grüßen sie ihre frau
und den albin. und passen sie auf, daß dem kleinen vogel in
der glocke** nichts passiert.

herzlichst   ehrismann

* Theaterhonorar: Albert Ehrismann besprach für das Volksrecht die
  Aufführungen des Schauspielhauses; für die Dauer seiner Inhaftierung
  übernahm ich Stellvertretungsdienst.
** Glocke: Ich hatte ihm erzählt, wie ein Sperlingspaar die Klingel an
  der Aussenmauer des Schulhauses im Letten-Zürich als Schutzdach
  und Brutstätte erwählt hatte. Den Klöppel der Glocke benützten die
  fütternden Spatzeneltern als Landesteg; beim Aufsetzen auf den
  Klöppel schlug jeweils die Glocke an; dann ging durch die Schulklasse, die im Innern des Hauses das Futterzeichen vernahm, ein fro-
  hes Raunen.

Die Begebenheiten mit den beiden Dienstverweigerern
Kessler und Ehrismann bedenkend, stellt sich mir heute die
Frage nach dem Ertrag solcher tapferer Selbstentblößungen
in einer Zeit der dauernden gegenseitigen kämpferischen
Herausforderungen unter bekennenden Menschen, Men-
schengruppen, Völkern und Rassen. War damals und seither
den Demonstranten reinen Herzens irgend ein nachweis
barer Erfolg beschieden? oder blieb ihr Einsatz nutzlos vertan und haftet ihrem Protest nach wie vor der Anschein
spleeniger Eigenbrötelei und Querköpfigkeit an?
Man darf doch wohl glauben, keiner der beiden und wahrscheinlich kaum einer unter den andern, die aus religiösen
Bedenken oder aus Gewissensgründen den Militärdienst verweigerten, hätte als Mitbürger die Kränkung und Mühsal
auf sich genommen, die eine solche Protestgebärde auslösen
mußte, einzig in der Absicht, ins Rampenlicht der empörten
Öffentlichkeit zu treten. Die meisten unter ihnen bezeugten
ja ausdrücklich, daß sie sich nicht die geringste propagan-
distische Nachwirkung im Sinne der Niewiederkrieg-Devise
versprachen, jedoch von innen genötigt würden, sich zur
generellen Friedfertigkeit zu bekennen. Sind also ihre Opfer
an bürgerlicher Wohlangesehenheit wirkungslos geblieben?
Keineswegs. Obschon es oft den Anschein hatte – besonders während der beiden Weltkriege –, sie stritten als Landesverräter und Miesmacher auf verlorenem Posten (da ja
unsere Armee nie zum Werkzeug irgend welcher Aggressio-
nen mißbraucht werden kann und unsere milizische Wehrhaftigkeit dem Schutze der staatlichen Neutralität dient),
zeigten sich in jüngster Zeit doch einige neue Blickpunkte in
der Bewertung solcher Friedenszeugnisse. Hier sei abschlies-

send auf ein paar der bald stillern, bald lärmigeren Vorstöße der letzten Jahre, namentlich im Hinblick auf die Einführung eines Zivildienstes als Militärdienstersatz, kurz hingewiesen. Diese Bemühungen der Pazifisten erwirkten schließlich eine Botschaft des Bundesrates an die Eidgenössischen Räte, mit der die Entwicklung einen einigermaßen befriedigenden, vorläufigen Abschluß fand.

Zunächst sei noch einmal zusammengefaßt, was über die Art und die Häufigkeit der Dienstverweigerung zu erfahren ist. Nach Angaben im Band 19 der Evangelischen Zeitbuchreihe «Polis» lehnen von durchschnittlich 320 000 jährlich Aufgebotenen durchschnittlich 240 den Waffendienst ab (0,75 Promille); davon lassen sich 210 zur Sanität einteilen; als grundsätzliche Dienstverweigerer verbleiben im Durchschnitt ihrer 30, von denen sich, immer durchschnittlich, jährlich 22 zu den Zeugen Jehovas zählen und auch einen allfälligen Zivildienst ablehnen. Kommt das Gericht zur Überzeugung, der Angeklagte handle aus achtbaren Gründen, kann es verfügen, daß die Gefängnisstrafe (nach MStG Art. 29) in der mildern Form der Haft verbüßt werde. Läßt der Angeklagte seine Richter verstehen, daß er auch künftige Aufgebote nicht zu befolgen gedenke, wird ihm der bedingte Strafvollzug nicht gewährt. Hingegen kann später die Ausmusterung angeordnet werden.

Bis dahin galt diese Praxis; sie wird künftig, entsprechend oben genannter Botschaft des Bundesrates, in einigen Teilen gemildert werden. Eine 1966/67 rege einsetzende Zeitungspolemik, ausführliche Berichterstattung über Verurteilungen (in Tagesblättern verschiedener politischer Schattierung, nicht nur in linksgerichteten), eine vielbeachtete Diskussion

am Landessender, Zwischenfälle in Ins und Witzwil (Aus-
einandersetzung zwischen dem «Kirchlichen Friedensbund»
und der kantonalbernischen Polizeidirektion), dann der
Vorstoß in den Kantonen Neuenburg und Waadt (mit dem
Ziel der Lockerung im Strafvollzug)*, öffentliche Vernehm-
lassungen der katholischen Bischöfe, Anträge im Nationalrat zur Revision des Militärstrafrechtes, alle diese Bemühungen führten schließlich zu besagter Botschaft, nach welcher der Bundesrat den Kantonen empfiehlt, inskünftig die
rücksichtnehmende Sonderbehandlung bei Dienstverweigerung nicht nur dem aus religiösen Beweggründen, sondern
auch dem aus rein ethischen Gründen handelnden Täter zuteil werden zu lassen. Der Haftvollzug, heißt es da, werde
neu geregelt und in den Kantonen vereinheitlicht. Von der
entehrenden Nebenstrafe der Einstellung in der bürgerlichen
Ehrenfähigkeit soll in allen Fällen Umgang genommen werden, und schließlich braucht dem Ausschluß aus der Armee
nicht Zuchthaus- oder Gefängnisstrafe vorausgegangen zu
sein; auch nach bloßer Haftstrafe kann Ausschluß aus dem
Heere erfolgen. Mildernd wird sich auch die folgende Weisung auswirken: der rückfällig gewordene Dienstverweigerer aus Gewissengründen hat keine Strafverschärfung zu
gewärtigen (nach einer ag-Meldung vom 14. März 1967).
Es bleibt den Richtern nach wie vor die schwierige Aufgabe
als Gewissenspflicht überbunden, in jedem einzelnen Falle
zu prüfen, ob ehrenhafte, ethische Beweggründe zur Ver-

* Einzelinitiative des Genfer Sozialdemokraten Nationalrat Georges
  Borel; Gutachten des Lausanner Staatsrechtlers Prof. Marcel Bridel
  (nach Dr. Hansjörg Braunschweig, Volksrecht, 7. April 1967).

144

weigerung führten oder ob solche nur vorgeschützt werden. Um der egoistischen Drückebergerei Vorschub zu leisten, dafür setzten sich Männer wie diese beiden, denen ich begegnet bin, wahrhaftig nicht ein. Die Militärmedizin indessen hat die «unstoffliche Spezies» der psychischen Dienstuntauglichkeit inzwischen wahrgenommen und läßt sie heute weitgehend gelten. Der Einsatz der zum Friedensbekenntnis Getriebenen hat sich gelohnt.

Nachtrag:

Nachdem die Referendumsfrist für die Revision des Militärstrafgesetzes (Beschluß der Eidgenössischen Räte in der Herbstsession 1967) abgelaufen war, beschloß der Bundesrat am 14. Februar 1968 eine wesentliche Änderung im Strafvollzug für Dienstverweigerer aus Gewissensgründen: ab 1. März 1968 wird der vom Militärgericht Verurteilte, selbst wenn auf Gefängnis erkannt wurde, lediglich mit Haft bestraft und nach kurzfristiger Einzelhaft weist man ihm eine Arbeit außerhalb der Strafanstalt zu, und zwar macht er sich je nach seinen Fähigkeiten in einem der Gemeinschaft dienenden öffentlichen oder privaten Betrieb nützlich, z. B. in einem Spital oder einer Pflegeanstalt oder in der Landwirtschaft.
Diese vom Bundesrat beschlossene Neuordnung ist der Ausdruck einer veränderten, verständnisvolleren Beurteilung des Angeklagten und seines Deliktes. Dem Dienstverweigerer aus Gewissensgründen wird künftig die Lauterkeit seiner Haltung zuerkannt; man bestraft ihn zwar weiterhin für seine Widersetzlichkeit, nimmt ihn jedoch nicht wie einen

gemeinen Verbrecher in Gewahrsam. Freilich ist die Ersatzleistung durch Zivildienst nicht vorgesehen, da ein Großteil
der Dienstverweigerer (Zeugen Jehovas) sich gegen das Leisten von Zivildienst nachdrücklich verwahrt (nach NZZ,
14. und 16. Februar 1968).

Zwei Emigrantinnen

Irmgard von Faber du Faur und Lisa Tetzner

Irmgard von Faber du Faur

Am 22. Oktober 1930 erschien in der Vossischen Zeitung, Berlin, ein kleines Feuilleton, überschrieben «Der Traum. Aus dem Tagebuch eines Lehrers», von Irmgard von Faber du Faur. Ich war damals für ein Urlaubsjahr vom Schuldienst befreit und hielt mich in Berlin auf, wo ich mich an der Universität eingeschrieben hatte und nach Belieben bei dieser und jener Fakultät naschte. – Heute noch hüte ich jenen Zeitungsausschnitt aus der «Tante Voß» mit dem Tagebucheintrag «Der Traum». Der Text ist in einer inzwischen veralteten Fraktur abgesetzt. Das Zeitungspapier vergilbte und ist brüchig geworden. Ich trug das Blatt mehrfach gefaltet während Jahren in der Brieftasche mit mir, und von Zeit zu Zeit las ich diesen «Lehrertraum» wieder, um mich an der Gültigkeit der Schlußfolgerung, die der Tagebuchschreiber aus seinem Traum gezogen hatte, zu stärken und in meinem Erzieherberufe zum Durchhalten zu ermuntern. So lautete der Traum des Lehrers:
«Es war mein erster Tag hier. Die ganze Schule war von einer Reise nach Indien zurückgekommen. Jetzt waren die Kinder hinunter zum Baden gelaufen. Ein einziges Kind war bei mir. Ein kleiner Junge, der aus Indien mitgekommen war. Es war aber eigentlich kein Kind, sondern ein kleines Tier. Es hatte Kleider an, aber unter seinen Kleidern wußte ich, hat es einen kleinen Schwanz. Es hatte seine Hand in meine gelegt. Ich fühlte, an Stelle des Daumens wuchs eine kleine Kralle heraus. Diese kleine Kralle drückte sich in meine Hand. Während des ganzen Gesprächs fühlte

ich diese Kralle. Deutlich und ein wenig schmerzhaft. Es hatte ein schönes, ernstes Gesicht und dunkle traurige Augen . . .

Es erzählte mir, wie es in Indien unsere Kinder sah und sich an sie anschloß. Es lief mit ihnen, es spielte mit ihnen, es kehrte nicht mehr zu den Tieren zurück. Es lernte von den Kindern aufrecht gehen und deutsch sprechen. Es ist mit nach Deutschland gekommen und möchte bei uns bleiben und mit den Kindern erzogen werden.

Es erzählte mir aus seinem Tierleben. Alles, was sie fanden, aßen sie; aber die Opferspeisen, die auf die Gräber gestellt waren, die berührten sie nie. Damals, als Tiere, nie.

Diese Vorstellung bewegte mich tief. Ich war glücklich, dieses Tier hier zu haben. Ich spürte aus jedem Wort seine Sehnsucht, ein Mensch zu werden. Ich sah seine kleine aufrechte Gestalt, sein schönes, ernstes Gesicht und wußte zugleich seinen Schwanz und seine Kralle.

Es fragte mich, wo die andern Kinder wären, es wollte gern mit ihnen baden. Ich war hier neu, ich kannte mich noch nicht aus; aber ich hörte Kinderstimmen und sah einen Steg und eine braune Bretterwand – dort schickte ich das Kind hin. Denn mir brannte mein Herz, zu den andern Erwachsenen zu gehen und ihnen von dem Erschütternden zu sagen: von dem Tier, das keine Opferspeisen auf den Gräbern berührt hat.

Sie empfingen mich mit Hohn: Es ist kein Tier, das ein Mensch werden will, sondern das verkommenste Geschöpf der Erde. Es stammt von verkommenen menschlichen Eltern ab und ist schon in Indien aus allen Anstalten herausgeworfen worden.

Ich wollte ihnen erzählen – ich wollte ihnen sagen – aber sie hörten mich nicht.

Ich wachte auf und wunderte mich über diesen seltsamen Traum.

Jetzt ist er mir eingefallen und hat mich still gemacht. Er hat mir Vertrauen zu mir selber gegeben. Dies ist der Weg, den ich ging, und den ich gehe, und den ich weitergehen will.

Ich will es suchen, in jedem Kind, in jedem Menschen, etwas, das diesem gleichkommt: Wir aßen als Tiere nichts von den Opferspeisen.»

Der Name der Verfasserin blieb mir haften; gelegentlich vernahm ich, daß Irmgard von Faber du Faur väterlicherseits von südfranzösischen, in Deutschland naturalisierten Hugenotten abstamme und in der Linie der mütterlichen Herkunft der Historiker Leopold von Ranke (1795–1886) stehe. Ihr Urgroßvater hatte als königlich württembergischer Artilleriehauptmann Christian Wilhelm v. Faber du Faur den russischen Feldzug Napoleons mitgemacht und seine Erinnerungen an den Untergang der großen Armee in einer Folge von Zeichnungen hinterlassen: Übergang über die Beresina, Brand von Moskau, Schlacht von Borodino 1812, Völkerschlacht bei Leipzig usw; ein anderer Verwandter wirkte in der Schweiz als deutscher Generalkonsul und Frau Irmgards Vater wohnte als Maler im Schloß Nymphenburg vor München, wo auch ihre Zwillingsschwester Armgard als Bildnismalerin und Landschafterin heute noch tätig ist. Zwar blieb der Adelsname für mich vorerst ohne eigentlichen Sinngehalt; unmittelbare Beziehungen zu der Verfasserin und deren Familie ergaben sich erst, als ich

im Jahre 1932, also zwei Jahre nach jener ersten Begegnung in den Spalten der Vossischen Zeitung, in der Neuen Zürcher Zeitung die unverständige, ablehnende Besprechung eines eben erschienenen Buches von Irmgard Faber du Faur zu Gesicht bekam. «Kind und Welt» war der Titel dieser Sammlung von Geschichten für Kinder, die der Verlag Müller und J. Kiepenheuer, Potsdam, eben herausgebracht hatte. Befremdet vom schroff verneinenden Urteil der schweizerischen Rezensentin, die eine moralisierende, unkindliche Nüchternheit feststellen wollte (wörtlich: «Aber wie trocken, wie gesucht, wie eigentümlich leblos und unpoetisch ist Satz neben Satz gestellt! Es fehlt an Humor, an Natürlichkeit, an pulsierendem Blutstrom!»), aber auch mich sogleich jenes «Lehrertraums» erinnernd und an der Berechtigung solchen Tadels zweifelnd, erstand ich mir ungesäumt beim Buchhändler ein Exemplar des Buches «Kind und Welt», und das Lesen wurde zum reinen Ergötzen. Albin Zollinger gesellte sich zu mir und wir lasen Schläfe an Schläfe an einem Marmortisch im Café Odeon am Bellevueplatz voller Entzücken die kleinen Gedichte und Geschichten.
Ich bat hierauf den Feuilletonredaktor Dr. Eduard Korrodi, er möge mir gestatten, in einer Gegenbesprechung dem Buche und dessen Verfasserin gerecht zu werden, und so erschien am 13. April 1932 mein Hinweis, in dem es hieß, es handle sich um das Buch einer Dichterin; es werde das Buch jener Menschen werden, durch deren Dasein noch Wind und Gestirn freundlich ziehen: der Kinder und der Weltfrommen. Und ich schloß mit einem Zitat von Henry de Montherlant: «Plus nos rapports sont intimes avec la nature, plus

nous sommes proche du surnaturel.» Später erfuhr ich, die
Geschichten seien während der Lehrtätigkeit der Verfasserin im Landerziehungsheim Nordeck bei Gießen geschrieben und erprobt worden.

Auch in der Schweizerischen Lehrerzeitung setzte ich mich
für das schlichte Buch zur Wehr, und eine meiner Lobprei-
sungen muß über den Verlagsort Potsdam nach Starnberg
und München in die Hand der Dichterin gelangt sein.

In meinem damals erstandenen Buch liegt ein erster Brief,
mit dem mir die Verfasserin aus München am 12. Januar
1932 meldet, vor einigen Tagen habe ihr Maria Waser die
Lehrerzeitung zukommen lassen. In allerkleinster, dekorativ
verschlungener deutscher Schrift steht da unter anderem:

«Der ‹Traum› war wirklich ein Traum von mir, kurz nachdem ich zum ersten Mal an einer Schule, einem Landerziehungsheim, war. Ich schrieb ihn mir auf ohne ihn zu verstehen. In Wirklichkeit war die Schule von einem Sommer-
aufenthalt an der Ostsee zurückgekommen. Später verstand
ich, daß er aus kleinen, vom Bewußtsein noch kaum beach-
teten Erfahrungen geschöpft war . . .»

Weiter ist im Brief die Rede von pädagogischen Plänen, die
sie mit ihrem Mann zu verwirklichen strebe. «Augenblicklich
ist der Druck der Zeit in Deutschland so schwer», fährt sie
fort, «daß an eine solche Verwirklichung nicht zu denken
ist. Besonders für Outsiders wie wir beide es sind.» Unter-
schrieben ist der Brief mit Irmgard Mannheimer-von Faber
du Faur. Was die Ausdrücke «Druck der Zeit» und «Outsiders» zu bedeuten hatten, war zu erraten. Ihr Mann war

München, 12. Jan. 1932

Wilhelmstr. 22

Sehr geehrter Herr Vogel,

Ihnen war unendige Tagen schickte uns Maria Weiser die Schmgeldung. Ich hätte Ihnen am liebsten gleich geschrieben so wie gleich so einige derart Gedanken für einen fremden Menschen gedruckt. Aber da ich gerade einen Vortrag vorbereite, komme ich darauf heute zu nichts, schreiben. Heute schreibe ich nur die Botschaft an Ihnen. Ich danke Ihnen.

Irmgard Mannheimer-von Faber du Faur,
erste Seite des Briefes vom 12. Januar 1932 aus München
an Traugott Vogel

Jude, widmete sich als Privatgelehrter den Geisteswissenschaften und der Theologie, war geschätzter Mitarbeiter der
«Bremer Presse» und wirkte mit Heilers «Hochkirche» auf
ein überkonfessionelles christliches Bekenntnis hin. Bereits
sammelten sich im Reich die braunen Horden; ich hatte sie
ja selbst von den Lastwagen schreien hören: «Von der Ostsee bis zur Schweiz: Hakenkreuz!», auch hatte man die Drohung vernommen, die Schweiz, das kleine Stachelschwein,
hole man auf dem Rückweg heim ins Reich, wobei sich im
Spruch «Schwein» auf «Rhein» reimte.

Schon im März konnte Frau Mannheimer melden, sie habe
auf meine Anregung hin für das Schweizerische Jugendschriftenwerk (SJW) eine Reihe Geschichten geschrieben und
der Schriftleitung eingereicht. Das Heft erschien denn auch
als dritte Nummer der Sammlung, die ja inzwischen auf
über 1000 Titel angewachsen ist und eine Millionenauflage
erreicht hat. Das Heft heißt «Ein Tag des kleinen Tom»,
wurde von Armgard von Faber du Faur illustriert und muß
immer wieder nachgedruckt werden. – Spätere Briefe, die
mich erreichten (ab Ende März 32) wurden in Starnberg geschrieben, man hatte sich aus dem erregten München in die
ländliche Abgeschiedenheit zurückgezogen und duckte sich.
Von dort schickte mir Frau Mannheimer eine größere Ostergeschichte für Erwachsene, «Wendel», die von Eduard
Korrodi ins Feuilleton aufgenommen und großzügig honoriert wurde (Ostern, 27. April 1932). Am 4. August hierauf
meldete mir die Dichterin, sie habe «das größte Glück und
Wunder dieser Erde erlebt»: ein Kind sei ihr geschenkt worden, das Mädchen heiße Mathilde, und die junge Mutter ließ
mich in Briefberichten am Entfalten des neuen Geschöpf-

chens teilnehmen: «Dieses sich Vortasten ist wie ein Erleben der Schöpfung. Nun müssen wir freilich auch doppelt fleißig sein.» Sie schreibe für den Münchner Rundfunk eine Puppenspielergeschichte, «Der grüne Wagen», und für Berlin arbeite sie an einer Sendung «Kinderkalender», die Fortsetzungen würden seit Juli jeden Monat in Berlin gelesen.

Die Bedrohungen durch den wuchernden Nationalsozialismus ließen den Plan reifen, nach der Schweiz überzusiedeln. Und eines Herbsttages 1932 traf die kleine Familie auf der Flucht im Zürcher Hauptbahnhof ein, ihr geringes Gut in einem prallen Koffer, das große Gut trug die Frau im Arm: ihr Kindchen. Franz Mannheimer, ein gehetzter Josef, ging gebückt am Stock. Sie beide waren zu sehr eingeschüchtert und verängstigt, als daß sie die Kraft aufgebracht hätten, ihrem Leid überhaupt im Wort Ausdruck zu geben, und kaum gelang es ihnen, ihre Freude über die gelungene Rettung aus der braunen Flut zu bekunden. Sie saßen stumpf und matt am Gasthaustisch und ließen das warme Getränk stehen, als wüßten sie nicht, wozu es bestellt worden war. Die kleine, noch nicht einjährige Mathilde griff nach der Tasse der Mutter und die warme Milch verbrühte ihr Händchen. Die Tränen des Kindes lösten den Bann der Eltern: es weinte für alle.

Mit Hilfe Maria Wasers und der Familie Sprüngli in Rüschlikon gelang es, die Heimatlosen unterzubringen, zunächst im Hotel, dann in einfachen Mietzimmern; die Stationen waren: Hotel St. Peter, Leimbach, Itschnach, und später kam man im Nidelbad bei der Brüdergemeinde unter, wo Franz Mannheimer als Seelsorger in Dienst genommen wurde und Frau Irmgard ihre Kindergeschichten, Theater-

stücke und gar einen Roman schreiben konnte. Der Roman
«Michaela» erschien im Feuilleton der Schweizerischen
Frauenzeitung. Der Verlag Sauerländer in Aarau brachte
bald von ihr eine Sammlung Erzählungen für Kinder, «Die
Kinderarche», illustriert von Felix Hoffmann, der Zwingli-
verlag Zollikon nahm in seine Stern-Reihe die «Pilgerkin-
der» auf, eine Erzählung aus dem Leben der englischen
Mayflower-Pilgerväter (mit Illustration von Fritz Deringer). Nebenbei sammelte Frau Mannheimer «Kinderreime
der Welt», übersetzte sie und brachte sie bei Müller und
Kiepenheuer heraus; sie las am Radio, arbeitete weiter für
das SJW («Die große Reise»), schrieb in die Schweizerische Schülerzeitung – und führte nebenbei mit allergering-
stem Kostenaufwand den Haushalt. Sie hatte einem zweiten
Mädchen (Irene) das Leben gegeben; aber alle Mühen der
Hausfrau (inzwischen hatte Deutschland zum Zweiten
Weltkrieg herausgefordert und stand Europa in Flammen)
und die Einengungen durch die Kriegswirtschaft hielten sie
nicht ernstlich davon ab, für die lesende Jugend neue Geschichten zu erfinden, die in Zeitungen und Lesebüchern
Aufnahme fanden. Wenn wir heute in einheimischen oder
deutschen Lehrmitteln für die Unterstufe blättern, treffen
wir auf Texte aus Irmgard von Faber du Faurs Schriften.
Ihr erstes Buch «Kind und Welt» wurde 1958 neu aufgelegt
und heißt seither «Liebe Welt»; es gehört zur geistigen
Grundnahrung des ersten Lesealters.
Irmgard Mannheimer-von Faber du Faur starb am 23. Jan.
1955 an den Auswirkungen eines Hirntumors. Ihr Gatte bezeugte am Grabe, sie habe uns mit ihrem Buch «Kind und
Welt» mehr als eine Fibel geschenkt, nämlich eine kleine

Bibel. Die Dinge, von denen da erzählt werde, auch die un-
lebendigen, von Menschen geformten, würden in eine große
Bruderschaft aufgenommen und sprächen zum Kinde, wie
das Kind auch zu ihnen spreche. – Solches können wir nur
bestätigen; und ich füge hinzu: ihre Geschichten sind edle
Zeugnisse und Erzeugnisse einer unangefochtenen
Menschengläubigkeit. Irmgard von Faber du Faur trägt die
Poesie nicht an die Dinge heran, sie deckt das Poetische in
den Dingen auf und macht es sichtbar.
In jenem Lehrertraum, der unsere Bekanntschaft einleitete,
läßt sich zum Schluß des Traumberichts den Lehrer die folgende Betrachtung anstellen:

«Ein unerwartetes, unerklärbares Gutes werde ich in jedem
Menschen finden, etwas, das mich rührt und von dem aus
mein Vertrauen und mein Glauben seinen Anfang nehmen
kann. Und das will ich: vertrauen und glauben, solange mir
Kinder anvertraut sind. Und ich will auch die Großen, die
mich beirren wollen und mich befeinden, das gleiche wider-
fahren lassen wie die Kinder – suchen – suchen auch in
ihnen eine Stunde, in der sie die Opferspeise nicht berühren.»

Irmgard von Faber du Faur, die mit ihrer Familie hierzulande Ruhe auf der Flucht gefunden hat, einst eine schöne
blonde Frau mit einer dunklen Altstimme, entlöhnte die
Station Schweiz für den gewährten Schutz mit den schlichten Gaben ihrer Kinderdichtung. Ihr bescheidenes, aber
lebenskräftiges Werk wird nicht zu der großen Emigranten-
literatur gezählt, die in helvetischer Obhut geschaffen

wurde; ihr Werk ist nicht der Fackel zu vergleichen, die in
die Verdunkelung der Kriegsjahre gezündet hat; es gleicht
einem Kienspan, harzduftend, still glimmend und dazu bestimmt, kleine wärmende Brände in der Welt des Kindes
zu entfachen.
Ins Bändchen «Kinderreime der Welt» hat sie einen Spruch
aufgenommen, den sie aus dem Amerikanischen übertrug.
Dieser Spruch stimmt auf das Wesen und Wirken dieser stillen Frau:

«Alte Eule in der Eiche
gibt den Kindern gute Lehr:
Hör ich viel, so werd ich stille,
bin ich still, so hör ich mehr.»

Auch sie wurde im Hören still, dann stumm; aber ihr Wort
wirkt in ihren Geschichten fort.

Lisa Tetzner

Dieselbe Brandung, die das Schicksal einer so Wehrlosen bestimmte, wie Irmgard v. Faber du Faur eine war, warf auch
die Märchenerzählerin und Jugendschriftstellerin Lisa Tetzner an unsern Strand. Ich bin ihr an einer internationalen
Jugendbuchtagung in Mainz zum ersten Male begegnet – es
war in der Zwischenkriegszeit, in den frühen Dreißigerjah-
ren –, und dort in Mainz war ich als bezauberter Zuhörer
dabei, als sie einen brodelnden Saal voller Kinder mit ihrem
erzählenden Wort bannte. Auch sie war eine blonde Frau,

und sie ging am Stock, da eine Hüftgelenkentzündung ihr
schon in der Jugend das eine Bein geschwächt und gekürzt
hatte. Am deutschen Funk leitete sie die Jugendstunde und
führte mit Berliner Jungen eigene und gemeinsam erarbeitete kleine Hörspiele auf. Ihre Bücher, die der Großstadt-
jugend galten und deren Sorgen und Freuden die Themen
bestimmten, waren in deutschen Verlagen erschienen und
wurden viel gelesen, «Hans Urian» zum Beispiel und «Was
am See geschah». Nun aber, mit der sogenannten Machtergreifung, als «der Mann Hitler zur Macht kam», wie sie in
bewundernswerter Selbstbeherrschung mir einmal schrieb,
wagten es die Verleger nicht mehr, mit einer Frau zusam-
menzuarbeiten, die sich mit einem Gegenspieler der
NSDAP, Kurt Kläber, ehelich eingelassen hatte. Bereits war
er in Gewahrsam genommen und ausgebürgert worden, als
es ihr gelang, den Gatten auszulösen und in der Schweiz in
Sicherheit zu bringen. Lisa Wenger und deren Freundin, die
Verlegerin Verena Conzett, aber auch Hermann Hesse standen dem heimatlosen Ehepaar bei, und wir alle bemühten
uns, bei der Fremdenpolizei für die Flüchtlinge Niederlas-
sungs- und Arbeitsbewilligung zu erhalten. Ich holte bei
einigen mir bekannten schweizerischen Erziehern befürwor-
tende Gutachten über Lisa Tetzner ein, und es bürgten denn
mit ihrem Worte die folgenden Seminardirektoren: Martin
Schmid, Chur, Hans Schälchli, Küsnacht, Willi Schohaus,
Kreuzlingen und Walter Gujer, Rorschach. Man gestattete,
daß Frau Tetzner an Lehrerbildungsanstalten Kurse in
Sprechtechnik, Stimmbildung und mündlichem Gestalten er-
zählerischer Stoffe erteilte; in Basel bot man ihr am Lehrerin-
nenseminar eine Wirkungsstätte. Bleibende Unterkunft fand

sie schließlich in Carona am Salvatore. Dort schrieb sie die Erzählung von den «Schwarzen Brüdern», jenen elenden kleinen Tessiner Buben, die als Kaminfegerchen nach Italien verdingt wurden; dann folgten die neun Bücher der «Kinderodyssee», in denen das Schicksal von sieben Flüchtlingskindern aus dem Berliner Haus Nummer 67 erzählt wird. Neben ihr arbeitete Kurt Kläber an seinen Büchern, von denen «Die rote Zora», dann die beiden Bände des «Trommlers von Faido» und schließlich die vier Bücher «Giuseppe und Maria» beim Verleger Sauerländer in Aarau herauskamen. Die Bücher des Ehepaars Kläber-Tetzner wurden im deutschen Sprachgebiet zu Hunderttausenden gedruckt und abgesetzt und bald in zehn verschiedene Sprachen übersetzt.

In Lisa Tetzner begegnen wir einer Erzählerin, der das Herz bersten müßte, wenn ihr nicht der Mund überfließen dürfte. Sie hat die Gestalten ihrer Wahlkinder durch das rote Meer der deutschen Blutjahre geleitet als ein Schutzengel, und wer lesend den Spuren der gehetzten Kinder folgt, die von Berlin über Paris nach Schweden, ja um die halbe Erde und nach Amerika führen, dem gehen Durchblicke in eine bedrohte Welt auf, und der sieht durch die stehende Wasserwand des von Mose geteilten Meeres die fressenden Ungeheuer der Untiefe, freilich beschworen und gebannt von der begütigenden Stimme dieser tapfern Frau.

Über ihre Kinder aus Nummer 67 hat sie gesagt:

«Ich schrieb diese Odyssee der Kriegsjugend zum Gedächtnis, der Nachkriegsjugend zur Mahnung! Sie möchte nicht nur ihr Interesse wecken, sondern ihr Nachdenken.»

Lisa Tetzner und ihr Mann, der sich als Schriftsteller Kurt

Mondò
Tuscheskizze von Traugott Vogel
26. Mai 1956

Held nannte, bauten aus dem Ertrag ihrer erfolgreichen Bücher über dem Dorf Carona ein stattliches Landhaus und nannten den Sitz «Pantrovà», was soviel wie «gefundenes Brot» heißt. Sie haben hier auf dem schönen Berg über Melide Heimat und Arbeitsruhe gefunden. Ich besuchte die beiden vor Jahrzehnten mit einer Schulklasse; die Schulkinder nächtigten im Stroh des kleinen Schulhauses und wurden von den Caronesen wie Ehrengäste gehalten; denn die Freunde ihrer Freunde waren auch die ihren. Man lud die Kinder zu einer festlichen Castagnata ein, im Gemeindesaal sang man einander deutschschweizerische und italienische Lieder vor und als Regen einsetzte, unterhielt Lisa Tetzner meine Zwölfjährigen mit ihren Geschichten, und es bedurfte dazu keiner andern Hilfsmittel als der lebendigen, anschaulichen Sprache; weder Film noch Tonband oder Fernsehen hätten uns fester in Atem zu halten und tiefer zu sättigen vermocht.

Am 1. Dezember 1955 schrieb mir Lisa Tetzner: «Wir leben so friedlich und geborgen in unserem Haus auf dem Berg, fühlen uns wohl und arbeiten viel und freudig.» Aber es waren ihnen nur noch wenige Jahre der Tätigkeit beschieden mit Vortragsreisen und Teilnahme an Tagungen im In- und Ausland.

Nun da der Sturm über Europa ausgetobt, die Brandung sich beruhigt hatte und der Alpdruck, der seit Jahren auf den Bedrohten gelegen hatte, sich verflüchtigte, da erkannte man, daß eben diese selben Drohungen einen zu Widerstand gereizt und im Trotz gestärkt hatten. Jetzt, da die Nötigung zu Abwehr ausblieb, hätte ein Neues beginnen sollen – und wenn es auch nur ein Hoffen gewesen wäre. Aber man er-

schlaffte angesichts der neuen ungewissen Ziele; auch war
man zu tief verwundet den Zeitnöten entstiegen, als daß
man zu neuem Anfang genügend Kraft aufzubringen vermocht hätte. Man war erschöpft. Die Themen, die einem
während der Kriegswirren eingegeben worden waren: das
Los verschickter Kinder, die Rassenfrage, der herrische Na-
tionalismus, das Elend der Großstadtkinder, sie waren in
den zahlreichen Geschichten abgewandelt worden und
schienen jetzt bereits der Historie und damit nicht mehr der
Gegenwart anzugehören. Sowohl Lisa Tetzner als ihr Mann
hatten für ihr Erzählen der aufwühlenden Ereignisse be-
durft: Umsturz und Kriegsgegenwart waren für sie nichts
anderes als eine Art Sonderfall eines blutigen Märchens gewesen: das kühne Wagnis, das Herausfordern des Schicksals,
der volle Lebenseinsatz, die Verschwörung mit Zauberkräf-
ten, Naturgewalten und Untieren! Krieg, Revolution, Ver-
folgung hatten ihre Fantasie entzündet und die Zunge gelöst. Nun in der Windstille nach dem Zusammenbruch der
Fronten lechzte ihr Segel nach Orkan. Aber der Schaum der
Brandung zerfloß: da lagen die Trümmer, und man stand
abgekämpft am Ufer, selbst ein Stück Strandgut.
Alle die Bücher, es sind deren über zwanzig aus der Hand
einer einzigen Frau, schwimmen auf dem trüben Fluß der
Zeit. Was bleibt und bleibt gültig? Es bleibt die mit beben-
der Lippe gesprochene und mit zitternder Hand
geschriebene Mahnung, die sie im zehnten Band ihrer Kinderodyssee «Der neue Bund» ausspricht (es ist ein Wort
Pestalozzis): «Wenn wir wollen, daß es in der Welt besser
gehe, so müssen wir das, was wir dazu beitragen können,
selber tun.»

Die Caronesen hatten Kurt Kläber in die Schulpflege gewählt und nahmen später beide ins Bürgerrecht auf. Lisa Tetzner erzählte, ihr Mann sei von der Gemeindeversammlung einstimmig gewählt worden, «aber nun folgte noch die zum Gesetz gemachte italienische Sprachprüfung und Kurt, der seit langem beim Lehrer Stunden nahm, mußte in Bellinzona sein Examen in italienischer Sprache ablegen». Sie fährt folgendermaßen fort:

«Ich glaube, die Caronesen und seine (Kurts) Freunde fürchteten diese Prüfung mehr als er, der allen derartigen Pflichten elegant zu begegnen pflegte, zumal er viele Freunde besaß, die ihm zu helfen versuchten.

Noch wenige Abende vorher sagte unser Lehrer zu mir: ‹Signora, ich werde sterben, bevor Ihr Mann Italienisch kann.› Kurt konnte nämlich noch so eifrig lernen, sobald er von einer Idee für ein neues Buch ergriffen wurde und zu schreiben begann, vergaß er alle fremden Sprachen...

Noch nie sah ich unsere Leute im Dorf so aufgeregt wie an jenem Tag. Sein Freund hatte von der Prüfungskommission erfahren, was ungefähr verlangt würde und so schrieb er ihm vorher einen Aufsatz: Il mio paese. ‹Der wird verlangt›, sagte man mir. Ich hatte Kurt den Aufsatz mehrmals abgehört, denn er lernte ihn gewissenhaft auswendig. Zur Sicherheit nahm er den geschriebenen Aufsatz, wie ein Schulbub, mit und legte ihn wie einen Spickzettel neben sich, um sich zu vergewissern, ob er auch richtig schrieb. Der Examinator sah das lächelnd, las seine Arbeit, erkannte die schriftstellerische Hand seines Freundes und meinte zu Kurt: ‹Per Lei è troppo bello.› Dann machte er ihm noch vier oder fünf typische Fehler hinein, damit es glaubhafter

sei ... Es folgte die geschichtliche Prüfung. Nun schrieb
Kurt zu jener Zeit den «Trommler» (eine historische Geschichte aus dem sogenannten Heugabelkrieg der Leventina),
und da Geschichte immer sein Lieblingsfach war, kannte er
sich aus. Er bestand die Prüfung. Am erstauntesten war
unser Caroneser Lehrer. Am nächsten Tag konnte er es nicht
lassen, hinunter zu fahren, um sich zu erkundigen, wie es
zugegangen sei. Ja, sagte man ihm, sein Italienisch sei allerdings sehr mangelhaft, aber für das kleine Dorf dort oben
würde es schon genügen. Das kränkte unsern Lehrer. Aber,
wurde ihm entgegnet, dafür seien seine geschichtlichen
Kenntnisse so, daß sie jene der ganzen Kommission überragt
hätten. Er würde bestimmt ein guter Schweizer werden, der
Lehrer solle nur noch fleißig sprachlich mit ihm arbeiten. —
Bis nach Ciona, dem Nachbardorf, standen damals unsere
Dorfleute, erwarteten Kurt und hängten sich an das Auto,
mit dem er zurückkehrte, um ihn jubelnd und johlend
durchs Tor auf den Kirchplatz zu begleiten. Die Kinder
waren vorausgelaufen und hatten die Kunde schon den
andern gebracht. ‹Il signore è svizzero; bravo, bravo,
evviva!› Und er wurde als neuer Staatsbürger gefeiert, ab-
geküßt und mit Schnaps traktiert ...
Nach der Einbürgerung mußte Kurt noch einer Musterung
für das Schweizer Militär folgen. Als er unten im Luganeser
Park saß, trat irgend ein Schweizer Offizier auf ihn zu und
fragte ihn: ‹Was waren Sie eigentlich beim deutschen Militär?›
‹General›, antwortete Kläber frisch und fröhlich. (Die Tatsache ist, daß er während eines Linksputsches einmal als
General gewirkt hatte.) Der Schweizer Offizier ging gelas-

sen vor ihm auf und ab, ‹ja – dann können wir Sie leider
nicht brauchen; einen General haben wir nur im Krieg.›
Kurt antwortete mit Lächeln: ‹Ich will gern bis zum nächsten Krieg warten.› Der Offizier legte ihm die Hand auf
die Schulter und sagte liebenswürdig zu ihm: ‹Möchten Sie
nicht aufstehen, wenn Sie mit mir reden?› Kurt antwortete
freundlich: ‹Nein, ich habe ja noch keine Uniform an; aber
Sie können sich neben mich setzen. Und ich will Ihnen eines
verraten, ob mit oder ohne Uniform, für Ihr Land bin ich
sogar bereit zu sterben.›
‹Ich hoffe nicht, daß es dazu kommt. Kennen Sie das Tessiner Sprichwort?›
‹Ja›, schrie Kurt begeistert: ‹Pagare e morire si è sempre in
tempo› (in tempo = zur rechten Zeit). Der Offizier lachte:
‹Jetzt leben Sie also erst gut in unserem Land.› Damit ver-
abschiedete er sich freundlich von ihm.»
Als Lisa Tetzner ihren Lebensgefährten im Jahre 1959 verloren hatte, begann sie rasch dahinzuwelken. Bevor sie
starb, stattete sie in ihrem und in Kurt Kläbers Namen der
neugewonnenen Heimat ihren Dank ab: die beiden ver-
machten ihr schönes Haus Pantrovà der Schweizerischen
Eidgenossenschaft. Der Bundesrat hat das Heimwesen der
Stiftung pro Helvetia zur Verwaltung übergeben. Seither
können Schriftsteller dort während Monaten wohnen und
in der heitern Höhe über dem Dorf Carona ihrer Arbeit
leben.
Sie beide liebten das Wort Albert Schweitzers und setzten es
unsichtbar als Merkspruch über ihr Werk und Wirken:
«Wenn die Menschen das würden, was sie mit zwölf Jahren
sind, wie anders wäre die Welt.»

Der Auszug

Lyrik der Emigranten

> «Die deutsche Sprache ist vielleicht von nie-
> mandem so geliebt worden wie von diesen
> geächteten Lyrikern jüdischer Abstammung,
> für die sie der einzige unverlierbare Besitz
> im Elend war. Noch ärger als die Verfolgung
> quälte sie das Heimweh. Und je tiefer einer
> litt, desto schwerer war es für ihn, seine
> Ächtung zu überstehen.»
>
> (Walter Muschg, Die Zerstörung der deut-
> schen Literatur, Steiner Wiesbaden und Bern,
> 1956, S. 19.)

Friedrich Gundert

Im Januar 1942 wandte sich das Auslandschweizerwerk der
Neuen Helvetischen Gesellschaft an den Schweizerischen
Schriftstellerverein mit dem Ersuchen, er möchte doch die
Schweizerkolonien in Deutschland und Italien nicht sich
selbst überlassen und diesen Gemeinschaften in ihrer geistigen Abschnürung beistehen. Man denke an Vorlesungen
oder Vorträge und Teilnahme an den Bundesfeiern der
Kolonien und möchte der in Deutschland selbst lebenden
Garnitur (wie Jakob Schaffner und John Knittel) «eine
Reihe bodenständiger Schriftsteller aus der Schweiz» beige-
sellen. «Es scheint mir eine nationale Notwendigkeit zu
sein», schrieb der Sekretär der Neuen Helvetischen Gesellschaft, Dr. W. Imhof, «daß sich die schweizerischen Schriftsteller von der geistigen Betreuung der Auslandschweizer
nicht einfach zurückziehen.»
Neben andern meiner Kollegen stellte ich mich der NHG
zur Verfügung und wurde als Redner für die Bundesfeiern

der Stuttgarter und der Frankfurter Kolonien auf den Vortag zum 1. August und den 1. August 1943 vorgemerkt. Ich traf Dr. Imhof zu einer Besprechung in Zürich, überreichte ihm den Wortlaut meiner Ansprache, den er vorsorglicherweise mit dem Diplomatischen Kurier dem Konsulat in Stuttgart zustellen ließ und gab mir Ratschläge für mein Verhalten in dem heimgesuchten, bereits kriegswunden und verhetzten Lande.

Mit einem der letzten Kurse flog ich in einer Junkersmaschine als einziger Fluggast nach Stuttgart, fand Unterkunft im Hause des Schweizerkonsuls Suter und begegnete vor, während und nach der Feier dem deutschen Verleger Friedrich Gundert, mit dem ich seit Jahren freundschaftlich verbunden war. Die Bundesfeier selbst, zu der sich die Landsleute sozusagen vollzählig und familienweise eingefunden hatten, wurde durch eine lärmige Veranstaltung eines nationalsozialistischen Verbandes in einem Nebensaale gestört. Die Stimmung unter meinen Zuhörern war gedrückt, weder meine Worte noch das dünne, wässerige Bier oder die Nationalhymne des Orchesters und ein Heimatfilm trugen zur Erhellung der Gemüter bei; erst als Heimatlieder in Mundart angestimmt wurden und das Orchester den schüchternen Gesang begleitete, fand man sich zurecht, rückte zusammen und es erstand für eine Stunde eine helvetische Enklave in der braunen Fremde: «Han an em Ort es Blüemli gsee, es Blüemli root und wyß». Rot und weiß, das waren ja die Landesfarben.

Andern Tags fuhr ich mit dem Zug nach Frankfurt, wurde dort im Hotel untergebracht, und während ich im Bad saß, erzitterten die Fenster vom Fliegeralarm und vom Abwehrfeuer. Ich blieb ratlos und geängstigt im wohlig warmen Wasser, memorierte meine vaterländische Rede, als sei sie ein Zauberspruch, und stellte erleichtert fest, daß die Flugzeuge bald abzogen und die Flab oder Flak verstummte. Nach der Feier saß ich mit meinen Gastgebern bei einem befreundeten Kaufmann daheim beim Wein, und aus dem Versteck im Bücherschrank tönte vorsichtig gedrosselt die Stimme des Nachrichtensprechers unseres Landessenders. Auf der Rückfahrt von Frankfurt nach Stuttgart geriet ich in den Strom der aus dem zerbombten Hamburg fliehenden Menge, die ihr nacktes Leben in Sicherheit zu bringen trachtete, darunter Verstörte, die unbegreifliche, unnötige Dinge mitschleppten: hier einen Schaukelstuhl und dort eine Schildkröte, die man streichelte, da sie der Sohn von der nordafrikanischen Front geschickt hatte. In Stuttgart blieb ich für ein paar Tage bei Friedrich Gundert an der Lenzhalde über der Stadt zu Gast, und dieses Aufenthalts im Hause des Verlegerfreundes wegen schreibe ich diese Worte der Erinnerung auf.

Friedrich Gundert leitete das Verlagshaus David Gundert. Der greise Vater stand immer noch dem evangelischen Verlag vor, während der Sohn Friedrich sich des Jugendbuches annahm und mit der «Familie Pfäffling» von Agnes Sapper, der Biographie «Marie Hesse» der Mutter Hermann Hesses und sorgfältig gesichteten Kinderbuchreihen sich einen guten Namen unter Verlegern und Sortimentern geschaffen hatte. Er verstand es, die Texte seiner Bände von HJ (Hitlerjugend) und BDM (Bund deutscher Mädel) zu säubern; von der Reichsschrifttumskammer zur Rede gestellt wegen solcher Auslassungen, konnte er auf die Devisen hinweisen, deren

man verlustig ginge, wenn der Verlag im Ausland als nazi-
stisch verdächtigt worden wäre und er seine Bücher in der
Schweiz nicht mehr hätte absetzen können.

Friedrich Gundert hatte als Schwerverletzter den Ersten
Weltkrieg bestanden; seine Brust war von Geschoßsplittern
durchbohrt worden; er litt an Asthma und begegnete den
häufigen Anfällen mit der Sprühdose. Zu seinen Verlagsau-
toren zählte eine Frau, deren Bücher er mir empfahl. Sie
hieß Jo Mihaly und war mit einem Schauspieler verheiratet,
der zum Ensemble der Pfauen-Bühne in Zürich gehörte und
hier auch Regie führte, Leonhard Steckel. – Heute erinnere
ich mich einiger besonders eindrücklicher Momente im Bei-
sammensein mit Friedrich Gundert, die sich in mir in voller
Frische erhalten haben: Wir kauern im Luftschutzkeller
seines Hauses neben Stapeln von Büchern, die er vom zerstörten Lager hierher gerettet hat. Während wir geduckt
lauschen, fällt eine Bombe mit Blitz und Donnerknall in
den Garten, verschüttet den Sodbrunnen, und der Luftdruck
hebt das Dach unseres Hauses um einige Meter und läßt es
wieder fallen, unversehrt. Am Morgen stehen wir stumm
vor dem längsseits aufgeschlitzten Turm der nahen Kirche,
wo am verkrümmten Eisengestänge die Glocken in den
Nebel hinausragen. Er führt mich nach Cannstadt vor den
Bunker, wo die Menschen statt Schutz den Tod gefunden
hatten, weil der Luftdruck ihre Blutgefäße platzen machte.
Als lebende Leichname standen sie Leib an Leib äußerlich
unversehrt. Ich sehe ihn, den gütigen, friedfertigen Mann,
wie er mich zu einer Amtsstelle führt, mich vor dem Eintreten ins Haus beiseite nimmt und sagt: «Erschrecken Sie
nicht, es muß so sein, ich muß mich mit dem deutschen

Gruß anmelden.» Drinnen hebt er verschämt die Rechte:
Heil Hitler. Und bevor ich ins Auto steige, das zum Flug-
hafen fährt, gibt er mir ein Buch von Jo Mihaly und eine
kleine, bemalte Keramik. «Wenn einer verlangt, daß Sie das
Stück verzollen müssen, lassen Sie es fallen, wie aus Versehen. Die Kerle sind erpicht auf fremdes Geld.»
Ich kam unbehelligt durch und nahm sein Bild mit mir: wie
er aus abgemagertem Gesicht, die Asthma-Zigarette in der
knochigen Hand, mir großäugig nachsah – im Wissen, daß
das unser letztes Treffen gewesen war.
Im März 1946 erhielt ich von Hermann Hesse aus Mon-
tagnola diese Zeilen: «Ich muß Ihnen mitteilen, daß mein
lieber Vetter und Freund Fritz Gundert am 14. III. uner-
wartet gestorben ist. Es wird Ihnen auch nahe gehen. Ich
verliere viel mit ihm . . .»
Und aus Stuttgart ließ mir Jo Mihaly durch ihren Mann
einen Brief übermitteln: «. . . und gestern in Stuttgart. Diesmal machte ich es wahr und ging zu Gundert. Ein unzer-
störter Garten mit steil ansteigenden Wegen, oben – auch
unzerstört – ein stilles Haus. Ich trete in die große, lichter-
füllte, mit hunderten von Büchern und schönen, grünen
Blattpflanzen geschmückte Stube. Da tritt mir in schwarzen
Kleidern Frau Gundert entgegen, mit dem Lächeln der
Niobe: ‹Mein Mann, liebe Frau Mihaly, ist vor kaum drei
Wochen gestorben.› Er blieb in einem Asthma-Anfall, der
ihn zu sehr schwächte. Ich kann nicht sagen, wie es mich
traf. Stuttgart ohne Gundert – es ist, als könnte es nicht
wahr sein . . .»

Gestörte Kulturgemeinschaft

Der Tod des gemeinsamen Freundes und Verlegers (ich hatte
bei ihm ein Bändchen Kindergeschichten verlegt, und wir
planten weitere Zusammenarbeit) brachte uns näher zusammen. Jo Mihaly war eine sozial aufgeschlossene Frau. Sie
schrieb an einem Roman, der später im Steinberg-Verlag
herauskam; eine Auswahl von Tessiner Erzählungen gab sie
mir für die «Bogen»-Reihe; das Heft trägt den für ihren
Lebensmut bezeichnenden Titel «Das Leben ist hart» (Nr.
37, 1954). Sie konnte und kann nicht nur erzählen; sie war
auch als Tänzerin ausgebildet. Zweimal (1935 und 1937)
brachte sie im Saal der Kaufleuten in Zürich Vorstellungen
zustande, zu denen sie sich sowohl die Dekorationen (Vor-
hänge) als die eigenen Kostüme und die Requisiten sozusagen aus dem Nichts oder wenigstens aus Abfällen wie durch
Zaubergriff beschafft hatte. Der eine Abend mit Thema
Ländliche Impressionen regte Albin Zollinger zu einer vom
Entzücken eingegebenen Besprechung an, die er in der Zeitschrift «Die Zeit» (Bern 1935) erscheinen ließ und mit der
er der Künstlerin eine Art Adelsbrief ausstellte. Obschon
Nichtjüdin, stand Frau Steckel in tätiger Verbindung mit
der «Kulturgemeinschaft der Emigranten in Zürich», zu der
sich in der Hauptsache die aus Hitler-Deutschland nach
Zürich entwichenen deutschen Israeliten zusammengeschlos-
sen hatten.
Es war im Jahre 1943, als mich zuerst Jo Mihaly und hernach das Sekretariat dieser Kulturgemeinschaft einluden, in
einem Dreier-Ausschuß mitzuarbeiten, und zwar hatte man
beschlossen, im Kreise der Flüchtlinge Lager-Poesie zu sam-

meln, zu sichten und als Emigranten-Lyrik in einem Bande
zu veröffentlichen. Zwei Mitarbeiter als Herausgeber waren
bereits bestimmt worden, die Herren Oppenheimer und Dr.
Manès Sperber. Ich sagte zu; und es begann eine sich über
Monate hinziehende Zusammenarbeit in Form von Lesen
und Auslesen, Prüfen, Abwägen und Wiedererwägen. Carl
Seelig und Jo Mihaly wurden als Mitglieder der Jury beige
zogen, während Felix Kohn als Sekretär wirkte. Der oben
genannte Herr Oppenheimer war bald zurückgetreten.
Als man über Wert und Minderwert der über dreihundert
eingereichten Gedichte entschieden hatte und die Auswahl
getroffen war, suchte man nach einem Titel für die Sammlung; man einigte sich auf «Der Auszug», dachte man doch
an das biblische Ägypten und den Auszug des Volkes Israel
unter Moses' Führung. Auch stimmte man meinem Geleitwort zu. Jo Mihaly nannte es «eine tapfere Vorrede»:
sie dürfe durch ein schwächliches Nachwort der Kulturgemeinschaft nicht an Gewicht verlieren; und Manès Sperber
fand es «in jeder Hinsicht überaus wohl gelungen, schön im
Ausdruck und klug-ausgewogen im Inhalt» (6. Juli 1943).
Ich erwähne solche Urteile, weil sie mit ihrer Zustimmung
den Bedenken des Verlegers entgegenstanden. Emil Oprecht
schrieb mir nämlich, «daß es dem Buch eher nützlich wäre,
wenn man das Vorwort etwas abschwächen könnte, damit
der Leser nicht mit allzu hoch gespannten Erwartungen an
die Gedichte herangeht» (8. September 1943). In einer Aussprache, zu der er mich eingeladen hatte, ergab sich, daß ich
ja vor rein ästhetischer Wertung der Gedichte warnte, und
der Verleger war nun bereit, das Urteil der Eidgenössischen
Fremdenpolizei in Bern abzuwarten und sie entscheiden zu

lassen. Deren abweisende Antwort traf im Dezember 1943 ein: die Veröffentlichung entspreche keinem besonderen literarischen Interesse.

Die Kulturgemeinschaft reichte Rekurs ein; hierauf lautete das Verdikt (Juni 1944), daß sechs der bedeutendsten Gedichte nur in wesentlich veränderter Form aufgenommen werden dürften, daß mein Vorwort und das Nachwort der Kulturgemeinschaft wegzubleiben hätten und daß ferner die Kulturgemeinschaft sich nicht als Herausgeberin zu erkennen geben dürfe!

Ein Jahr darauf, als sich das Schicksal des Dritten Reichs an den Fronten zu erfüllen begann, kam eine Spur von Mut über Bern, und man bewilligte eine Auswahl unter dem lieblichen Titel «Gesang auf dem Wege» (Schriftenreihe «Über die Grenzen», Ähren-Verlag, Affoltern a. A.).

Mein vormalig anstößiges Geleitwort, das Grund oder Vorwand zur Ablehnung des Gesuchs war und somit die Herausgabe der Lyriksammlung «Der Auszug» vereitelt hatte, sei hier wortgetreu wiedergegeben, als Hinweis auf kleinliche Bemündelung des freien Wortes in einer Zeit, in der ein kleinwenig öffentlich bezeugter Brudersinn die Vertriebenen und Vereinsamten zu stärken und aufzurichten vermocht hätte. Beizufügen ist freilich, daß einer unter uns es wagte, mein Wort zu veröffentlichen: Hermann Weilenmann druckte es in seiner Zeitschrift «Volkshochschule» ab (November 1945).

«Vom kreisenden Strömen und Treiben, das die Menschen unseres Erdteils gewaltsam erfaßt und ihres Lebensgrundes entrissen hat, schlugen die brandenden Wellen auch über

den schweizerischen Ufersaum und setzten Tausende von
Frauen, Männern und Kindern in unser Land, und wir nah-
men sie als Strandgut an. Wem unter ihnen gegeben ist, wie
Daniel heil aus der Löwengrube dieser Zeit und wie seine
Gefährten Sadrach, Mesach und Abed-Nego unversehrt aus
dem brennenden Feuerofen dieses Krieges zu steigen, wird
gleich jenen verbannten Judäern des Glaubens sein dürfen·
Mein Gott hat seinen Engel gesandt, und der hat den Löwen
den Rachen verschlossen, sodaß sie mir kein Leid antaten!
Aber noch ist vom überheblichen Nebudkadnezar das
Königtum nicht genommen, und noch sind die Satrapen des
Darius über das Reich gesetzt! Da stellt sich mitten im
Leiden das tröstliche Wunder ein, ein Wunder so natürlich
wie das Aufsteigen der Blüte aus der Zwiebel: Die Männer
und Frauen in den Feueröfen und Löwengruben der Prü-
fung fangen zu singen an! Es ist kein hymnischer Chor, es
klingt nicht wie dort vor dem goldenen Standbild in der
Ebene von Dura in der Provinz Babel von Hörnern, Pfei-
fen, Zithern, Harfen, Hackbrettern und Doppelflöten, nein,
das Böse, das ihnen zugefügt worden ist, hat vielen die gute
Stimme verschlagen, einigen für immer, andere greifen ihr
Klagelied auf einer einzigen Saite; und so ist aller Art
Musik zu vernehmen: Schluchzen im Gebet, Empörung im
Hinnehmen, und oft kann nur der Trotzruf die ermüdete
Zuversicht stärken.
Die Leitung der ‹Kulturgemeinschaft der Emigranten›, die
vom Trost- und Wehgesang der einsamen Kammern und
nächtlichen Lager vernahm, hat beschlossen, die Sänger an-
zuhören und einige der Lieder zu sammeln. Was ins for-
mende Wort eingegangen ist, darin gefaßt wurde und wirk-

lich blieb – wie die Kraft des Armes im geschleuderten
Stein wirklich ist –, sollte aufgehoben werden: die Gefühle
der Wehmut, das Aufwallen gekränkter Menschenwürde,
die büßende Einkehr und Selbstermahnung, der heilige Vorsatz neuen, bessern Beginnens! Etliche dieser Bekenntnisse
der gehetzten Auszüger, die einen Rastort wohl, nicht aber
die Ruhe auf der Flucht gefunden haben, wollte man zu
einem lyrischen Tatsachenberichte der gefolterten Seele vereinen. Im voraus war freilich nicht abzusehen, ob die zu erwartenden Zeugnisse einer traurigen Zeit den Leser über das
Mitleid hinaus als Kunstleistung zu ergreifen vermöchten
und es sich lohnen würde, ein gut Teil davon als Manna
weiterzugeben.
Die Ernte ermutigte dazu. Auf die Einladung nämlich,
wenn möglich nicht weniger als zehn, jedoch nicht mehr als
fünfundzwanzig Gedichte einzusenden, gingen von acht-
undzwanzig Verfassern dreihundertundzwanzig Gedichte
ein, deren Zahl sich später noch etwas vermehrte. Eine Ar-
beitsgruppe ... hat den Sammelertrag entgegengenommen,
gelesen, gesichtet, besprochen und geordnet. Als entscheidend über Aufnahme oder Ausschluß eines Beitrags galt
ihnen weniger der unanfechtbare Eigenwert der sprachlichen Gestalt oder die Erst- und Einmaligkeit der ausgeform-
ten Empfindung als vielmehr die zweifellose Wahrhaftigkeit
des aufgewendeten Wortes; auch war man einig darin, daß
das spröde und weniger gefügige Wort nicht brauchte ausgeschlossen zu werden, wenn es nur die ehrliche Wärme eines
echten Gefühls empfangen hatte und wieder auszustrahlen
imstande war.
Nach mehrmaliger Sichtung blieben die vorliegenden sech-

zig Gedichte der vierundzwanzig Verfasser beisammen; sie
sind ein Auszug aus dem Beigebrachten, jedoch nur ein ge-
ringer Teil eines andern Orts gewiß vorhandenen, uns aber
unerreichbaren Gutes. Der Zahl und wohl auch dem Werte
nach ist hier also nur ein kleiner Ausschnitt der gesamten
deutschen literarischen Emigration vertreten. Es ist immerhin nicht zu überhören, wie gut diese Vielgeprüften ihr edel-
stes, aber auch empfindlichstes Spielgerät, den sprechenden
Mund, ohne Vereinbarung nach einem hochschwebenden
Tone, der an das Brausen eines erregten Biens erinnert, ab-
gestimmt haben, und wie in ihren Worten sowohl die hellen
Obertöne, als die dunkeln Untertöne, die zusammen ja erst
die Klangfarbe bestimmen, ergreifend mitschwingen.
Wir Landsleute nehmen die Gabe entgegen als rührende
Dankesbezeugung der Flüchtlinge an die Freistatt Schweiz.»

Probe aus dem von der Fremdenpolizei verhinderten Ge-
dichtband «Der Auszug»:

Sequenzen zu dem Kindergebet «Müde bin ich, geh zur Ruh»,
von Caspar Thomas Klaper (Juni 1944):

«Müde bin ich, geh zur Ruh»,
– Mich ins warme Dunkel stehlend,
Flieh ich all mein Menschenelend –
«Schließe meine Augen zu.»

«Vater, laß die Augen dein»,
– Denn ins leere Blaue schuf ich
Nur zu diesem Urberuf dich –
«Über meinem Bette sein!»

«Hab ich Unrecht heut getan»,
– Weißt du, Donner in der Rechten,
Mehr denn als mein Traum vom Schlechten –
«Sieh es, lieber Gott, nicht an!»

«Deine Gnad’ und Jesu Blut»
– Jesu, den mit Wolfsbehagen
Täglich neu ans Kreuz wir schlagen –
«Macht ja allen Schaden gut.»

«Alle, die mir sind verwandt»,
– Lieb, nach welcher Haß nicht spähte,
Wozu brauchte sie Gebete? –
«Gott, laß ruh’n in deiner Hand!»

«Alle Menschen, groß und klein»,
– Machts auch satt nicht, gönn’ den Armen
Einen Blick ins Allerbarmen! –
«Sollen dir befohlen sein!»

«Kranken Herzen sende Ruh»,
– Wo uns Unrast nicht mehr peinigt,
Tränenlose, Tod uns einigt –
«Nasse Augen schließe zu!»

«Laß den Mond am Himmel steh’n»,
– Nicht aus ausgebranntem Krater
Schiel er bös und eisig, Vater! –
«Und die stille Welt beseh’n!»

Einer namens Neumann

Es war einige Jahre vor jenem bösen 13. August 1942, an dem die Eidgenössische Fremdenpolizei die Grenze gegen Deutschland schloß und damit für Tausende von Verfolgten die Tür zur Freiheit zuschlug. Unter den Ungezählten, denen es gelungen war, dem Zugriff zu entgehen und schwarz über den Rhein in unser Land zu entwischen, befand sich auch ein Berliner Journalist namens Neumann. Es mochte Ende 1938 gewesen sein, als ich ihn am Mittagstisch eines wohltätigen Freundes in Zürich traf und erfuhr, daß er bei einem verheirateten städtischen Hilfsbadmeister Unterschlupf gefunden habe und nun hoffe, nach Bolivien oder Australien auswandern zu können. Dieser Plan wurde dann freilich vereitelt, da der Krieg ausbrach und man den schriftenlosen Juden Neumann in Zürich aufgriff, um ihn nach Deutschland in den sichern Untergang abzuschieben. Aus der kantonalen Polizeikaserne in Zürich erreichte mich eines Tags ein telephonischer Anruf. Man meldete, hier tobe ein Flüchtling, der eben einen Beamten in den Daumen gebissen habe; der Rasende nenne sich Neumann und berufe sich auf mich; ob ich tatsächlich für ihn gut stehe? Ich sprach in der Kaserne vor und kam mit einem der uniformierten Funktionäre überein, daß es sich um einen typischen Fall von Verfolgungs-Syndrom handle; es sei darum begreiflich, daß er angesichts der Drohung, den braunen Henkern ausgeliefert zu werden, die üblichen traurigen Symptome vegetativer Labilität zeige. Ein Wort des kantonalen Polizeivorstandes, Regierungsrat Dr. Robert Briner, mit dem ich bekannt war und den ich telephonisch um Vermittlung bat, bewirkte, daß man Neumann nicht dem nazistischen Norden auslieferte, sondern ihn südwärts entweichen ließ, von wo ich denn in der Folge einige knappe Lebenszeichen von ihm erhielt: einmal eine Karte aus Mailand, dann einen Zettel aus einem französischen Lager «Centre de Rassemblement Fort Carré – Antibes», dann ein vorletztes Mal einen Zettel, randvoll beschrieben (30. August 1942):

«Lieber Herr Vogel, vielen Dank für die Hilfe. Ich bin das zweite Mal hier [vermutlich in Genf]. Vor 12 Tagen hat man mich – auf Grund meiner guten Papiere – den Franzosen zurückgegeben, mit Hinweis darauf, daß ein so ‹brave type› gut behandelt werden müsse. Mit geschorenem Kopf (und aufgeschnittenem Puls) wurde ich an der Kette ins Strafgefängnis der ‹Deserteure› auf Fort Chapoly bei Lyon gebracht, von wo ich in dreckigem Hemd und zerrissener Hose am Dienstag entlief. Ich kam mitten in die Razzien hinein – und hierher; trage kein einziges Stück Papier mehr bei mir, werde Aufnahme in ein Arbeitslager erbitten und zur Identifizierung Referenzen aufgeben müssen. Erlauben Sie mir, Sie zu benennen und, bitte, sprechen Sie noch einmal für mich, wenn man Sie fragen sollte. Mit herzlichem Gruß Ihr ergebenster   L. Neumann»

Dann im Dezember 1944 ein Bleistiftbrief aus Madrid! Nichts sei ihm geblieben als meine Anschrift. Den Namen jenes gütigen städtischen Hilfsbadmeisters habe er leider vergessen; aber wäre er in Zürich, er fände das Haus seiner damaligen Gönner mit blinden Augen. Dem guten Manne und dessen Frau habe er, als er ausgewiesen wurde, ein Päcklein zum Aufheben übergeben, das einige Papiere, gedruckte Aufsätze, Briefe und seinen Geburtsschein enthalte.

Ob ich diesen Mann ausfindig machen wollte, vielleicht habe er tatsächlich das Päcklein aufgehoben? Wenn ich ihm den Geburtsschein beschaffen könnte! Ohne den sei er ein Niemand. Aber Zürich ist groß und das Bündel klein.

Ich ging zur Polizei; niemand erinnerte sich des fingerbeissenden Ahasverus, auch waren keine Neumann-Akten geführt worden, begreiflich, wo man sich täglich mit Schriftenlosen herumzuschlagen hatte. Aber man schickte mich zur politischen Abteilung; dort versprach mir ein wortkarger Polizeimann, er werde sich gelegentlich der Sache annehmen, und ich übergab ihm den Notbrief aus Madrid. Wie ein Vorstehhund kam mir der stille Beamte vor, und es war, als berieche er den fremden Brief, bevor er die Schweißspur aufnehme. Schon nach wenigen Tagen meldete sich bei mir ein fremder Mann, und der war kein anderer als jener einstige Hilfsbadmeister; jetzt ziehe er mit einem städtischen Handkarren von Haus zu Haus und sammle Schweinefutter. Er trug eine abgewetzte Ledermappe bei sich. Der entnahm er ein schmales, verschnürtes Aktenbündel und erzählte, seine Frau liege, von etlichen Schlagflüssen gelähmt, im Krankenheim, der Stimme beraubt, aber bei wachen Sinnen. «Mueterli, der Neumann, weißt du noch, als es gestunken hat, im Vierzgi?» Sie habe mit dem Zeigefinger der weniger stark gelähmten Hand gegen den Fußboden gedeutet, und das hieß: im Keller. Dort habe er gesucht und gefunden.

Wir öffneten das Bündel und fanden bei alten, modrigen Blättern das Lebenspapier: die vergilbte, in den Falten brüchige, mit Stempeln versehene Geburtsurkunde: «Allenstein, am 27sten April 1903. Vor dem unterzeichneten Standesbeamten erschien heute, der Persönlichkeit nach bekannt, der Uhrmacher Louis Neumann, wohnhaft in Allenstein, Markt 11, mosaischer Religion, und zeigte an, daß von der Clara Neumann geborenen Lewinnek, seiner Ehefrau, mosaischer Religion, in seiner Wohnung am 24. April des Jahres tausend neunhundert und drei, nachmittags um viereinhalb Uhr ein Knabe geboren worden sei... usw. Der Standesbeamte, in Vertretung: Liebe.» Tatsächlich, Herr Liebe hat der Beamte geheißen, und den Auszug aus dem Geburtshauptregister hat er besiegelt mit einem gestempelten Adler, der in den Klauen das Hakenkreuz trägt.

Der brave Schweinefuttermann übergab mir das Schriftstück und ging seiner Wege. Ich ließ davon eine Photokopie herstellen und schickte mit gesonderter Post Abzug und Original nach Madrid (c/o Rodriguez San Pedro). Der Dank folgte mit Flugpost: «Ich hause in einer elenden Dachbude, zwei Meter auf zwei Meter, Wanzen sind meine einzigen Genossen; aber jetzt weiß ich wieder und kann es beweisen, daß ich auf die Welt gekommen und ein Mann bin.»

So schrieb er, und ich ergänzte: ein Neu-Mann bin.

Daheim in der Muttersprache

Nicht nur steht die Sprache in meiner Obhut; ich stehe ebenso in der ihren. Sie wäre auch ohne mich; wäre ich auch ohne sie? In ihr bin ich aufgehoben und geborgen wie in einem Gehäuse. Freilich bedarf dieses Haus meiner Sorgfalt und Pflege, und was ich ihm angedeihen lasse, wirkt auf mich zurück. Mir ist wohl in ihr, wie es der Schnecke wohl ist in ihrem Haus, wie dem Vogel in seinem Gefieder.

Die Sprache umgibt mich mütterlich. Aus ihr bin ich gewachsen, ich bin ihr Kind. Ob Mundart oder Hochsprache: aus ihrem Grund hat sich mein Leben erhoben und sich in ihrem Wort entfaltet. In ihrer Obhut bin ich geworden was ich bin; ein Mensch, der ja sagt sowohl zum Leben als zum Sterben.

Mein Jahrgang, der mit seiner ersten Jugend noch im vorigen Jahrhundert erstand, ist im Heranwachsen durch zwei Kriege behindert worden und zeigt hier und dort kleinere und größere Narben von Störwuchs. Als 1914 der Erste Weltkrieg vor unsern Grenzen ausgelöst wurde, waren wir eben dem Jünglingsalter entwachsen. Man hatte eben das Studium an der Hochschule begonnen (ich in Zürich und Genf, mit Kunstgeschichte und Germanistik), man nahm die erste Liebe ernst, war im Begriff, sich mit der kulturellen Umwelt einigermaßen selbständig auseinanderzusetzen: mit dem Staat (Militärdienstpflicht) und mit der Moderne (Expressionismus, Psychoanalyse, Kommunistisches Manifest, russische Erzähler, russischer Film). In diese herrisch erregte Zeit der gebieterisch persönlichen Entscheidung brach nun der Krieg herein: ein arrangierter und schlecht gesteuerter Weltuntergang. Uns Jungen mit Weltschmerzallüren erschien dieser hochmütige Einbruch in die übernommene

Ordnung als einfältige und keineswegs dämonische Willkür,
von kraftmeierisch nationalistischem Übermut und von all-
gemeiner Überheblichkeit eingegeben.
Ich erinnere mich eines expressionistisch kecken Holzschnit-
tes, den ich damals zwischen zwei Ablösungsdiensten als
Neujahrsblatt abzog: ein männlicher Akt, von der Seite gesehen, klammert sich an die bewölkte Erdkugel, sie umar-
mend und an sich drückend. Der in den Druckstock ge-
schnittene Text hieß: «Weltschmerz werde / Sinn zur Erde.»
Dieser recht naive Wunsch war meiner Sehnsucht nach
Nüchternheit entsprungen; er glich dem Gestammel eines
Aufgewachten, der sich fürderhin nicht mehr mit seiner
weinerlich verströmenden Wehmut begnügen wollte. Der
schwächliche Weltschmerz sollte sich in tätige Welthaftig-
keit verwandeln, in schaffende Hingabe an den so lange
vermißten und nun wieder gewonnenen Erdboden. Auf
einem der Gewaltmärsche entlang den Juratälern vor Basel
hatte ich, gebückt unter den haarigen Tornister, Aff
genannt, der zusätzlich beladen war mit Munitionsreserven,
Schanzwerkzeug und Notration, am Hügel bei Dornach das
herausfordernde Bauwerk des Goetheanums aus schiefem
Blickwinkel entdeckt und die seltsame Kuppel nicht mehr
aus der innern Sicht verloren. (Der Bau ist später abge-
brannt und wurde in Beton neu errichtet.) Es war ein irdi-
sches Zion, das in meine Verlorenheit und müde Weltabkehr
grüßte, und ich tastete mich hierauf bedächtig am Ariadne-
faden aus dem Labyrinth meiner Schwermut, fand mich
aber nicht zur Geisteswissenschaft Rudolf Steiners durch,
sondern traf im Suchen einen Dichter, dessen Werk für
meine kommenden Jahre bestimmend wurde. Im Tornister

trug ich von nun an stets ein Buch von Albert Steffen, und
wenn mich unter den Riemen des Tornisters und des Ge-
wehres die Schultern schmerzten, waren es der Roman «Ott,
Alois und Werelsche» von Steffen oder dessen «Kleine
Mythen», die dem Druck entgegenwirkten.
Nach bestandener Rekrutenschule war ich Ende 1914 als
Füsilier zum Dienst in eine Infanterieeinheit an die Grenze
versetzt worden, und ich erinnere mich des Heiligen Abends
im basellandschaftlichen Bauerndorf Therwil. Ich war am
westlichen Ausgang des Dorfes als Schildwache aufgezogen
worden. Es schneite dicht herab, wie auf höhern Befehl. Ein
Gefreiter hatte den Posten aufgezogen und abgelöst und
mich als Wache zurückgelassen. Nachdem ich den Wachtbe-
fehl hergesagt hatte, stand ich verloren am Straßenkreuz in
der weißen, flirrenden Stille. Vom Darmwind des abziehen-
den Kameraden schwebte noch ein säuerlicher Fäulnishauch
in der kalten Luft, beinahe tröstlich. Ich war allein, war
ausgesetzt, einsam. Zuvorkommenderweise meldete sich eine
entzündete Stockzahnwurzel (man war ja bei dieser Witterung in den durchlüfteten Strohkantonnementen dauernd
erkältet); so wurde ich von meiner sich selbst
bemitleidenden Vereinsamung auf den Zahn abgelenkt und
stellte mir selbstquälerisch vor, mit der Spitze des aufge-
pflanzten Bajonetts bohre ich im wunden Zahn. Dazu setzte
ein Rumpeln ein, das von weit ab über die oberrheinische
Tiefebene hinweg und durch die Burgunderpforte herein
kam. Nein, allein war ich nicht; aber bitter auf mich selbst
angewiesen, wie man es nur mit zwanzig sein kann und
später nie mehr ist.
In Zürich hatte ich eine Jugendfreundin zurückgelassen, ein

Mädchen, das mir als das begehrenswerteste irdische Gut
vorkam. Zwar war ich keineswegs gewiß, daß sie sich mir
als endgültig zugehörig betrachtete: das Gefäll der Gefühle
lief von ihr zu mir und staute sich hier. Das führte zu einem
Zustand, der im jungen, hoffenden Menschen die Neigung
zu Melancholie fördert.

In jener Doppelstunde vor Mitternacht, während meine Kameraden bei Kerzenlicht und Tannreisig in den warmen
Bauernstuben beisammensaßen, kam mir ein Gegenstand
gesellig zu Hilfe: der Gegenstand stand tröstlich neben mir.
Es war ein Wegweiser, ein eiserner, mit drei Tafeln, die als
Arme in die wirbelnde und immer wieder drohend rum-
pelnde Ferne wiesen: mit dem einen Arm nach Deutschland,
mit dem zweiten nach Frankreich und mit dem dritten ins
eigene Landesinnere. So wenigstens kam mir die stumme
Weisung vor. Und um mich vom Zahnweh, vom Gefühl der
Verlorenheit in der abweisenden Gegenwart und vom Sehnen nach dem geliebten Mädchen abzulenken, dachte ich
mir in unnachgiebiger Anstrengung aus, wie es sich wohl
anließe, wenn der Wind dem Wegweiser in die Arme fiele
und sie um eine Drittelswendung drehte: Wer dann nach
Deutschland strebte, würde nach Frankreich gewiesen, der
Franzose käme in die Schweiz, der Schweizer ginge nach
dem deutschen Norden, wo er zum Frieden zu mahnen
hätte.

Solches kindliches Ausmalen möglicher Folgen eines höhern
Eingriffs konnte mich wohl von Zahnweh und Trübsinn
etwas ablenken, vermochte aber nicht die Sehnsüchte zu
stillen, und die Schmerzen stellten sich denn auch sogleich
wieder heftiger ein, als ich um Mitternacht abgelöst wurde.

Im Wachtlokal lag eine kleine Sendung, ein sogenanntes Liebesgabenpaket, von der Feldpost befördert. Es kam von ihr aus Zürich. Beim Enthüllen der Schachtel und der kleinen Süßigkeiten, die sorgsam in knisterndes Buntpapier verpackt waren, schwand – ohne daß ich es sogleich gewahrte – alle Verdrossenheit dahin und mit ihr das Zahnweh und blieb behoben für den Rest jener Nacht. Bei einem handgestrickten Paar Wollsocken lag eine Weihnachtskunstkarte, beschrieben mit einem Grußwort in kalligraphisch korrekter Schulschrift: «Bhüeti Gott!»
Das Schleckzeug teilte ich mit meinen Strohgenossen. Die Karte mit dem Gruß bewahrte ich in der Innentasche meines Waffenrocks, und beim Einschlafen behielt ich die Hand auf der Brusttasche. Alles was sich Heimat nannte und sich als gefährdet erwies, zog sich in jenes Mundartwort zurück – als etwas bedroht Lebendiges, einem Baum gleich, der sein Leben in die Frucht einzuschließen vermag, dort sich ins Kerngehäuse flüchtet, um darin Alter und Untergang zu bestehen und nach bestandener Prüfung neu zu sprießen. So würde sich, dachte der Soldat, die Schweiz, von fremden Heeren überrannt, aus ihrer Mundart erneuern.
In jener Nacht faßte ich den Vorsatz, bald einmal die Erzählung vom Wegweiser zu schreiben, dessen Arme wider besseres Wissen lügen müssen und dennoch zum Guten weisen. Erst in spätern Jahren jedoch gelang mir das kleine Prosastück vom «Wegweiser»; es ging in Schulbücher ein und wurde als Hörspiel gesendet. In der Folge ist auch eine Schrift entstanden, mit der ich mich zur Pflege der Mundart bekannte; «Vaterland und Muttersprache». Sie wurde von der Stiftung Pro Helvetia gefördert und bei den Ausland-

schweizerkolonien verbreitet. Jenes jungfräuliche «Bhüeti
Gott» hat sich auf seine besondere Weise an mir ausgewirkt.

Es blieb nicht bei der vierjährigen Notzeit mit aberhunder-
ten von militärischen Diensttagen, die mit hakigen Ziffern
als fragwürdige Guthaben ins Dienstbüchlein wie in ein
Sparheft eingetragen wurden. Nach einem fiebrigen Inter-
regnum von zwei Dezennien brach 1939 das Unheil erneut
herein, leichtfertig herausgefordert vom Hochmut und be-
leidigten Stolz einiger gekränkter Welterlöser. Wieder hatte
meine Generation, diesmal als Territorialtruppe, während
Jahren (1939 bis 1945) Seite an Seite mit dem Nachwuchs
das traurige Kriegsspiel zu üben: ein unbefristetes Lauern
im Anschlag, von den Bergen herab und den Grenzflüssen
entlang.
Ich hatte mich in einer Fourierschule ausbilden lassen und
gehörte nun als Rechnungsführer (nichtkombattant) zu
einer Infanterie-Einheit, der im Verbande der Grenzfestung
Sargans die Aufgabe zugewiesen war, bei einem feindlichen
Durchbruchsversuch sich aufreiben zu lassen. Ich war verheiratet, hatte Frau, Kind, Haus, Schuldienst und die Arbeit
am Schreibtisch zu verlassen und wehrte mich gegen das
Versinken in eine erneute, gehässige, schmollende Schwermut, die aus der Überzeugung wuchs, mir persönlich habe
das Schicksal diese abermalige Fluchzeit zugeteilt. Um
wenigstens nach außen hin eine gewisse Haltung zu bewahren, ließ ich mich in eine geistige Sezession entrücken; es
war wie eine hilfreiche Droge, die ich mir verordnete: ich
flüchtete – wie es andere meines Standes und Alters auf
ihre Art auch taten – in die Sprache, benützte eine gewisse

sprachliche Ausdrucksbereitschaft, die in mir angelegt war, und duckte mich hinter mein geschriebenes Wort, benützte also den schriftlichen Ausdruck als Schlupfwinkel, freilich ohne auffällig zu werden oder als Heckenschütze zu wirken. In den Jahren zwischen den beiden Kriegen hatte ich mich mit Erzählungen und Romanen versucht. Zwei Romane waren im Feuilleton der Neuen Zürcher Zeitung und hierauf im Buchverlag erschienen, und mit diesen Arbeiten hatte ich mich zu einem gewissen Selbstverständnis durchgefunden, was ja wohl auch die bekennenden Titel der Bücher besagen: «Unsereiner» und «Leben im Grund oder Wehtage der Herzen»: Begegnungen mit mir selbst.

Nach Ausbruch des Zweiten Weltkrieges nun wurde einem die deutsche Hochsprache immer schmerzlicher entfremdet; dagegen verfing kein Besinnen auf die jahrhundertealte Kulturgemeinschaft mit dem deutschen Reiche. Freilich setzte man sich – vor sich selbst und vor andern – zur Wehr gegen ein rasches Pauschalverdikt. So vereinigte zum Beispiel im März 1941 der Atlantis-Verlag sechs seiner Autoren (Fritz Ernst, Erwin Jaeckle, Emil Staiger, Georg Thürer, Albin Zollinger, Martin Hürlimann) zu einer öffentlichen Kundgebung mit dem Thema «Lob der deutschen Sprache», zu der der deutsche Generalkonsul in Zürich geladen war. Es wurde eine würdige Verwahrung gegen den Wortschwall der nationalsozialistischen Machthaber, verhallte aber völlig unwirksam. Vor den nordischen Drohungen und Lockungen gab es keine Möglichkeit des neutralen Verhaltens in der Öffentlichkeit: Widerstand bedeutete Herausforderung, Schweigen Einverständnis. So flüchtete ich ins Maquis der Mundart. Zunächst stellte ich

mir die Aufgabe, vorhandene ältere und neuere Mundart-
texte aus allen deutschsprachigen Gauen unseres Landes als
Lesegut für die Jugend zu sammeln; der Band erschien bei
Sauerländer in Aarau und trug den Titel «Schwyzer Schnabelweid, e churzwyligi Heimedkund i Gschichten und Prichten us alne Kantön»; und im Geleitwort stand: «Als Beitrag
zur nähern Kenntnis jener unsichtbaren Heimat, die durch
kein Räderrollen hindurch vernehmbar ist und nur dem sich
mitteilt, der stillzuhalten und hinzuhören vermag auf die
Herztöne eines Volkes.» Dann verfaßte ich fürs Radio (Landessender Beromünster) kleine Dialektfeuilletons :«Z Züri uf
der Wält». Die Büchergilde Gutenberg brachte ferner ein
Bändchen Mundartgeschichten als Werbegabe: «De Läbesbaum». Als ich abermals einberufen worden war und als
Territorialer diente, bekam ich von der Radiodirektion
Zürich (Dr. Jakob Job) den Auftrag, mit wöchentlichen
halbstündigen Sendungen Verbindung herzustellen zwischen
Heer und Haus. Zu solchem Vermittlerdienst schien ich ausgewiesen zu sein mit meinem breit angelegten Sammelband
«Schnabelweid». Nun war mir also die Gelegenheit gegeben,
durch das Mittel der Mundarterzählung das Hinterland mit
einem Stück Front vertraut zu machen und den Daheimge-
bliebenen Einblicke in den Tageslauf des Wehrmanns an der
Grenze zu geben. Ich wählte die Form der Erzählung und
erfand als Vermittler zwischen Grenze und Hinterland
einen halbwüchsigen Burschen, den ich im Gebiet unseres
Grenzabschnittes als Knechtlein seines alten Vetters ansie-
delte und der mit den Soldaten einer Kompanie, die im
Dorf einquartiert ist, durch seine treumütige Art in Verbindung kommt.

Wenn ich jeweils nach der Sendung im Spätzug von Zürich nach Sargans zurückfuhr, dachte ich mir unterwegs die nächste Geschichte aus. An Themen fehlte es nicht, brauchte ich mich doch nur bei der Truppe oben am Alvier und in den Dörfern der Wartau umzusehen, um mich vom Stoff zu vaterländischen Geschichten geradezu bedrängen zu lassen. Ich trug die Themen im Tagebuch als Stichwort oder in kurzen Sätzen bei mir, und wenn ich die Motive bedachte, blieb nur die Qual der Wahl, die Einfälle und Vorfälle drängten sich ins Wort.

Die Sendungen wurden über Wochen und Monate hinweg fortgeführt. «De Baschti bin Soldate» hieß dann das Bändchen, das von der Büchergilde Gutenberg verlegt und reichlich mit Federzeichnungen von Fritz Deringer durchsetzt wurde. Einzelne Geschichten kamen später als Hörspiele mit Heinrich Gretler zur Darstellung.

Bei so tätigem Umgang mit der Mundart wuchs mir mein Züritüütsch, das ich von den Eltern übernommen hatte, zusehends entgegen. Das Gedeihen der Sprache ist ein ebenso natürlicher wie künstlerischer Vorgang: meine Mundart stärkte sich bei aufmerksamem Gebrauch, auch begann ich mir Rechenschaft zu geben über die Wechselbeziehung zwischen ihr und meinem Sinn für Heimat und Natur. Das Ergebnis der Überlegungen waren einige betrachtende Gedanken zu diesem Stoffkreis, die ich niederschrieb und betitelte: «Vaterland und Muttersprache». In gemeinverständlicher, einfacher Weise setzte ich mich mit dem Verhältnis des politisch bedrängten Deutschschweizers zu seiner eigentlichen Muttersprache, der Mundart, auseinander.

Bis in die empfindlichsten und lebenswichtigsten Organe

hinein mit der deutschen Kultursprache verwachsen, kann es ans Tragische heranreichen, wenn der Deutschschweizer genötigt wird, sich für oder gegen die Gemeinschaft mit der fordernden deutschen Gegenwart zu entscheiden. Die allgemeine kulturelle und im besondern die sprachliche Verbundenheit mit dem Norden über den Rhein hinweg stand im Widerstreit mit dem Geltungsanspruch des Reiches, das sich das dritte nannte, und aus solchem Zwiespalt erwuchs hier und dort im Herausgeforderten eine erregende, aber auch eine anregende Spannung: entweder stärkten sich die Abwehrkräfte oder es kam zur schwächlichen Bereitschaft des Einlenkens. Es sei nur an die voreilige Willfährigkeit der Zweihundert erinnert, die vom Bundesrat ein liebedienerisches Ducken vor den alldeutschen Ansprüchen forderten. Ich denke auch an Jakob Schaffner, der sich draußen so unselig verlief und buchstäblich im zerfallenden Dritten Reich unterging. Aber nicht vergessen sei Albin Zollinger, der im zornigen Widerstand gegen die Schreier draußen wie gegen die mitlaufenden Fröntler hierzulande aufrief.
Meine Flucht in die Mundart hat mich wenigstens zeitweilig vor schriftlicher Ausfälligkeit gegenüber meinen abwartenden und sich kuschenden Zeitgenossen bewahrt. Nicht eben heldenmütig nützte ich die Schutzwehr der Mundart. Zu den erwähnten Aufsätzchen zum Preise der Mundart, «Vaterland und Muttersprache», kam ein gesprochener Beitrag: Für eine Sammlung schweizerdeutscher Mundarten auf Schallplatten, vom Anglisten Prof. Eugen Dieth im Verlag des Phonogrammarchivs der Universität Zürich (Textheft «So rededs dihäi») herausgebracht, besprach ich mit meiner stadtzürcherischen Mundart eine Platte: «De

Läitüüfel». Auch erarbeitete ich mit gleichgesinnten Kollegen im Schulamt eine Mundart-Fibel für den ersten Leseunterricht: «Züri-Fible» (Verlag Sauerländer Aarau), ebenfalls von der Stiftung Pro Helvetia gefördert. Bei all der Geschäftigkeit verhehlte ich mir keineswegs, daß der Rückzug in die Mundart einer Beschränkung ins provinziell Regionale und einer nicht eben tapferen Regression gleichkommen konnte; es blieb einem kein anderer Ausweg offen: man hatte sich abzufinden mit dem engen Reduit, hoffte jedoch auf ein früheres oder späteres Ausbrechen aus der Verigelung, den entscheidenden Kriegsausgang witternd.
Kurz vor Ausbruch des Zweiten Weltkriegs hatte ich die märchenhafte Erzählung vom «Engelkrieg» (Atlantis Zürich) veröffentlicht, die Vorwegnahme eines apokalyptischen Kampfes zwischen Unterwelt und Himmelreich. Auch war am Ausstellungstheater der Landi mein Dialektspiel «De Tittitolg» aufgeführt, aber nur von wenigen Kritikern als Warnung vor dem kommenden Übergriff dämonischer Horden begriffen worden (Regie: Walter Lesch; Musik: Rolf Liebermann; Ausstattung: Heinrich Danioth). Am Aufgang zur Höhenstraße der Landesausstellung stand in einem Schaukasten neben andern Neuerscheinungen mein Sammelband «Schwyzer Schnabelweid» ausgestellt, auf den zuvor in der Allgemeinen Schweizerischen Militärzeitung (im Dezember 1935) mit einer ausführlichen Besprechung hingewiesen worden war. Dem Buch wurde «in unserer Armee weiteste Verbreitung» gewünscht. Verfasser des Artikels war der Redaktor der Zeitung, Chirurg und Divisionär Dr. E. Bircher. – Ich erinnerte mich dieser zustimmenden Besprechung, als ich als Festungsfourier vernahm, daß

General Guisan seinem Armeekommando eine 5. Sektion angegliedert hatte, die er «Heer und Haus» benannte und der
er den Vortrags- und Unterhaltungsdienst zuwies. Mit
einem Schreiben, darin ich auf jene Empfehlung in der Militärzeitung verwies, wandte ich mich an Oberstdivisionär
Bircher und bat ihn, mit einem fordernden Wort in Bern
vorstellig zu werden und zu betonen, wie nötig es sei, den
Wehrmann auf das geistige Gut seiner Mundart aufmerksam
zu machen. Ich verschwieg nicht, daß ich in Erfahrung gebracht hatte, man habe im Armeestab keine Kenntnis von
der Bedeutung unserer Mundarten, die wie ein materielles
Gut des Schutzes bedürften; man solle das Einstehen für
deren Pflege, Erhaltung und Wertschätzung nicht leichthin
für eine Marotte einiger Sektierer halten. Ich bat Oberst
Bircher ferner, in Bern zu bestätigen, daß in unsern Dialek-
ten die Eigenart und der besondere Charakterwert des Volkes eingelagert und unser Wesen mit den Mundarten verwachsen sei, ja daß die Verbundenheit mit der Muttersprache den Schweizer in seiner Heimatliebe bestärke und
also imstande sei, den Wehrwillen zu festigen.
Oberst Bircher hat mein Schreiben nach Bern weitergeleitet
und dazugesetzt: «Der Mann hat recht.» In der Folge
wurde ich von Bern aus an den Zürcher Vertreter des
Armeestabes verwiesen und da ich mich bereits mit kleinen
Textbeiträgen und Liedversen beim militärischen Rundfunk
«Von der Truppe zur Heimat» (Hauptmann Emil Frank)
eingeführt hatte, wurde mir der Auftrag zuteil, ein Programm und den Entwurf zu einem Spieltrupp zusammenzustellen. Ich nannte die kleine Spielschar in Anlehnung an
meine Mundartsammlung «Gruppe Schnabelweid» und schlug

vor, mit Hilfe von Sprechplatten, einem einführenden Kurz-
vortrag über Werden, Wert und Wesen unserer Mundarten,
mit Darbieten von Volksliedern und einem Handpuppen-
spiel «e Stund urchigi Häimetkund» zu bieten.
Da die Spesen für unsere Gastspiele bei der Truppe nicht
aus der Haushaltungskasse der Einheit bestritten werden
mußten, sondern von der Allgemeinen Kasse übernommen
wurden und da offensichtlich bei den Grenztruppen ein Bedürfnis nach anregendem geistigem Nachschub bestand,
fand unser Angebot sogleich Beifall und ließ man uns kommen und gewähren. Der Versuch lohnte sich. Während der
Drôle de Guerre, als die Gegner hinter, vor und in der Ma-
ginotlinie einander belauernd gegenüber lagen und unsere
Armee die Ruhe vor dem Sturm dazu benützte, die Lücken
im Festungsgürtel mit Bunkern (auch weichen!) zu schließen, wurde unsere «Gruppe Schnabelweid» jeweils an zwei
Wochentagen angefordert und eingesetzt. Ich wurde sowohl
vom Schulamt als zeitweilig vom Militärdienst beurlaubt
und warf mich ins Kleid der Mundart wie in eine Tracht.
Wenn ich vor versammelter Kompanie das Lob der regionalen Spielarten unserer alemannischen Lippenblütler gesprochen hatte, den Hörern ab Sprechplatten besonders
würzige Muster im Verstärker vorführte (etwa einen Basler
dem Bosco-Guriner, den Solothurner oder Sankt Galler
einem Bündner oder Walliser gegenüberstellte) und behaupten durfte, daß ein Schwyzer noch denselben berglerischen,
singenden Tonfall behalten habe wie er zur Zeit der
Schlacht am Morgarten zu hören war; wenn ich erzählte,
daß – wie ich es selbst im Dienst der Neuen Helvetischen
Gesellschaft erfahren hatte – an den Bundesfeiern in Stutt-

gart und Frankfurt unsere Landsleute kaum einen Ton über die Lippen brachten, als das Orchester die Landeshymne vorspielte, jedoch ein gedämpfter Jubelchor ausbrach beim Lied «Han am en Oort es Blüemli gsee, es Blüemli root und wyß . . .», wohl der Mundart wegen und weil man im rotweißen Blümchen die Landesfarben erkannte; wenn die Sängerin (Marta Frank), begleitet von einem Handharmonikaspieler, den Mannen die Augen näßte mit «Dänk i as Vreneli» oder «Durs Wisetaal gaani duraab» oder «S isch eben e Mönsch uf Ärde», dann war bald des Gemüterweichenden genug getan, und wir setzten zu muskulöseren Taten an: der Handpuppenspieler Adalbert Klingler hatte ein eigens gebasteltes Gehäuse mitgebracht, und von mir war seinen Handpuppen ein massives Spielchen auf den hölzernen Leib geschrieben worden. Der zum überlieferten Puppenspiel gehörende Hans Wurscht oder Chaschper hatte sich für uns zum schweizerischen Hansjoggel gewandelt, und ich ließ ihn als HD (Hilfsdienst-Soldat) gegen Tod und Teufel, Spione und Miesmacher antreten. Nach den Vorstellungen scharte sich jeweils die Mannschaft um die Spieler, und es blieb mir oft ungewiß, was die ins Feldgrau gekleideten und verkleideten Landsleute tiefer bewegte, ob der heimische «Röseligarten»-Gesang (der Rosegaarte in Mailand ist der dortige Friedhof) oder die währschafte, grobschlächtige, draufgängerische Redlichkeit des HD Hansjoggel. Meine sprachgeschichtliche Einleitung nahm man jeweils als unvermeidliche Einstandsleistung entgegen – gewiß, man stimmte bei, wenn ausgeführt wurde, mit dem Verfall der Muttersprache verliere man ein Stück Eigenart und mit dem Verlust eigenständiger, althergebrachter Ausdrücke ver-

flache unsere Umgangssprache zu einem Allerweltsmisch-
masch und damit auch unser Wesen, man ziehe also mit dem
Ablegen der Dialekte nicht nur ein Trachten-Tschööpli aus,
sondern müsse einen Fetzen gute Haut lassen. Ja, man gab
Beifall, wenn ich Hansjoggel sagen ließ, in seinem Leib
schlage zwar kein warmes Herz, wohl aber eine feste Faust.
Und man wurde still, wenn zum Abschluß des Stückchens
der Puppenspieler vor die kleine Bühne trat, seine Figurine
auf der Hand, und erläuterte, daß sein Zeigfinger im Pup-
penkopf stecke, während Daumen und Mittelfinger die
Arme bewegten, daß also seine Hand der Schwurhand
gleiche, mit der der Wehrmann seinen Eid geleistet habe.
Solche vaterländische Überhöhung eines an sich harmlosen
Spiels, aber auch unsere Besinnung auf den Eigenwert
unserer schweizerischen Art vermochten jedoch nicht über die
Einsicht hinwegzutäuschen, daß unser Heer nicht mehr als
ein Spielstein sei auf dem Schachbrett der Kriegsmächte und
unsere Bereitschaft zur Abwehr und Verteidigung einem
verzweifelten, mehr oder weniger verbissenen Trotzbieten
glich. Ich selbst nahm das leicht überwertende Preisen der
Mundart als Ersatzlösung: man stärkte sich gewissermaßen
aus dem Notvorrat, und wir alle, die wir uns gegenseitig
zum Durchhalten anspornten, waren offen oder heimlicherweise von Melancholie gezeichnet.
Wir wußten, daß Pflege der Mundart einzig in Hinsicht auf
deren Dienstleistung an der größern Mutter, der deutschen
Hochsprache, ihre Berechtigung erlangt. Die böse Tatsache,
daß diese Hochsprache vor unsern Grenzen vergewaltigt
und mißbraucht wurde, diente unserem Verhalten als
Rechtfertigung, gab ihm aber auch eine trotzige Würde.

Ich habe die tätige Vorliebe und den entsprechenden Einsatz
für die Mundart nie überschätzt, bin jedoch der Überzeugung, daß vom gesunden Wuchs der Mundart unserer Hochsprache erneuernde Kräfte zukommen, und ich weiß, daß
jede Kultursprache aus dem Sediment der Vorzeit, also aus
dem Historischen, den Anstoß zu neuen Trieben empfängt.
Mundartpflege um ihrer selbst willen müßte zu sterilem
Wildwuchs am dornigen Holz führen.

Einmal während des Grenzdienstes wurde mir dieser Umstand bewußt, als ich ein soldatisches Heimwehlied verfaßt
hatte, das gern und oft gesungen wurde. Ein Lied im sogenannten Volkstone. Darin steht einer allein als Grenzwache
an einer Rheinbrücke. Mit dem Wasser, sinnt der Einsame,
gehe auch sein Leben vorbei: Rhy – verby. Er wünscht,
daß Leben und Wasser und Liebe zurückkommen. Mit der
dritten Strophe ist der Krieg vorbei und damit das Wachen
und Warten. Nun kommt ihn die Liebe abholen, und er geht
mit ihr «durhäi über d'Brugg». Eines Tages kam ein junger
Soldat zu mir und fragte, ob er die dritte Strophe richtig
deute, wenn er annehme, es sei eine deutsche Liebe, die den
Wehrmann über die Brücke heimhole.

Ich konnte nicht umhin, ihm nach kurzem Besinnen und
längerem Erröten recht zu geben. Doch ergänzte ich seine
Deutung, indem ich die «deutsche Liebe» auslegte als Liebe
zur deutschen Sprache.

Trauriges Glück

Mit kranker Fracht im Sanitätszug unterwegs

Blau nannten sie den Zug, weil sich seine Sanitätsmannschaft durch blauen Kragenspiegel und blauen Ärmelaufschlag von den andern, den bewehrten Waffengattungen unterschied. Blau auch deshalb, weil die Fenster der elf C3-Wagen unseres Zuges mit blauer Farbe bestrichen waren. Warum bestrichen? Weshalb C3? Die SBB unterschied damals, gegen Ende des Zweiten Weltkriegs, noch drei Wagenklassen: A erste, B zweite und C dritte Klasse; die Ziffer hinter dem Buchstaben gab die Zahl der Achsen an. C4 war somit ein Drittklasswagen mit vier Achsen; ein AB-Wagen wies Abteile sowohl der ersten als der zweiten Klasse auf. Von allen diesen Klassen befanden sich Wagen in unserem Sanitätszuge; auch ein K-Wagen rollte mit, das war ein Güterwagen, nur seitlich zu öffnen; er führte Strohballen, Wäsche, Tragbahren und Brennholz mit. Dazu kamen zwei Gepäckwagen, sogenannte Fourgons, einer kam gleich hinter der Lokomotive und enthielt Postsachen, Zelte, Gepäck, Wolldecken, Särge, und den andern hatte man mitten in die lange Reihe der Personenwagen geschoben. Er diente als Küche und war angefüllt mit Vorräten an Lebensmitteln, Medikamenten, Instrumenten und versehen mit einem Herdchen, auf dem heisses Wasser, Tee und Diätkost bereitet wurde.

Aber wozu die blaugestrichenen Fenster? Nur die C3-Wagen wiesen diesen blauen Sonnenschutz auf; denn hinter ihren Scheiben hingen an federnden Gurten die Bahren als Betten, je zwei übereinander, in jedem Wagen sechzehn; der blaue Anstrich bewirkte eine Art freundlicher Verdunkelung, war Vorhangersatz.

Als unser Zug zweimal die Strecke Konstanz–Genf–Mar-

seille durchklopft hatte, war eine unterhaltsame Rinden-
schrift aus dem blauen Anstrich abzulesen: die deutschen
Heimkehrer hatten ihre Namen oder ein Hoch auf die
Kreuze, das rote und unser weißes, aber auch aufs Haken-
kreuz in diesen ihnen erreichbaren blauen Himmel einge-
kratzt; die alliierten Verwundeten aber begnügten sich,
Guckfenster auszuschaben, um eine kleine optische Zwi-
schenverpflegung hereinzuholen, wenn sie liegend durchs
Land des William Tell fuhren. Wir selbst, die Schwestern,
Samariterinnen, Sanitätssoldaten und Unteroffiziere, die
Ärzte, der Zugskommandant, der Kommissär und
Rotkreuzvertreter fanden Unterkunft in jenen beiden AB-
Wagen, und es war das erste Mal in meinem Leben und
mußte bei dieser einmaligen sozialen Überhobenheit bleiben,
daß ich – als Fourier – wie ein Generaldirektor im eige-
nen Erstklaßabteil durch halb Europa reiste, vierzehn weh-
mutsvolle Tage lang.

Nach sechseinhalbstündiger Fahrt von Konstanz nach Genf
quer durch die Schweiz blieben wir beinahe vierundzwanzig
Stunden unterwegs durchs schneesturmgepeitschte Savoyen,
an ausgebrannten Dörfern und Bahnhöfen der Dauphiné
und Provence vorbei, vorsichtig über notdürftig geflickte
Brücken hinweggleitend, vor denen die Tafel warnte
«Slow!», kilometerweit begleitet von umgekippten Lastwa-
gen, rostenden Langrohrgeschützen, Wagengerippen und
Flugzeugtrümmern, und trafen andern Tags im Hafen St-
Julien von Marseille ein.
In unseren elf C3-Wagen hatten wir 176 Liegende geladen,
zumeist Tuberkulöse, alles Angehörige von Staaten der

UNO; dazu führten wir an die zweihundert Sitzende mit, stille Krüppel, mit vernarbten Wunden abgerissener Gliedmassen, davon einen B3-Wagen voll Offiziere, die sich gelassen in die Plüschpolster legten, rauchten, spielten, lasen oder bald wie Kletterbuben oben in den Gepäckträgern sich räkelten. In Genf hatte man fünfundzwanzig gefährlich Erkrankte ausgeladen, um sie in Spitälern abzusondern, und von der uns verbliebenen Mehrheit ist ein einziger kurz vor Marseille im Frührot gestorben. Ich kniete an seinem Lager im fünfzehnten Wagen, las den deutschen «Begleitzettel für innerlich Kranke», der an seinem abgelegten, armen Soldatenrock hing und schrieb davon ab, daß «Oberstabsarzt und Chefarzt des Res. Laz. (Kgf) Elsternhorst» die Heimkehrberechtigung des Uffz 275'321 IV B Oflag IV D bejahten und die «gemischte Ärzte-Kommission» als Krankheit offene Lungen-Tbc erkannt habe. Den Namen des Sterbenden erfragte ich bei seinen Kameraden; Mardsen Frederick hieß er, war Korporal, gebürtig aus England, wohnhaft gewesen in Craswell, 20 Dukestreet, siebenundzwanzigjährig. Ein schmales, leeres Zigaretten-Etui fand sich in seiner Brusttasche; ins Silber hatte er mit einem stumpfen Nagel eingepunzt: «W C S Captured Tobruk June 21 1942». Somit war er in Afrika gefangen genommen worden und von den Deutschen übers Mittelländische Meer, durch das sommerliche Italien und über die Alpen zum Kgf (Kriegsgefangenenlager) Elsternhorst entführt worden. Er röchelte ohne Unterbruch ins Klopfen der südwärts eilenden Räder, und man ließ ihn der besänftigenden Spritzen teilhaftig werden. Aus seinem fahlen, ausgezehrten Gesicht wuchs die hohe Kante der scharfen, magern Nase. Daheim in England, sagte

einer seiner Kameraden sich selbst zum Troste, werden wir
«good food» haben und unsere Lungen und Knochen sich
erholen lassen. An gutem Essen war freilich schon jetzt
wahrlich kein Mangel. Die Amerikaner, von denen wir in
Frankreich mehr als Franzosen zu Gesicht bekamen, erwarteten unsern Zug auf den Bahnhöfen, und in Aix-les-Bains
und in in Valence kamen sie mit munter klappernden Karren
auf die Bahnsteige gefahren und fütterten Verwundete und
Pflegepersonal auf ihre kurzweilig spielerisch ritualisierte
Weise reichlich ab. Es gab natürlich ham and eggs, dazu viel
Butter, gesalzene, und zu jeder Mahlzeit eine Tasse gesüßten
Kaffees, auch zuweilen Mais, Pudding, allerart Marmela-
de, dazu stets schneeweiße Brotschnitten, alles amerika-
nischer Herkunft, und oft Truthahn mit Teigwaren, und da
die meisten Speisen aus Büchsen aufgekocht worden waren,
hob man uns als Zugabe einige Kartons V2 in den Küchen-
wagen und schob ganze Stangen ineinandergestülpter
Papierbecher nach. Welche Überraschung: V2 gab Weiß-
blechbüchsen her. Sie enthielten Säfte, gepreßt aus Tomaten,
Grapefruits oder Pineapples (Ananas). «Fancy Quality»
stand auf der bunten Packung, und diese lockenden flüssi-
gen Vitamine kamen aus Honolulu, Hawaii.
«Good food» und «fine drinks» gabs somit schon unterwegs; indessen dem Sterbenden genügte es, endlich auf der
Heimreise zu sein. Er entschlief und hörte nicht mehr die
grauen Transporter im Hafen hupen, sah nicht mehr die
weißen, tröstlichen Spitalschiffe im Meeresdunste schweben,
mit festlich lockenden roten Kreuzen am Kamin: US Army
Hospital Ship. «Ernest Hinds» hieß das eine und das
andere daneben «Charles A Stafford». Sie warteten auf ihn

und seinesgleichen. Und wenn man vom Schiff sprach, hieß es «she» (sie) und nicht «it» (es) oder «he» (er).

Langsam schob sich unser blauer Zug ins dunkle Gedränge der zerbrechenden Nacht zwischen Lampen, Kräne, Schiffe, Traktore, Hallen, Hütten, Fahnenmaste und Gruppen von dunklen Soldaten, ans Meer. Schon brachten sie den Sarg; Neger trugen ihn wie ein Spielzeug. Good by, Mardsen.

Der Tag ging überm zerstörten und in planvoller Eile instand gestellten Hafen auf, in dem die «Repatriation Unit» (Heereseinheit für Austausch und Heimschaffung) sich eingerichtet hatte.

Wir werden auf drei Camions zum Frühstück in die Messe geführt. Die Messe ist eine der braunen Hütten, die in langer Reihe am Quai aufgestellt worden sind. Neger waschen unterm Vordach Essplatten und Besteck ab; automatische Tauchkocher bereiten ihnen heißes Wasser; aus Tankwagen, die man den Deutschen abgenommen hat («vor der Zapfung ... nach der Zapfung» steht als Anleitung deutsch aufgemalt), sprudelt Trinkwasser. Alles ist hoch und blendend weiß überragt von Schiffswänden. Die Schiffe atmen über uns wie große, gezähmte Tiere, und aus ihren pulsenden Flanken und Bäuchen rinnt Abwasser wie Urin und Geifer ins geduldige Meer. Der gefesselte Riese hier, auch ein Spitalschiff, hört auf den Namen «Protected» und trägt die englischen Farben; jenes dort ist die «Gripsholm», eine Schwedin.

Auf rüttelndem Camion stehend habe ich zum bleichen

Himmel aufgeschaut, den Polarstern gesucht und gefunden und auch den Arktur entdeckt. Norden liegt jedoch anderswo, als es mein Gefühl haben will. Ich hatte Mühe, den Sternen zu glauben, und sprach mir zu: Wir sind eben verschoben, innen und außen. Der angriffige Wind, der dich durchbläst, heißt Mistral. – Es fruchtete nichts, daß ich mir derart den Kopf zurechtsetzte. Wir waren nicht in Frankreich, wir waren in einer amerikanischen Weltgegend. Scheinwerfer blenden, Lautsprecher rufen, Neger treiben mit schwimmenden Bewegungen vorüber und winken unsern Schwestern zu; sie boxen sich, trällern, grinsen; es zischt, dampft, hämmert, läutet, trompetet, hupt. Motoren knattern, Sprengschüsse widerhallen. Der Krieg gebärdet sich beinahe festlich. Fürs Auge und fürs Ohr gleicht dieses Treiben dem Betrieb in einem Lunapark. Erst wenn du hineinspringst und dich beteiligst, wirst du vom Kriegsernst erfaßt, fällt die täuschende, harmlose Maske des Rummelplatzes. Denn paß auf: hier werden Hunderttausende von Munitionskisten und Ölkannen gestapelt, dort heben die Stahlarme der Raupenkrane die hölzernen Wände von einer unabsehbar langen Reihe mächtiger Kisten, und daraus fahren Panzerwagen und Automobile. Sogar die Salzsäure für ihre Batterien führen sie in saubern Flaschen vorsorglich mit. Und keine sehe ich, die beschädigt wäre.

Draußen aus dem dunklen, plätschernden Wasser taucht ein rostender Schiffsrumpf.

Wir haben unsere kranke Fracht abgegeben; baumstarke amerikanische Negersoldaten in ihrer olivgrünen Uniform, fast jeder gewinkelt am Oberärmel, damit keiner lange ein gemeiner Wehrmann bleibe, haben unsere wunden Fahrgäste aufs wartende Spitalschiff getragen. Zum Abschied beschenken die Kranken ihre schweizerischen Pfleger und Pflegerinnen aus dem Überfluße, mit dem das American Red Cross sie empfangen hat: jeder und jede von uns muß ein paar Konserven annehmen, und noch liegen die Wagen voll des verschmähten Gutes: Spielkarten, bunte Zeitschriften, Rauchwaren, Bibeln, Rasierapparate, Seifen, Schleckwaren und Büchsen, Büchsen. Ich hebe ein Schächtelchen auf, von dem Dutzende derselben Art auf Bahren und Bänken liegengeblieben sind. «Checkers» steht in Goldschrift aufgeprägt; es enthält ein Spielchen, das bei den Amerikanern beliebt sein soll, eine Art Halma. Für mein Kind will ich es als Ammonshorn heimbringen.

Als der Tag strahlend aufgegangen ist, gesellen sich geschwärzte, zerlumpte Gestalten uns bei und betrachten scheu den Plunder, den wir vor dem Zug auf dem Quai zu Haufen geworfen haben. Die grauen Männer geben sich als Franzosen zu erkennen, die sich hier bei den Amerikanern zu verdingen suchen. Sie stochern in den verlockenden Abfallhaufen, zuerst mit den Füßen, dann bücken sie sich und blicken fragend zu uns auf. Greift zu, ermuntert einer unserer Ärzte, und dann berichten sie von ihrer Verlassenheit. Wir bieten ihnen das Begehrteste an: Zigaretten, und nun tun sie ihr Herz auf. Die Unterkleider zerfallen ihnen am Leib; die Schuhe platzen in den Nähten; die Hosen zerfransen. Der eine hat seine Frau im Bombenhagel verloren, daheim darben sechs Kinder. Und mit dem schwarzen Kinn auf die englischen, französischen und amerikanischen Fahnen weisend, die hochgemastet über einem hölzernen Musikpodium klatschen, sagt einer, der als Heizer auf einer der

französischen Lokomotiven mitzufahren hofft: «Manque la Russie!»
Sie stopfen die Taschen voll Büchsen und Döschen und machen sich davon. Der Morgen tagt. Die Steilküste der Hafenstadt steht im klärenden, gelben Licht der frühen Sonne, ein Bild wie von einem Impressionisten erfunden. Hinter den Molen und Lagerhäusern wirft die herrische Brandung turmhohe weiße Gischtfahnen in den Wind. Die Krane schwenken. Der Lautsprecher auf dem Dach trällert näselnd vor sich hin. Mars ist vergnügt.

Es kam Befehl, alle Betten aus den Wagen zu tragen, die Bahren zu sonnen, Böden und Wände der Wagen mit desinfizierender Lösung zu waschen, alle Strohsäcke und Kopfkissen sogleich zu leeren, die Anzüge, Decken und Leintücher zur Desinfektion zu bündeln, das gebrauchte Stroh zu verbrennen und neue Säcke und Kissen mit frischem Stroh aus dem Vorrat aufzufüllen. Am Zugsende war der Feldweibel schon dabei, zweitausend Kilo Preß-Stroh aus dem Fourgon auszuladen, die Drähte von den Ballen zu lösen und mit der Sanitätsmannschaft unter Mitwirkung eines Trupps von Negern im Windschatten einer Baracke in die Säcke und Überzüge abzufüllen. Es waren einhundertsechsundsiebzig Strohsäcke, die als Matratzen dienten, und ebensoviele Kopfkissen. Die Mannschaft werkte den ganzen Vormittag, und ein wendiger, flinker Jeep mit Anhänger, bedient von einem gelassen-freundlichen jungen amerikanischen Driver, jagte munter, beladen mit den neugefüllten, prallen Säcken, an unserem Zuge auf und ab. Die Neger indessen betrieben die Arbeit als Spiel, scherzten, hüpften,

tänzelten, sonnten sich und bleckten lachend ihre weißen
Zahnreihen, verschwanden unauffällig, und unversehens
blieb es unsern Leuten überlassen, sich mit dem Stroh abzu-
mühen, und die black gentlemen spielten Karten am Ofen
irgend einer Hütte im Hinterhalt des Hafens. Man holte sie
herbei und nötigte sie wieder an die Arbeit; aber sie fanden
bald wieder ihre Schleichwege über offenes Gelände und
entzogen sich lächelnd der Fron dieses närrischen Kriegs-
handwerks.
Immer noch lagen verunreinigte Strohsäcke vor unser Wagen in Sonne und Mistral. Wer leerte sie, wer verbrannte
ihren verdächtigen Inhalt, wo durfte man Stroh verbrennen? Wir versuchten, eines der Kopfkissen und einen Sack
zu öffnen und den zerknitterten Inhalt auf einen Haufen zu
schütten. Der Wind fuhr darein und trug die Halme hoch
über Wagendächer, Krane, Hütten, Schiffskamine und Koh-
lenberge in den französisch-amerikanischen Himmel hinauf.
Unser guter Hauptmann hieß mich mein Englisch aufbür-
sten und etwas zur Förderung der Retablierungsarbeiten
beizutragen. So sprang ich ins Abenteuer und brachte es zustande, mittels Gebärdensprache, mühsam zusammengeraff-
tem Wortschatz aus versunkenen Maturandentagen und
einer Art frei erfundenem Basic-International einem amerikanischen Mejtscher (Major) und Supplied-Officer unser
Anliegen begreiflich zu machen. Ein kleines privates
Pfingstwunder löste meine sonst so schwere Zunge zu einiger Beredsamkeit: es wurden mir Ausdrücke eingegeben,
denen ich mich seit Jahrzehnten entfremdet hatte. Mein verehrter, längst verstorbener Englischlehrer, der grundgütige,
kluge Bücherverfasser Andreas Baumgartner aus dem Glar-

nerlande, ein Armeleutebub aus Schwendi, stand mir bei und
ließ eine alte Liebe neu erblühen. Zu meinem eigenen Ver-
blüffen vermochte ich zu sagen, der Wind drohe, Strohstaub
samt Bazillen über das geprüfte Marseille hinwegzublasen,
falls man uns nicht umgehend ein Halbdutzend Camions
zur Verfügung stelle, um die Säcke und Kissen darein zu
entleeren und das Stroh an einen Ort zu befördern, wo es
ohne Feuersgefahr für Stadt und Hafen den Flammen übergeben werden könne.
Und wahrhaftig, es ließ sich machen! Auf einen einzigen
telephonischen Anruf hin, sozusagen im Handumdrehen des
Majors, kamen die amerikanisch besternten schweren, ge-
deckten Lastwagen vor unsern Zug gerattert, die Negerbe-
satzung gleich dabei, und man brauchte nur zu jedem Wagen
einen von unsern unermüdlichen Leuten zu stellen, damit
die lustigen schwarzen Männer sich die Mühe nicht kürzten
und ihnen verwehrt wurde, so nebenbei und weil es sie ver-
gnügte, unterm Stroh auch gleich die Bettanzüge zum Verbrennen mitfahren zu lassen.
Am Abend, als es getan war und beim Eindunkeln die langen Trägerkolonnen der Neger über den hohen Schiffssteg
wie von einer Arche herabstiegen und unsern saubern
blauen Zug mit deutschen Kriegsverletzten anfüllten, stand
ich mit der Taschenlampe dabei, leuchtete das deutsche,
rührend lächelnde Elend ab und las von den Anhängekarten
die Art der Verwundung und den Stand der Genesung ab.
Wenn sie unsere Mundart hörten, hoben sie den Kopf vom
knisternden weißen Kopfkissen und tasteten mit bleichen
Händen nach dem eingewobenen roten Kreuz.

Nach acht Uhr abends zog sich unser neubefrachteter Zug aus dem Hafen in Richtung Arenc zurück. Man fuhr ganz langsam, da es über notdürftig geflickte Brücken und Dämme ging. Am Hafen arbeiteten beim Schein starker Lampen die Heerscharen deutscher Kriegsgefangener. Die Strecke war bewacht von weißbehelmten amerikanischen Heerespolizisten. Dennoch gelang es den arbeitenden Gefangenen, über die Geleise an unsern Zug heranzustürmen, heftig heraufzuschreien «Grüß die Heimat!», Zettel und Karten hereinzuwerfen oder ihren verwundeten Landsleuten, die als sitzende Fahrgäste die Fenster geöffnet hatten, aufzunötigen. Eine Welle jubelnder Wehschreie brandete an unsere Wagenwände; es gab Gefangene, die streckenweit mitliefen gleich Kindern, die einem Hochzeitszug folgen und Zückerchen betteln. Dann fuhr der Zug schneller, die Menge tauchte in Nacht und Dampf und Rauch, die Hochrufe blieben zurück.

Durch unsere vielen Wagen bewegte sich eine geisterhafte Unruhe. Man war ein verkrüppelter Soldat, man kroch auf Stummeln, schaute nur noch aus einem heilen Auge, mußte ohne Nase schnaufen; viele litten an bösen Bauchschüssen, Splitter hatten das Rückenmark verletzt und einen erbärmlich gelähmt, man war blind, und viele der Helden kamen geistesgestört zurück, hockten stumpf, mit greisenhaft ausgelaufenem Gemüt in ihrer versengten Jugend. Und dennoch war man jetzt beinahe zufrieden, ja fast froh und sogar nahe am Glück; denn man befand sich auf der Fahrt «zu Muttern» und wurde nicht zurückgelassen in der Gefangenschaft. Man fühlte sich getragen und auserwählt zu besonderem Schicksal: das Leid füllte sich mit Sinn; Krankheit und Verstümmelung zeichneten einen aus.

Die Räder begannen die Schienen in ermuntertem Schrittwechselgang zu schlagen, der Ventilator sang, Rauch der lustvoll ziehenden Lokomotive wehte vorbei, vom Hafen herüber leuchteten die roten Kreuze der Spitalschiffe; Gegenzüge rauschten vorbei.

Plötzlich ein tierischer Aufschrei, ein andauernder, heiserpfeifender, hoher, warnender Ton! Unser Zug stoppt mit heftigem Ruck. Die Schwestern rennen durch die Wagen. Herr Hauptmann, Herr Doktor, in unseren Wagen sind blinde Passagiere! Deutsche Gefangene sind vorhin aufgesprungen. Sie sind unter die Betten geschlüpft, man hat sie unter Decken und Leintüchern versteckt, sie haben sich zwischen die Heizkörper geschoben! Einer hat versucht, auf ein Wagendach zu klettern, um ungesehen mitzufahren; aber er hat im Dunkel wider Willen den Griff der Notbremse erwischt und derart sich und die andern Ausreißer verraten.

Die Geleise beleben sich. Lampen leuchten auf. Französisches und amerikanisches Militär und Heerespolizei rückt an. Man holt die zwölf getürmten Deutschen aus unsern Wagen, sie müssen zurück ins Lager. Sie dürfen nicht mit in die Schweiz, in die Freiheit, als Internierte. Sie weinen wie Kinder. Es sind junge Leute; die meisten sind im vergangenen Sommer vor Belfort oder Metz in Gefangenschaft geraten. – Ein Dreizehnter hält es bis vor Valence auf der siedend heißen Heizröhre im dunklen Wagenversteck aus; halb verbrüht kriecht er endlich hervor. Sie füttern ihn mit Kuchen, schenken ihm Schokolade und Zigaretten. Aber auch er muß ins Gefangenenlager zurück; sein Wunsch ist, dort bei den Amerikanern bleiben zu dürfen und nicht zur Strafe für den Fluchtversuch den Franzosen überliefert zu werden. Ein rosiger Achtzehnjähriger umarmt ihn zum Abschied. Ein eigener Tigerpanzer hat ihm beide Füße abgekarrt, er hat das Ungeheure geschehen lassen müssen, weil er sich nicht aufzurichten gewagt hat, da die Luft des Schlachtfeldes von schwirrenden Granatsplittern und pfeifenden Geschoßen gespickt gewesen ist. Aber die Arme sind ihm geblieben und mit ihnen umarmt er den ärmern, der zwar gesund ist, aber in der Gefangenschaft zurückbleiben muß. Der Verstümmelte lacht jetzt übers rosige junge Gesicht und ist seines arm-seligen bißchen geretteten Lebens froh; denn ihn schickt man nicht in ein Lager zurück, ihn nicht. Er genießt das traurige Glück, ein Krüppel zu sein.

III

Zwischen Phantasie und Fleisch

Albin Zollinger in der Ehe

In einem Brief («Briefe an einen Freund», Brief 30, S. 66), aus der Senke tiefster Zerknirschung geschrieben, gestand er: «Bis zu meinem 32. Lebensjahr habe ich eine Frau auch nicht einmal geküßt – nun will ich nicht noch einmal dreißig Jahre in Träumen und Moralität und mit Staunaugen zuwarten, bis ‹die große Sache› kommt – ich fresse lieber ‹wie eine schmutzige Taube aus der Hand› » Das war im Oktober 1935 gewesen, nachdem er von seiner ersten Frau Heidi Senn geschieden worden war. «Damals», fuhr er in jenem Briefe fort, «kam alles viel zu viel *aus der Phantasie*, jetzt laß ich mich einmal schlankweg *vom Fleisch her entzücken.*»

Die «große Sache», die Ehe mit Heidi Senn, war tatsächlich «viel zuviel aus der Phantasie» gekommen. Heidi hat ihn, wie sie in ihren Erinnerungen, die sie handschriftlich hinterließ, zugab, «nie völlig geliebt»*, und er selbst, so tief er ihr als Verabschiedeter für den Rest seines Lebens nachtrauerte, zweifelte ohnehin an der Fähigkeit seines Herzens, dem Ansturm der Gefühle überhaupt standzuhalten. Im Roman «Der halbe Mensch», einem Bekenntniswerk von unbeschränkter innerer Entblößung, hat er in seinem Doppelgänger Wendelin Bach sein eigenes Leiden ausgespielt, das Leiden an einem Herzen, das im Grunde nicht zu ihm hielt, das so entsetzlich beiläufig schlug und, statt die Dinge in sich aufbrennen zu lassen, alle Eindrücke verwarf und trübte («Der halbe Mensch», S. 208). Die «Diskrepanz von Erlebnis und Gefühl» – das sind seine Worte – verhinderte es, das Erfahrene zu einer Einheit werden zu lassen: Bald litt er an

---

* Zitiert nach «Fluch der Scheidung». Tschudy St. Gallen, 1965, S. 12.

der «Unzulänglichkeit seiner Gefühle» («Der halbe Mensch», S. 54), dann wieder an einem Herzen, das nur wie durch Filter zu lieben vermag.

Von Wendelin Bach heißt es weiter («Der halbe Mensch», S. 208) – und das gilt stellvertretend für den Dichter selbst –, «er lauerte diesem Herzen wie einem Feind auf, als wäre ihm beizukommen gewesen, dem hinterlistigen Feigling, der, in eine Nische seiner Brust gedrückt, sich ihm angehängt hatte, ihn behinderte und foppte, ihn dann doch zum Narren hielt, wenn er sich eines Tages mit dem verhaßten Peiniger in einen Abgrund hinabwarf».

Jenes Aus-der-Phantasie-Leben und -Lieben erwies sich ihm als einzige Möglichkeit, in solcher zerrissenen Halbiertheit einigermaßen zu bestehen: es war sowohl Gunst als Fluch seiner Natur, daß seine Vorstellungskräfte ihn dazu befähigten, sich des Gegenstandes, den zu lieben er entschlossen war, besinnungslos zu bemächtigen und ihn zum Idol zu verwandeln. So mußte es Frau Heidi mit sich geschehen lassen, daß er – ein närrischer Pygmalion – sie zur Idealgestalt verklärte und gegen ihren Willen entwirklichte. Welches Menschenkind aber ist imstande, den Anforderungen absoluter Vollkommenheit auf die Dauer zu genügen? Das Idol wird zur hohlen Verschalung, wenn sich das Lebendige ihm entzieht, da es der Tyrannis der Vergötterung überdrüssig geworden ist. Frau Heidi war zehn Jahre jünger als er, lebensfroh, ja lebensgierig, selbständig in ihrer Lebensgestaltung, in ihrem Urteil leicht rechthaberisch, dazu vielseitig begabt: sie schrieb, zeichnete, stickte, photographierte und klebte Collagen. Und sie verliebte sich wiederholt von ihm weg, kehrte zurück, gebar ihm das Kind, versuchte es abermals für ein Probejahr mit ihm und gab ihn dann doch auf, da half kein Beschwören und keine Großmut seinerseits.

Man lese die Briefe, mit denen er sie während der Jahre, da es um ihre Scheidung ging, umwarb, verfluchte oder kniefällig beschwor. «Ich werde wie gesagt an Dir sterben», schreibt er ihr nach Klosters, wohin sie sich zurückgezogen hatte («Fluch der Scheidung», S. 71); «Du denkst, er wird sich ja doch nicht töten, hast aber vielleicht doch nur darum recht, weil 1/100 Hoffnung die 99/100 Verzweiflung *aufwiegt*, weil die *ungeheuerliche* Möglichkeit, wieder Dein Händchen zu streicheln, wieder Dein Gesicht alle Tage zu sehen, mich davon zurückhalten, mich vor diese lockenden Autos – (zu werfen).»

Sie hat ihn dennoch verlassen. Sie hat erkennen müssen, daß die Gegensätzlichkeit ihrer Anlagen zu keiner schöpferischen Ergänzung führte und daß ihr Abgang zu beider Selbsterhaltung beitrug. Auch schreckte sie nachgerade vor seiner krankhaften Zergliederungssucht zurück. Ihr gesundes, junges Blut wehrte sich gegen seine ständige Zerkrümelung der Gefühle. Sie folgte ihrem zweiten Mann nach Amerika, wurde wiederholt glückliche Mutter und starb drüben im Alter von 58 Jahren im Jahre 1962 – ohne Albin noch einmal begegnet zu sein. Das Töchterchen Eva blieb im Lande und wuchs bei der Großmutter Senn auf.

Allein gelassen, mit dem «Makel» des bürgerlichen Versagers behaftet, suchte er nun Betäubung in der Betriebsamkeit; nicht nur daß er gewillt war, sich «vom Fleisch her entzücken» zu lassen, er kehrte sich entschieden der Epik zu, ließ sich aufs Wagnis des Romans ein und übte sich in einem polemischen Journalismus. Er redigierte die Monatsschrift «Die Zeit» und bezog tapfere Stellung zum politischen Geschehen innerhalb und außerhalb des Landes. Er fuhr nach Paris, versagte jedoch, als es galt, dort seine brachliegende Männlichkeit zu bezeugen; er reiste nach Wien, und dort war es das Freudenmädchen Risa, das ihm seine volle Sinnenkraft bestätigte. Dann fand er in Zürich das Mädchen, an dem er sich über die Demütigungen der zerbrochenen Ehe hinwegzutrösten hoffte: Bertha Fay, von ihm Butti geheißen, war Serviertochter im Café Terrasse und später im Metropol. Sie hatte etwas von der lockenden Dunkelheit in Stimme und Haar, die ihn an die verlorene Heidi Senn erinnerte. Bei ihr saß er nach Feierabend und an Freinachmittagen im Café am Fenster gegen die Limmat, rauchte zum Schwarzen die von ihr vorsorglich gewährten zwanzig Zigaretten und schrieb. Sie sorgte dafür, daß ihn keiner behelligte, und wenn sie im Dienst abgelöst wurde, begleitete er sie nachhause. Dabei vernahm er, daß ein Zahntechniker um sie werbe und sie sich überlege, ihm übers Meer zu folgen. Obwohl er sich selbst das Versprechen abgenommen hatte, sich nie mehr auf die Dauer mit einer Frau zu verbinden, nahm er sie zu sich heim in die kleine Wohnung, die er für sich und seine greisen Eltern im Seefeld gemietet hatte. Dann, nach einem militärischen Urlaub, mußte sie ihm gestehen, sie erwarte ein Kind und sei willens, es auszutragen, selbst wenn sie ledig bleiben müsse. Er wollte sie nicht im Stich lassen. Am 1. Juli 1940 schrieb er mir aus dem Feld («Briefe an einen Freund», Brief 49, S. 86), sie möge nun noch so viele Lücken zu dem haben, was er sich von seiner Frau vorstelle, er habe sie einfach und immer wieder lieb und sei dankbar für tausend glückliche Stunden.

Im nächstfolgenden Urlaub war ich dann zum Trauzeugen bestellt worden, und der kleine Ungewollt verklärte von innen her den Ausdruck der bräutlichen werdenden Mutter: in ihrer schelmisch-trotzigen Entschlossenheit glich sie jetzt wahrhaftig der flüchtig gewordenen Vorgängerin.

Es blieb freilich und glücklicherweise nicht beim bloßen Entzücken vom Fleisch her. Die kleine Familie vermochte sich trotz den widrigen, durch die Kriegszeit bedingten Umständen in einer einfachen Wohnung einzurichten. Zwar schmollten seine Eltern, am heftigsten und widerwärtigsten seine Mutter; denn nach ihrem Urteil war das Zufrüh des Kindes eine öffentliche Schande. Dem jungen Vater aber entsprang die Fruchtbarkeit seines Leibes derselben Quelle wie die Fruchtbarkeit seines Geistes: einer neuerwachten letzten Lebenslust. Nun hatte er nicht mehr zu befürchten, was ihn seit dem Mißlingen der ersten Ehe immerzu bedrückte, «etwa ein» – wie er sich mir gegenüber ausdrückte – «etwa ein seniler Herr mit Johannistrieb zu sein» («Briefe an einen Freund», Brief 49, S. 87). Ja, er sagte in geradezu manischer Schreibbesessenheit, nachdem er den zweiten Teil des Pfannenstiel-Romans abgeschlossen hatte, zwischen Scherz und Ernst, jetzt müsse sich die Weltgeschichte aber befleißigen, sonst überhole er sie mit seinen Romanen.

Ein Ahnen von Endgültigkeit muß ihn zu gesteigerter Emsigkeit angetrieben haben. «Ich kann mir nicht helfen», schrieb er in einem seiner letzten Briefe (Nr. 49, S. 87), «ich habs mit der Hoffnung wie jener Clown mit dem Törchen, das er aufs Podium trug und überall vor sich aufmachte.»

Das Törchen – oder war es ein Tor? – ist auch ihm vorzeitig aufgetan worden.

Sein eigenes Sterben vorwegnehmend hatte er den Dichter
Byland, sein Ebenbild, im Felde bei einer Übung mit Hand-
granaten umkommen lassen. Er folgte ihm, und Butti blieb
mit dem Söhnchen Matthias allein zurück.
Kurze Zeit vorher, am 15. Januar 1940, hatte er in sein
Ringheft das Gedicht mit dem Titel «Keine Stätte, zu ruhn»
geschrieben und es mir hingeschoben. Als ich es las und wieder las und den Versen nicht sogleich in alle Bilder hinein
zu folgen vermochte, hat er sie mir ausgelegt: «In der Liebe
gibt es kein Verweilen», erklärte er, «keine Stätte, zu ruhn.
Wenn du von Fall zu Fall liebst, ist das ein immer wieder
neues Verbluten; Liebe in der Ehe hingegen ist ein langer
Blutverlust im Käfig der Gewohnheit. So gleicht der Liebende auf jeden Fall dem wunden Krieger, der über seine
Lust zu siegen hat.»
Das sei ja entsetzlich, habe ich zu solcher Auslegung bemerkt. — «Aber so ist sie, die Liebe, entsetzlich», sagte er
und las mir das Gedicht leise vor:

Keine Stätte, zu ruhn

Diese Liebe – verlieren
Im tropfenden Blute der Brust,
Oder in ihren
Gefangenheiten der lange Verlust.

Wie der Krieger
Zu Feuern von Nacht zu Nacht
Schlage dich, dunkler Sieger
All der friedlosen Schlacht!

Er hat mir dann das Gedicht auf die Schallplatte gespro-
chen. Wenn ich ihn höre, weiß ich wieder, daß sein Leben
Leiden und Lieben war – und Erlösung fand in der
Sprache.

«Ohne Antlitz mildes Lächeln»

Albin Zollingers Hinschied

Am 24. Januar 1895 wurde Albin Zollinger in der Zürcher Frauenklinik geboren. Er starb im Alter von noch nicht 47 Jahren am 7. November 1941 in Zürich.

Wir befanden uns damals im beginnenden dritten Winter des Zweiten Weltkriegs. Zollinger war, wie auch ich, vor kurzem als Territorialsoldat der Festung Sargans auf Urlaub entlassen worden, und wir standen vorübergehend wieder im Schuldienst, er in Örlikon, ich in Wipkingen.

An jenem Freitagmorgen trat er aus dem Haus 59 an der Zeppelinstraße hinterm Bucheggplatz in Zürich und ging, die lederne Mappe unterm Arm, die Hofwiesenstraße hinaus und dem Tram entlang über die Senke zwischen Waidberg und Zürichberg, den sogenannten Milchbuck, Richtung Örlikon zur Schule. Im Schulhaus Liguster hatte er eine Realklasse von dreizehn- bis vierzehnjährigen Mädchen und Knaben der städtischen Volksschule zu unterrichten, und er genügte zur Zeit, ohne eigentlichen Widerstand überwinden zu müssen, dieser Pflicht. Der Gründe zu seiner zeitweilig ausgeglichenen Gemütsverfassung gab es etliche, obschon man ja sein Dasein als Bürger, Vater und Wehrmann mit mancherlei Einschränkung zu fristen hatte und obendrein mit baldigem erneutem Aufgebot zum Grenzdienst rechnen mußte.

Nach allen den Widerwärtigkeiten und Rückschlägen der letzten Jahre hatte er eine gewisse freie Lebenshöhe erreicht, von der herab es ihn lockte, zuversichtlich in neues Gelände aufzubrechen: Der Verleger stand zu ihm: Martin Hürlimann mit dem Atlantisverlag und dessen Lektor Erwin Jaeckle; auch Frau Bettina Hürlimann war dem Autor gewogen und legte eigenhändige Umschlag-Entwürfe für seine

Romane vor. Eine Ehe war ihm zwar zerbrochen, aber eine neue Verbindung durch ein Kind bestätigt worden. Man stellte seinen Mann trotz widrigen Zeitumständen.

Das gefallene Laub der Allee roch unter seinem Schritt herb herauf. Es war ein Herbst nach seinem Begehren: ein sanftes letztes Sichverschenken. Er hatte bis weit über Mitternacht hinaus geschrieben, in der kleinen kalten Küche der Mietwohnung bei eingeschaltetem, offenem Backofen und erst jetzt in der Morgenfrische kam ihn ein dumpfes Bedauern an, nicht besser ausgeruht und für den Unterricht vorbereitet zu sein. Es war stets derselbe Zwiespalt, der ihm zu schaffen machte, ihn aber auch unermüdlich zum Tätigsein antrieb: hin zu den Menschen, weg von der Literatur; weg von den Menschen, hin zu der Literatur! Gibt es denn keine versöhnliche Mitte? Etwa durch Literatur zum Menschen und durch den Menschen zu ihr? Er war dem Schreiben verfallen; aber ebenso gierig, ja süchtig war er auf den Mitmenschen. Gemüt und Verstand lagen in ständigem Widerstreit. Da half nur ein Betäubungsmittel: die Arbeit, das Schaffen, das Erschaffen. Der zweite Teil des Pfannenstiel-Romans «Bohnenblust oder die Erzieher» war abgeliefert, die Erzählung «Das Gewitter» in Reinschrift verschickt, auch den «Fröschlacher Kuckuck» hatte er abgeschlossen. Aber bei so viel Hingabe und Ausgabe waren seine Kräfte während Jahren überfordert worden, im steten Bestreben, einer bedenklich aus den Fugen geratenen Zeit beizustehen und den Zerstörern der Welt seinen Widerstand entgegenzusetzen. Die Mahnungen der geschwächten Organe wurden jedoch mißachtet. Wenn nach zu knapper Nachtruhe der Atem seine Brust beengte, redete er sich solche Anfälle als

harmlose Erkältung oder Rheuma aus. Im Grenzdienst gab
er sich als Asket, schuftete mit dem Schanzwerkzeug und
härtete sich ab im eiskalten Brunnentrog.

Jetzt, unterwegs zur Schule, gedachte er, die Störung da
drinnen im Umgang mit der Klasse zu beheben oder heiter
zu überspielen. Dauernd verliebt in seine Schüler, bald in
ihre Gesamtheit, bald in Einzelne als deren Vertreter, sowohl in Burschen als in Mädchen, kam ihm auch heute die
Schulstube als genehme Freistadt vor, in die er sich zurückziehen durfte, wenn der militärische Dienstzwang ihn während Monaten eingeengt hatte.

Vor der Klasse im Schulzimmer gab er sich, genötigt von
der dämpfenden Müdigkeit, auffallend geduldig und gegenüber der morgendlichen Trägheit der Schüler recht nachsichtig. Er übersah, daß man die Lampen an der Decke wei-
terbrennen ließ, obschon der Nebel draußen sich gelichtet
hatte. Nach beendeter mündlicher Lektion dann, als sie
schrieben, stand er am Fenster und sah draußen die Blätter
fallen. «Wie einer, der heimkehrt, nachdenksam, verweilt
sich das Jahr in den Räumen der Stunden», so heißt ein
Vers im Gedicht «Stille des Herbstes», das seiner Sammlung
den Titel lieh (geschrieben am 3. August 1937 mit der Überschrift «Herbststille»).

In den Pausen zwischen den Stunden gingen die Schüler nur
zögernd aus dem Zimmer; sie spürten, daß er mit sich allein
sein mußte. Auch in der großen Pause begab er sich nicht
wie üblich zu den Kollegen ins Lehrerzimmer; er blieb an
seinem Pult sitzen, hatte das kleine Ringheft aufgeschlagen,
hielt die Füllfeder bereit, schrieb aber nicht. Einige der
Mädchen blieben zögernd bei der Zimmertür stehen, flüster-

ten und kicherten und sahen zu ihm hin. Erst als er auf-
blickte, faßte sich die eine ein Herz und kam mit den Be-
gleiterinnen heran. Sie brauchten nicht erst zu fragen, er
gab ihnen entgegenkommend Bescheid. «Ja», sagte er leise,
als gebe er ein Geheimnis preis, «er hat durchgeschlafen.
Und verdaut wieder wie es sich gehört.» Sie dankten mit
Knicksen, huschten hinaus und tuschelten draußen von
Thissli, seinem Sohn.
Über die Mittagszeit fuhr er mit dem Tram nachhause an
die Zeppelinstraße; nicht daß es ihn zum Tisch gelockt
hätte; aber er wollte dabei sein, wenn der Knabe gefüttert
wurde, und es mochte wohl Post vom Verleger eingetroffen
sein: Korrekturbogen.
Er ist nie ein tüchtiger Esser gewesen, obschon er angebotene
Häuslichkeit nicht verachtete. Meiner Frau hat er einmal
das briefliche Lob gegeben, ihr Sugo gehe ihm wie ein Gedicht nahe und er «lobe im Herzen die Feinheiten der Frau»
– so schrieb er – «in denen wir Männer sie nie erreichen.
Manchmal duften sie aus geplätteter Wäsche, diese Über-
legenheiten.» («Briefe an einen Freund», S. 75).
Am Tisch blieb es bei einem unmutigen Naschen; einzig der
schwarze Kaffee sagte ihm zu. Als er am Nachmittag
wieder unterrichtete und ein Dienstkamerad ihn in der
Schulstunde besuchte, nötigte ihn erneutes Stechen auf der
Brust, vorzeitig aufzubrechen. Der Kamerad begleitete ihn
auf dem Heimweg; sie erstanden in einer Apotheke ein
Mittel gegen Rheumaschmerzen. Aber zuhause stellten sich
abermals und heftiger krampfartige Beschwerden ein. Er
gab seiner Frau den Knaben, den er auf den Arm genommen
hatte, zurück, dann sank er, plötzlich entkräftet, mit einem

gequälten Aufschrei in den Stuhl und verschied. Das Herz hatte versagt.

Als ich telephonische Nachricht von seinem Ableben bekommen hatte und in der Leichenhalle des Nordheim-Friedhofs, wo er aufgebahrt lag, neben seinem Sarg stand, stellte sich mir die Gewißheit ein, ihm nie zuvor so nahe gekommen zu sein, wie ich es jetzt war; mir schien, er halte still und warte auf mich, der ich zurückgeblieben war. Er lächelte mit geschlossenem Mund.

Anderntags war ich dabei, als der Bildhauer Ernst Kissling aus Bergdietikon seine Gesichtsmaske und die Hände abgoß. Kissling, das Vorbild für Martin Stapfer im «Pfannenstiel», hatte sich Jahre zuvor im Auftrag um seine Büste bemüht; die Sitzungen hatten bald im Haus an der Hohlenstraße im Reppischtal, bald im kleinen Atelier am Parkring stattgefunden. Ich war unterrichtet vom mühevollen Ringen des Bildhauers um das plastische Erfassen der wechselvollen, ausweichenden Mimik des Modells und kannte die selbstzerstörerische Arbeitsweise Kisslings: Auf den Zuruf «So ist es gut, das ist Fleisch!» erhielt man den Verweis «Ich will nicht Fleisch, ich will Form!», und er verwarf, was nach stundenlanger Sitzung erreicht worden war.

Wir finden Hinweise auf dieses Ringen im «Pfannenstiel», wo es (S. 157 der Erstausgabe) heißt: «Die Büste begann ein wunderliches Doppelwesen von Träumer und Jakobiner zu werden», und auf Seite 151, wo der Bildhauer Stapfer seinen Klienten Byland so anfährt: «‹Bald wollte ich, Sie kämen nicht mehr!› lachte er verdrossen. ‹Sie stören. Sie bringen mir Ihren verbeulten Naturalismus, mit welchem der Kampf nun begonnen hat. Ich kann es nicht besser, als die

Albin Zollinger
Bleistiftskizze von Traugott Vogel, Dezember 1938

kluge Natur Sie gemacht hat und darf doch auch nicht Ihren Abklatsch nehmen, der mit einer Maske mühelos hundertmal schneller und authentisch gehext wäre. Sie wissen, es gäbe eine Totenmaske.›»

Weil ich von diesem zähen Suchen wußte, hatte ich den Bildhauer gebeten, vom Toten zu nehmen, was beim Lebenden nicht zu erreichen war: sein Gesicht mit dem befreiten Ausdruck der erreichten Stufe. Und so sind wir zur Totenmaske gekommen. Ludwig Hohl, der einsame Denker in Genf, für den Albin Zollinger immer wieder eingestanden ist, hat in einem «Letzten Brief» an den toten Dichter geschrieben: «Nie habe ich deutlich wie hier den Eindruck, den fast sinnlichen Eindruck erleben müssen, diesen: daß ein Mensch in die Ewigkeit einging.»

Auch seine beiden Hände wurden damals abgegossen. Keine schlanken Finger, keine Zierhände, wohl aber griffige Glieder, die zum handwerklichen Schaffen drängten. Es waren die Hände seines Vaters, dieses geschickten Helfers eines Werkmeisters in der Maschinenfabrik Joweid in Rüti-Zürich, der an Sonntagen kleine Ölbilder malte, nach den Vorbildern der Kleinmeister Stäbli und Stephan. Zu der Sonderart der beiden, des Vaters und des Sohnes, gehörte, daß man sich in schubweisen, zyklisch auftretenden Anfällen alles oder nichts im Leben und Schaffen zutraute, sich vor sich selbst erhöhte oder maßlos erniedrigte. Mutter Zollinger hingegen, eine zähfaserige, untersetzte, angriffige Oberländerin aus dem Geschlecht der Affeltranger, begegnete den Künsten sowohl ihres Mannes als des Sohnes mit duldsamer Geringschätzung. Von ihr, der Mutter, war ihm wohl das versteckt Spitzbübische zugekommen, das ihm erlaubte, der

Neigung zu Melancholie überhaupt zu begegnen. – Dieselbe Gefügigkeit der Hand, die seinen Vater von der Drehbank weg zur Staffelei lockte, war auch dem Sohn gegeben, der es zum Beispiel nicht verschmähte, seinen Schülern Unterricht im Hobeln und Schmieden zu erteilen. Die reiche und schwierige Gegensätzlichkeit seiner Begabungen nötigte ihn denn, das Widersprüchliche seiner Anlagen emporzuläutern zur Vielfalt und Vielseitigkeit. Wie die Hände, blieb auch der schmächtige Körper des Sohnes knochig und muskelhart. Vor unsern Kindern konnte er seine Finger mit Zerren zum lauten Knacken bringen, zu seinem und ihrem Spaß; auf dem Rasen strauchelte er kunstfertig über den eigenen Fuß und ließ sich längelang hinplumpsen, ohne sich wehe zu tun. Als wir von einem gemeinsamen Bekannten ermuntert worden waren, in bereits bestandenem Alter noch das Skifahren zu erlernen, erwies er sich als so gelehrig und wendig, daß ich bald beschämt zurückblieb, während er bereits über die Halden davonstob.

Nein, als Olympier gab er sich nicht, auch wenn er zuweilen wohlgelaunt seinen Heimatberg, den Bachtel, als Oberländer Olymp ansprach. Als unscheinbare, untersetzte Erscheinung war er ohnehin gewissen demütigenden Mißachtungen dauernd ausgesetzt, und zu seinem scheuen Wesen schienen die üblichen Alltagsverdrießlichkeiten zu gehören: dauernde Geldnöte, Widerwärtigkeiten mit Vorgesetzten, unverständige Kritik. Nie ist er durch einen Preis ausgezeichnet und literarisch ermuntert worden. Bei Lebzeiten wurde nicht ein einziger Vers aus seinem Werk in eine Gedichtsammlung oder in ein Lesebuch aufgenommen. Als ich mich im Jahre 1940, also ein Jahr vor seinem Tod, bei einer Stiftung für

ihn einsetzte, rechnete man ihm seine «feste Stellung» an,
und wörtlich entgegnete man mir, es komme ja nicht «auf
die Masse von dichterischen Produktionen an, sondern auf
das langsame Ausreifen der Werke über Jahrzehnte hinaus»*. Sein letzter Roman leide «an einer gewissen Febrili-
tät und Hastigkeit des Gefühls». Als ob einer die große Unruhe eines leidenschaftlichen Herzens in Gelassenheit zu
meistern vermöchte! – Den Demütigungen des Verkannt-
seins setzte er den herrischen Trotz des Sprachmächtigen
entgegen, verfiel dabei freilich zuweilen einer geradezu neurotischen Hybris des Wortes. Es kam erschwerend hinzu,
daß ihm Erlösung in der Liebe erst spät und nur für kurze
Frist gegönnt war. Hier ist beizufügen, daß zu seinem
Wesen die Verdrießlichkeiten und das oft armselig Widerwärtige des kleinen Mannes gehörte, der zwei Weltkriege
mit Gewehr bei Fuß zu bestehen hatte.
In allen den kleinlichen Angefochtenheiten hat er sich jedoch bewährt, und es kann keiner sein dichterisches Werk in
der zwar ausgeglühten, doch keineswegs schlackenlosen
Reinheit verstehen und werten, der sich nicht mit seiner
zivilen Verhetztheit und beinahe krankhaften Leidsucht
vertraut gemacht hat.
Die Nacht nach seinem Sterben verbrachte ich allein an
meinem Arbeitstisch daheim, ein Überlebender. Eduard
Korrodi hatte mich aufgefordert, für sein Feuilleton den
Nachruf zu schreiben, und ich ermannte mich zu dieser Ver-
äußerung, indem ich mich darauf besann, vor Jahren dem
Freund halb im Scherz versprochen zu haben, dereinst an

* Eduard Korrodi am 7. Februar 1940 an T. V.

seinem Grab etwas Liebes über ihn zu sagen, «daß s Müeti öppis z briegge häd». Da saß ich nun in der kalten Nacht und mühte mich, betäubt und geblendet von der grellen Todeswirklichkeit, der Gestalt des weggehenden Freundes nachzublicken. Einige Sätze aus jenem Nachruf will ich hier zunutze ziehen:

«Albin Zollinger kam von Rüti im Zürcher Oberland auf meerweiten Umwegen über den argentinischen Kamp in unsere Stadt, in der er wohnte und wirkte, immer wieder ausbrechend in die lockende Kinderheimat zwischen Bachtel, Pfannenstiel und Gossauer Ried. Vielseitig begabt, wie es glückliche Landbuben sein können, fiel ihm keine Arbeit schwer; nur eines machte ihm dauernd zu schaffen, und das war sein leidenschaftliches Herz. Es war ein Ding, das unersättlich zu zehren begehrte, sich jedoch immerfort der Einmischungen eines ebenso herrlich-herrischen Verstandes zu erwehren hatte. Und darum fielen ihm, trotz höchster Begabung, sowohl Kunst als Leben schwer. Einmal im ächzenden Bahnwagen, als wir nach einem gemeinsamen Vorleseabend von Bern über den verschneiten Brünig fuhren, angesichts der überirdisch verklärten Bergwelt hinterm Brienzersee, sprach er, zerrissen von unnennbarem Weh, das ihm das Leben zugefügt hatte, einige gequälte Worte wie eine Beschwörungsformel leise ans Fenster. Sag es mir, habe ich gebeten; und weil er wußte, daß Ausgesprochenes im Gehäuse des geschriebenen Wortes wie eine Jagdbeute verweilt und sich betrachten läßt, setzte er auf einen Zettel: ‹Fragment. Eingesperrt mit dem reißenden Tier meines Hirns,/ Arme Seele, erblickst du traurig die schöne Welt/ Vor den Gittern...› Das war 1935 gewesen, nachdem der erste lyrische

Ausbruch ihn heimgesucht hatte und die Ernte gesammelt
vorlag in dem Bändchen ‹Gedichte›, dessen Druck er aus
eigenen Mitteln aufzutreiben gehabt hatte. Von der geliebten Frau war er verlassen worden und nun drohte er in den
Niederungen des erschöpften Gemüts zu versinken.»
Was ich damals zu schreiben vermochte, war der schwächliche, verlegene Ausdruck meiner Verängstigung. Immerzu
sah ich das fremde, sieghafte Lächeln seines geschlossenen
schmalen Mundes, dessen Sprache für immer verstummt
war. Im Leben hatte er wohl zu wagen, auch zu gewinnen
und zu verlieren gewußt; jedoch das Frohlocken war seine
Sache nie gewesen. Nun aber schien ihm ein Sieg gelungen
zu sein, der ihn weit über seine eigene bisherige und meine
Gegenwart hinaushob. Etwas war ihm zuteil geworden, das
ihn mir vollends entrückte. «Ich habe noch jeden Freund
verloren», hat er wiederholt gesagt, «wie lange werde ich
dich noch haben?» Und in die Bücher hinein, die er mir gab,
hatte er geschrieben: «In Dauer der Freundschaft» und ähnliches. Jetzt war es so weit: ich hatte ihn verloren und stand
in der Leere. «Der Finsternis innerste Süße» hauchte ihn an,
von ihm vorausgewünscht, herausgefordert. (Zitat aus
«Schwarze Blume Nacht» in «Haus des Lebens», S. 31.)
Was mochte es sein, das ihm diese Heiterkeit um den Mund
legte? Es konnte nur vom Wissen kommen, von der geradezu schalkhaften Überzeugung eingegeben sein, daß der irdischen Vergänglichkeit eine Grenze gesetzt ist, die für Dauer
bürgt: Dauer in der Sprache der Dichtung. Ein kleiner
Widerschein dieses schelmischen Lächelns lag ja schon bei
seinen Lebzeiten auf Titeln und Namen wie Fröschlach,
Bohnenblust und Pfannenstiel und Läublein.

Wir haben sein Leibliches der Flamme überlassen und die
Asche im Friedhof Nordheim beigesetzt. Das Bestattungs-
amt der Stadt übernahm auf Verfügung des Stadtpräsiden-
ten die gärtnerische Pflege des Grabes, und als neulich jenes
Gräberfeld aufgehoben wurde, versetzte man Stein und
Urne und wies dem Dichter ein Ehrengrab bei der Friedhof-
mauer an.

In seinem späten Gedicht von der Frühe eines Regenmor-
gens («Regenfrühe», «Haus des Lebens», S. 8) ruft der
Dichter «in den Duft gehauchte Wände/ eines Raumes ohne
Schwere» auf, und er schaut darin «Gottes innerlich Gelände» in einem milden Lächeln «ohne Antlitz».

In den Duft gehauchte Wände
Eines Raumes ohne Schwere,
Ohne Antlitz mildes Lächeln ...

Jenes milde Lächeln, das ohne Antlitz fortbesteht, losgelöst
vom Hervorbringer und Träger, finden wir im Wort seiner
Dichtung – und darin ihn selber.

Im Banne der Letter

Johannes Brenner

Männern, die sich von der schwarzen Kunst der Typographie bezaubern ließen, bin ich immer wieder begegnet, und sie alle zogen mich an und reizten meine Neugier. Man weiß, daß von der Letter eine magische Kraft ausgeht, die sie mit dem Saatgut gemein hat: sie drängt zur Vervielfältigung und heischt vermehrte Verantwortung von dem, der sie streut.

Hier will ich neben den Verlegern und Redaktoren, denen ich begegnet bin, auch eines Mannes gedenken, mit dem ich ebenfalls durch die Druckerpresse in Verbindung kam. Auch er war in Dietikon im Limmattal ansäßig und dort öffentlich wirkend, und seine Erscheinung möchte ich als kennzeichnendes Ergebnis unserer demokratischen Lebensart anführen. Er war der Vater eines meiner Schüler, hieß Johannes Brenner, betrieb eine kleine Fabrik zur Herstellung von Schuheinlagesohlen und stand im Rufe eines hitzigen politischen und religiös spekulierenden Polemikers. Da er am Erblinden war, fesselte mich seine leidenschaftliche Art, aus dem Dunkeln ins Öffentliche zu wirken, ganz besonders, und seine Sonderart regte mich überdies an, ihn als tragende Gestalt in einen Roman aufzunehmen, den ich «Der blinde Seher» überschrieb. Es entsprach der Fabel meines werdenden Buches, daß der Held sich als Buchdrucker und Verleger eines Lokalblattes betätigte, und in der Zeichnung der beiden, des Vorbildes und dessen Nachbildes, stattete ich Tribut ab für meine Faszination, die ganz allgemein der Institution der Presse galt.

Um in der Werkstatt eines erfundenen Druckers und Verlegers heimisch zu werden und um aus der Vertrautheit mit den beruflichen Bedingungen des Druckergewerbes den

Lebensraum meiner Romangestalt zu gewinnen, begab ich
mich bei einem befreundeten Buchdrucker für einige Tage in
die Lehre, übte den Handsatz, versuchte mich an der Setz-
maschine, bediente die Schnellpresse, besorgte Korrekturen
und befand mich so in Atemnähe meiner Figur, und zwar so
lange, bis sie mir als Handlungsträger beruflich und mit-
menschlich vertraut wurde. Es kam so weit, daß ich mich in
gewissen Stunden mit meinem Helden gleichsetzte, mich
beim Schreiben zu seinem Anwalt und Stellvertreter auf-
warf; ja, die Gleichschaltung gedieh so weit, daß ich seine
Manieren annahm, alles Gedruckte, das mir zu Gesicht kam,
auf die Sorgfalt des Schriftsatzes, die Wahl des Schrifttyps
und Schriftgrades prüfte. Und als meine Frau mich eines
Tages zwischen Scherz und Vorwurf darauf aufmerksam
machte, daß ich nicht nur am ganzen Leibe nach Terpentin
und Druckerschwärze röche, sondern dauernd mit schwarz-
geränderten Fingernägeln daherkomme, bedurfte es einer
nicht geringen Anstrengung, um mich aus dem Bann zu
lösen und ein gemäßigtes Verhältnis zu meiner Romangestalt und deren Vorbild zu gewinnen.
Jenes Buch ist mein einziges politisch angeregtes Erzählwerk
geblieben; aber es hat mir eine Freundschaft eingetragen, die
sich als wertbeständiger erwies als das Schreibwerk selbst:
der Sohn dessen, der mich zur Gestalt des blinden Sehers angeregt hatte, schloß sich mir an, und wir begleiteten einander durch Jahrzehnte. Er hieß Paul Adolf Brenner, und ich
werde über seinen Lebens- und Leidensweg, den er als
Lyriker ging, noch berichten. Hier soll seines schwierigen
Vaters gedacht werden, von dessen Wesen ich gleichermas-
sen angezogen wie abgestoßen wurde, den ich jedoch als ein-

malige Mannsgestalt zwischen Scheu und Abscheu gelten lassen mußte. Er hatte sich in die Schulpflege wählen lassen und es hier wie in andern Gremien verstanden, an den Sitzungen die Mitglieder herauszufordern und durch ausgefallene Voten und Anträge zu entzweien. So war er hier ebenso geschätzt wie dort verpönt. Es gelang ihm denn, mich als Lehrer seines begabten, aber der starken Kurzsichtigkeit wegen etwas mühsamen Sohnes mit Lob auszuzeichnen, gleichzeitig aber mich im Nebenamt des Kustos, der die Sammlung des Schulhauses zu verwalten hatte, zu beleidigen, indem er an einer Schulpflegesitzung, an der es um den Besoldungsansatz für Nebenämter ging, mich in meiner Tätigkeit despektierlich als «Hyänenabstauber und Eichhörnchenverwalter» abtat und verlangte, daß man das bißchen Mehrarbeit als «Jünger Pestalozzis» unentgeltlich und ehrenamtlich ausübe. Mit seinem Sparantrag drang er zwar nicht durch, hatte aber die Tugend, nicht nachträgerisch zu sein, und als ich einmal mit meinen Schülern im Fach Heimatkunde eine kleine, private Gewerbeausstellung im Klassenzimmer veranstaltete, mit der wir alle Klein- und Großbetriebe der aufstrebenden Vorortsgemeinde mit Beispielen aus ihrer Produktion vorstellten, zum Beispiel mit Kunststoffen, Textilien, Farbwaren und Metallgußformen, dazu auch sein Fabrikat (verschiedene Sohlen) zur Darstellung brachten, erging er sich begeistert über unsere «Pioniertat» in einem ausführlichen Bericht, den er im Lokalanzeiger erscheinen ließ.

Im Umgang mit ihm bekam ich Kenntnis vom spannungsgeladenen politischen Tagwerk eines aktiven Demokraten. Er konnte es nicht unterlassen, mit ortskundlichen, historisierenden und religiös-grübelnden Zeitungsartikeln die Aufmerksamkeit auf sich zu lenken, wußte aber auch den Gegenschlägen seiner Widersacher und Neider wutschäumend standzuhalten. Mich zählte er zu seinen Gegnern, weil er der Ansicht war, ich entfremde den Sohn dem Vater, da ich, als Paul Adolf der Volksschule entwachsen war, ihn in seinem Streben unterstützte, das väterliche Unternehmen zu meiden und sich an einer Mittelschule weiterzubilden. Immer wieder kämpfte ich gegen den Starrsinn, der es nicht zulassen wollte, daß dem intelligenten Burschen auch nur ein Welschlandaufenthalt bewilligt werde. Da stand ich dann zuweilen am Abend in seiner Werkstatt, und er tobte sich im Reden aus, schalt auf die trägen Mitglieder des Gewerbevereins, verhöhnte die Pfarrherren beider Bekenntnisse, plante Rache sowohl an der Linken wie an der Rechten, erfand Schmähzeilen für eine Fastnachtszeitung, berichtete von seiner Arbeit als Chronist der Gemeinde und wetterte gegen die Fachtrottel der Berufshistoriker, die seine publizierten Arbeiten anzweifelten. Dabei blitzte sein scharfes Kartonmesser, mit dem er die Filzplatten mit tastenden, keckzugreifenden Händen zurechtschnitt. In der heftigen Rede schäumte der Speichel gegen den Schnurrbart; den Blick, der keiner war, hatte er gradaus gerichtet, und mit den dicken, beschlagenen Augengläsern blitzte er gegen den unsichtbaren Feind. Das Messer stak in seiner Faust wie zum Angriff bereit.

Als er aus überbordendem Temperament heraus seine eingebildeten oder wahrhaftigen Gegner in einem Pamphlet angegriffen hatte, wußte man sich seiner eines Tages zur Fastnachtszeit nicht anders zu erwehren, als ihn, den Vollerblindeten, nächtlicherweile heimlich zusammenzuschlagen und am Randstein liegen zu lassen.

Eine beinahe wunderliche Zufälligkeit hatte mich im Abstand von Jahrzehnten wieder zum Gelände dieses unentwegten Streiters zurückgeführt (als ich mit Josef Stocker Schmid in Verbindung kam). Mir war, ich ginge über ein Trümmerfeld, als ich mich wieder einmal nach so vielen Jahren in Dietikon einfand und mich zum Hause des Verlegers über der Reppisch begab: Welche Macht geht vom Druckwerk aus: hier das aufwühlende, zur Gährung führende, mit Geifer angefeuchtete Wort des Hetzers, dort das Wort des Versöhners der Gegensätze, beide aus dem selben Grunde: jener aus ungezügelter, dieser aus verklärter Leidenschaft.

Johann Brenners Heftigkeit hatte ihn nicht nur in Gegensatz zur Gemeinde gebracht (bei einer Neuwahl der Schulbehörde wurde er nicht mehr bestätigt); auch seine Familie hatte sich dem Überdruck seines Tatendranges zu fügen — oder man wich ihm aus, wie es sein Sohn Paul Adolf tat. Dieser, behindert durch das ererbte Augenleiden (Glaukom), kehrte nach verschiedenen Ausbrüchen in die Fremde wieder ins elterliche Haus zurück, wohl seiner Mutter zu Gefallen, nahm auch die schwere Pflicht auf sich, für das väterliche Fabrikat als Handlungsreisender die Kundschaft zu besuchen, um Bestellungen hereinzubringen. Abends, nach getaner Fron, saß er dann in einem fremden Hotelzimmer, ordnete die Bestellisten und schrieb nachts seine Lyrik. Mit Hilfe seiner musikalisch-metrischen Begabung und der Fähigkeit, die Anlage zu radikal-extremistischer Ausschließlichkeit (ein Erbstück des Vaters mit Namen Brenner!) zu meistern, brachte er seine lyrischen Zyklen zustande und kam er als Meister der Form zu schönem Ansehen.

Wenn ich Vater und Sohn Brenner bedenke, finde ich ein ahnendes Wissen bestätigt: es bezeugt mir, daß nicht das Erbe allein unser Geschick zu bestimmen vermag; unsere Bindung an die Herkunft kann gelöst oder gelockert werden durch eine Macht, die jenseits aller physischen, auch aller rational bestimmbaren Gegebenheit ihre Reserven hat. Beim Betrachten der beiden Parallelen, die meinen Lebenskreis streifen (Stocker-Schmid und Brenner), empfinde ich Dankbarkeit gegenüber dem Geschick, das mich nach Dietikon lenkte. Es war zufällig Dietikon, wohin ich als Dorfschulmeister vom Bauerndorf weg geholt wurde, um dort in Verbindung zu kommen mit Menschen, die meinen Tag bestimmten und über den Tag hinaus in mir nachwirkten. Es war Dietikon, wo ich zuerst als Erzähler mich versuchte. Ich nehme meinen literarischen Lebenslauf nicht so wichtig, daß ich meinte, es läge Fügung darin und sei mir aufgegeben oder auch nur erlaubt, einen höhern Sinn darin zu entdekken, daß es gerade diese Gemeinde war, die sich mir darbot. Dennoch weiß ich, daß nichts zufällig geschehen ist.

Ein Schüler wird zum Freund

Paul Adolf Brenner

In meiner Schulstube saßen an die vierzig Mädchen und Knaben im Alter um zehn. Es war Nachkriegszeit, eigentlich Zwischenkriegszeit, denn man trieb dem Zweiten Weltkrieg entgegen. Für meinesgleichen, die wir vom jahrelangen Grenzdienst endlich erlöst waren, brach die Zeit des Sich-Aufreckens und Atemholens an, auch des kritisch-feindlichen Bedenkens der von uns heftig verdächtigten Bürgerdevisen unserer Väter.

Als entlassener Wehrmann hatte ich zwei Jahre der Verbannung hinterm Berg, der Pfannenstiel heißt, in einem kleinen Bauerndorf verdämmert, wo ich Kinder aller acht Klassen der Volksschule zu hirten hatte. Mit «hirten» bezeichnete die Umgangssprache der Bauern damals das Füttern, Melken und Trockenlegen des Viehs, und solches oder ähnliches war auch mir, dem einzigen Schulmeister des Dorfes, aufgetragen, freilich hatte ich statt im Stall in einer geduckten, engen Schulstube mit langweilig ölgestrichenem Getäfel der Wände und der Holzdecke zu wirken. Überdies war mir das dörfliche Vereinswesen überantwortet: die Leitung des Männer- und des Töchterchors, des Samaritervereins und geradezu obligatorisches Mitmachen bei den Schützen. Nach zweijähriger Überforderung und Herausforderung meiner durch Militärdrill weichknochigen Gutmütigkeit war es mir dann gelungen, dem engen Gemeindebann zu entweichen: ich hatte mich von der Dorfschule weg bei einer aufstrebenden städtischen Vorortsgemeinde Zürichs, Dietikon, um eine Lehrstelle beworben, war erwählt und vom Stimmvolk gewählt worden. Und jetzt wurde mir also eine einzige Klasse anvertraut, in einem großfenstrigen neuen Schulhaus, neben einem guten Dutzend kollegialisch gleichgesinnter Lehrkräfte, und da sahen nun diese vierzig oder mehr Kinder zum jungen, neuen Lehrer auf.

In einer Mietkammer unterm Dach des Volksbank-Filial-gebäudes schrieb ich Gedichte und Aufsätze, zeichnete Bildnisse, meist Schülergesichter, und schnitt sie in Holz, las neben Dostojewski die deutschen Expressionisten, hielt die gelben Blätter von Herwarth Waldens «Sturm» und ermunterte mich an den Vitaminspritzen der von Siegfried Jacobsohn begründeten und von Carl v. Ossietzky geleiteten Wochenschrift «Die Weltbühne». Ich gesundete von meinem Soldatenkoller, wurde sicherer und wagemutiger, hatte Übermut und Hochmut zu dämpfen; ich war verliebt und wurde erhört, besuchte als Hörer die Vorlesungen Emil Ermatingers an der Universität Zürich; auch stellten sich Freunde ein, zunächst Kameraden, denen es vergönnt war, ihr Hochschulstudium weiterzuführen: Germanisten zumeist, die fast ohne Ausnahme dichteten, freilich früher oder später dem edlen uneinträglichen poetischen Gewerbe untreu wurden; sie gingen in die Wissenschaft ein und als Dichter darin unter, da sie dort erwerbsfähig wurden: sie schlossen als Doktoren ab, strebten zum Buchverlag, zur Zeitung, zum Kabarett, zum Film oder zum Lehrerpult an Mittel- oder Hochschule. Damals, in den Zwanzigerjahren, las man einander noch vor aus eigenen, strengbehüteten Handschriften. Zu den Freunden gehörten Walter Lesch, der spätere Begründer des «Cornichon» (er wurde geboren 1898, promovierte 1922; ich zeichnete ihn, schnitt sein Bild in Birnbaumholz und zog den Schnitt auf der Handpresse ab), auch Walter Muschg stellte sich ein, der nachmalige Ordinarius für Germanistik an der Universität Basel, zur

Zeit schon Protagonist des aufkommenden Expressionismus, bereits Kafka-, Joyce- und Barlach-Entdecker, Verfasser eines Revolutions-Romans, den er nie abschloß, Herausgeber eines Vers-Oratoriums «Das Leben der Vögel» (Huber Frauenfeld, 1934) und des ausgreifend rhetorischen Dramas «Babylon» (Amalthea Zürich, 1926). Eines seiner ersten Gedichte, das er veröffentlichte, ließ er durch Eduard Korrodi im Feuilleton cr NZZ drucken; ich hob das Zeitungsblatt auf; das Gedicht lautet:

Herbst

Rund wie ein Apfel bin ich jetzt gereift,
Von allen Winden wechselvoll gestreift.
Verweht der Baum, vergißt er seine Zier –
Wollüstig geht die Farbe rings aus mir.
Das Jahr war heiß, das Jahr war gut und geil
Und ruhte nie, vor jedem Mund zu flüchten.
Doch nun, mit heimlich ausgereiften Früchten,
Hält es das Edle feil.
Die Welt ist eine bunte Nachbarschaft,
Die Luft so groß –
Die Wurzel stirbt und unter ihr die Kraft.
Schüttelt, ich spring euch jauchzend in den Schoß!

Es traten weitere Freunde in den Kreis; wenn wir allwöchentlich uns zusammenscharten – bald auf einer Studentenbude in der Stadt, bald bei mir und meiner Frau in unserer kleinen Dietikoner Wohnung im Tempeli-Viertel –, waren wir unser fünf oder sechs. Zuweilen brachte einer

einen Freund als Gleichgesinnten mit, den man behorchte
und je nach Befund aufnahm oder ausschloß; es kamen
Ernst Aeppli und Hermann Weilenmann dazu. Hermann
Weilenmann hatte mit seinem Roman «Der Befreier» (Eine
Prosadichtung; Huber Frauenfeld, 1918) bei einem Preis-
ausschreiben für den besten schweizerischen Grenzbeset-
zungsroman den ersten Preis gewonnen. Jetzt betreute er
ein literarisches Jahrbuch, den «Heimkalender», für den wir
ihm Beiträge anboten; er wurde Mitbegründer und Leiter
der Volkshochschule des Kantons Zürich und bestätigte als
Redaktor der angegliederten Zeitschrift unsern Aufsätzen
die Druckreife. Und Ernst Aeppli, C. G. Jung-Adept, schrieb
an einem volkstümlichen Pestalozzi-Gedenkbuch, stellte
eine schweizerische Lyrik-Anthologie zusammen, schuf sich
schließlich mit seinen aus reicher Praxis erwachsenen psy-
chologischen Lebensdeutungen und Lebensanleitungen den
Ruf eines hilfreichen Ordners bei Daseinsschwierigkeiten
und wurde bekannt unter dem Necknamen Seelen-Aeppli.
Hermann Hiltbrunner fand sich ein, schrieb seine Gedicht-
zyklen und trug uns Bruchstücke daraus vor. Max Pulver,
der Lyriker, Dramatiker, Epiker und Graphologe wurde
durch Muschg eingeführt und blieb dem Kreise treu bis zu
seinem traurigen Tode (Folgen eines Hirntumors). Uns erschien er als ein von zwei Seiten Bedrängter: vom schnei-
denden Intellekt einerseits und dem aufwühlenden Gefühl
andererseits; eingeklemmt zwischen kühl-wissenschaftlich
angestrebter Weltdeutung und Weltbewältigung, ja Welter-
ledigung hier und lyrisch empfundener Zeitnot dort. Trotz
seiner phänomenologischen Versiertheit blieb er zerquält
vom Drang, sich im Vers zu verdichten und seine Weltnöte

im Lied klinisch zu meistern. Im Zwang des geballten Ausdrucks wagte er, dramatisch auszubrechen in eine Freiheit unbegrenzter Geistigkeit. (Lyrik: «Selbstbegegnung», Epik: «Himmelpfortgasse» (Kurt Wolff München, 1927), Dramatik: «Christus im Olymp», Graphologie: «Trieb und Verbrechen in der Handschrift» (Orell Füssli Zürich, 1934) und «Intelligenz im Schriftausdruck», Orell Füssli Zürich, 1949.) Gleicherweise in Bern und Zürich daheim, vertraut mit Antike, Mittelalter und Gegenwart, mit Freunden in München, Wien und Paris, war er im Denken und Gehaben ein Europäer. An seiner Seite kamen wir uns nicht selten und nicht unbegründet als schwer bewegliche, etwas stilverspätete Etappenmannschaft vor, und die Versuchung trat an einen heran, vor so viel Weltläufigkeit sich ins brav Provinzlerische zurückzuziehen, die Not der staatlich bedingten Enge zur Tugend zu erklären, schweizerisch sein zu wollen und zu behaupten, man strebe eine europäisch erweiterte Schweiz an. Am entscheidendsten stemmte sich gegen Max Pulvers buntscheckiges Europäertum der erdenhafte, natursüchtige, stark auf sich selbst bezogene, etwas schwarmgeistige Hermann Hiltbrunner. Max Pulvers und Hermann Hiltbrunners Temperamente waren geladen wie Leidenerflaschen: wenn sie sich zu nahe gerieten, sprang der Funke, und gerechterweise versehrten sich bei derartigen Zündungen gleich beide. In solcher Gemeinschaft wurde ich gehärtet; ich hatte mich an meinen Freunden zu bewähren und erkannte meine Grenzen, aber auch die Möglichkeiten des innern Ausbaus.

In jener Klasse, von der vorhin die Rede war, in jenem großfenstrigen Schulzimmer, von dem aus ich über die

Dächer der Vorortsgemeinde hinweg talaufwärts zu den Türmen meiner Geburtsstadt und ans verkürzte Profil des Uetliberges sah, stand ich nun vor den Kindern als Sendbote einer anrückenden neuen Zeit: Verachten, ja Verabscheuen der abgegriffenen Regionalgenügsamkeit, dafür Hinwenden zu einer Internationalen der Weltschmerzsüchtigen! Ich verehrte die «Kleinen Mythen» von Albert Steffen, zarte, nicht ungefährliche Ergebnisse einer das Innenreich des Geistes ableuchtenden neuentdeckten Seelenratio. Ich ließ meine Schüler einige Steffen-Gedichte auswendig lernen, las ihnen aus dem «Idiot» vor und machte sie vertraut mit der mönchischen Weltlichkeit eines Aljoscha («Die Brüder Karamasoff»).

Das Herz war uns aufgebrochen. Aufbruch bedeutete sowohl Erheben als Aufklaffen und Ausfließen; man strebte nach Vereinigung mit dem Universalen und nach Aufgehen im Universum. Schleiermachers «Reden über die Religion an die Gebildeten unter ihren Verächtern» gaben einem tägliche Stärkung und Bekräftigung. Ich schrieb an einem Roman; er erschien im Feuilleton der Neuen Zürcher Zeitung und als Buch in Leipzig. «Unsereiner» war er überschrieben, und mein Held sollte einer der unsern sein. Zwischenhinein suchte ich den Schulkindern meinen Dankestribut zu entrichten, war ich doch gewiß, daß mir aus ihrem Jungsein die Kraft zum Widerstand gegen die vorhandene Welt zuwuchs. Ich erfand für die Kinder neue Märchen* und verfaßte Märchenspiele, die sie selbst in Szene setzen und in öffentlichen Aufführungen in der Turnhalle darbieten durften.

* «Die Tore auf!» Illustriert von Hertha von Gumppenberg, (Orell Füßli Zürich, 1927; Sauerländer Aarau, 1944).

Und hier beginnt nun die wehmütige Geschichte einer
Freundschaft, die dem einen lebenslang und dem andern
über des ersten Tod hinaus vorhielt. Der eine, ältere, war
ich, der Lehrer; der andere mein Schüler und lebenslänglicher Freund Paul Adolf Brenner.
Die Freundschaft nahm ihren Ausgang in eben jener Schulstube. Paul war mir als Schüler der vierten Primarklasse zugeteilt worden, und man hatte mir erklärt, der Knabe bedeute eine zusätzliche Belastung für den Lehrer, da er sehr
kurzsichtig sei und seiner Versehrtheit wegen mit besonderer
Sorgfalt behandelt werden müsse.
Der kleingewachsene, kurzsichtige Paul jedoch bereitete mir
alles andere als zusätzliche Mühen; sowohl im mündlichen
Unterricht wie mit seinen schriftlichen Leistungen trug er
zur Belebung des Lehrbetriebs bei. In allen Fächern war er
unermüdlich aufnahmewillig, ja -gierig, ohne indessen die
Kameraden vom Futternapf zu verdrängen, im Gegenteil:
sein Appetit regte die Lust der andern an. Auch war er
keiner Launenhaftigkeit unterworfen, lebte mit den Mitschülern in wetteiferndem Frieden und begehrte nicht, daß
man im Spiel oder bei der Arbeit Rücksicht nehme auf seine
Gebrechlichkeit. Zur Bezeugung seiner schon im Knabenalter auffallenden sprachlichen Gewecktheit sei eine vergnügliche Episode berichtet. Während des im Stundenplan
angesetzten Schreibunterrichts (Schönschreiben als Disziplinarmittel!) pflegte ich die Kinder zu ermuntern, uns mit
Späßen, Rätseln und Witzen zu erheitern. Da brachte man
denn Scherze und halbverstandene Zweideutigkeiten, die ich
als Echo vom häuslichen Mittagstische hinnahm und duldete. Paul aber kam mit Spaßworten und Schnellsprech-

versen, und eine der Sprachkapriolen habe ich nicht mehr vergessen. Er stand in seiner Schulbank auf und sagte – wie ein Lehrer zur Klasse gewandt: «Eine Dienstmagd kam vom Land in die Stadt zu einer Herrschaft, von der sie eines Tags den Auftrag erhielt, in der Metzgerei Fleisch vom Kalbskopf einzukaufen. Das Mädchen aber dachte in seiner Einfalt, für so vornehme Kundschaft, wie es zu vertreten die Ehre hatte, zieme es sich nicht, eine so gröbliche Bezeichnung wie Kalbskopf zu verwenden, und es verlangte ein Kilo ‹kälbernes Angesicht›.»

Im ersten der Märchenspiele, die ich für die Klasse erfand, «Dokter Schlimmfürguet», habe ich Paul die Rolle eines dichtenden Jungen zugedacht. Da hatte er auf einer Strohmatte zu liegen und ein Epos zu verfassen, mit dem er die künftige abenteuerliche Heldentat seines Vaters besang.

Das Gerüst der Mär, mit spaßigen und gefühligen Szenchen wie mit bunten Wimpeln behängt und mit Kinderliedern verbrämt, bot dem halbsichtigen Paul genug Anlaß, sich als Dichter zu verträumen. Er wurde mit der Rolle eins, und wenn wir den Begriff der Identifikation mit Gleichsetzung und Einswerden übertragen dürfen, so darf es hier heißen: Paul entdeckte auf dem Identifikationsumweg über den jugendlichen Dichterling sein Dichtertum; und obendrein: er suchte fortan, sich mit dem Vater auszusöhnen, an dessen Stelle er den Heldenvater setzte, der auszog, das Zaubermittel zu erobern und es im wundertätigen Wort zu finden.

Als jugendlicher Bühnen-Rhapsode trug Paul den Namen Alemgater Ufdegrund, was so viel heißt wie: Allem geht er auf den Grund, und als Jüngling und Mann blieb ihm bei Kameraden und Freunden dieser Beiname. Sein Streben und

Leisten schien tatsächlich geprägt von der Losung, gründlich
zu sein, zu forschen und jedem geistigen Gebot kritisch zu
begegnen. Früh begann er auf ein lyrisches Raunen hinter
verdunkelnden Lidern zu horchen, versuchte es auch mit
Erzählungen und gar mit einem Roman, der jedoch Bruchstück blieb («Der Weg ohne Heimkehr»). Ich weiß von
einer einzigen Erzählung, die er drucken ließ; sie ent-
stand 1955 und ihr Thema, wie es aus dem Titel abzulesen
ist, widerspiegelt seine damalige Einstellung zum Dasein:
«Die verlorene Freude».
Als er noch mein kleiner Schüler und schon auf Bücher versessen war, ertappte ich mich nicht selten dabei, vor der
Klasse meine Lektion dem Stande seiner Fassungskraft an-
zupassen, zielte also eher zu hoch als zu flach, und es
mochte dabei geschehen, daß ich über die Köpfe der Klasse
hinweg dozierte, um ihn zu erreichen. Einmal auf einem
zweitägigen Reisemarsch in den Aargau zum Wasserschloß
Hallwil ist er nach einer Gewitternacht, in der die Schulkinder auf dem Strohlager eines Schulhauses schlecht ge-
schlafen hatten, unterwegs auf der Landstraße zusammenge-
brochen. Ich ließ nun den schmächtigen Knaben auf meinen
Achseln reiten; er erholte sich dabei und gestand mir später,
damals habe er, rittlings über meinen verschwitzten Kopf
geneigt, durch meinen bereits gelichteten Haarbalg und die
Schädeldecke hindurch in mein Hirn hineingeschaut und
sich gewünscht, das zu werden, was er in mir sah: erziehen-
der Dichter und dichtender Erzieher. Freilich mußte er
dann auf den Erzieher verzichten, da sein Vater ihm den
Übertritt in die Mittelschule nicht erlaubte, sondern ihn nötigte, sich im Familienbetrieb zu betätigen: Paul hatte die

Buchhaltung und den Außendienst zu übernehmen. Er wurde als Commis voyageur zu der Kundsame geschickt, bei der er Bestellungen einzuholen hatte. Durch das Land reisend, verschaffte er sich gelegentlich Muße, seiner lyrischen Neigung zu genügen, las und schrieb in den Gasthauszimmern und geriet derart zwischen Pflicht und Gewissen. Schließlich riß er daheim aus, arbeitete als Handlanger in der Maschinenfabrik Örlikon, drauf in einer Geflügelfarm in Mauren im Thurgau, kehrte zum Vater zurück, brannte abermals durch, diesmal nach Dalmatien (Split, 1932). Vergeblich hatte ich bei seinem Vater um Nachsicht und Verständnis geworben, stand bittend und fordernd (herausfordernd!) in der Werkstatt im Schächli in Dietikon und hatte mitanzusehen, wie der beinahe völlig erblindete Mann am Schneidetisch mit tastenden Händen Filz und Lofa (eine Wassergurke) bearbeitete, vor Empörung Bläschen spuckte und mir vorwarf, ich setzte dem Jüngling Poetenflausen in den Kopf und brächte kein Verständnis für die Lage eines behinderten Hausvaters und Geschäftsmannes auf. Das scharfe Kartonmesser blitzte drohend in seiner zitternden Hand; ich spürte, wie er mich zu hassen begann, da ich seiner Meinung nach ihm den Sohn entfremdete. Es fruchtete nichts, wenn ich mich auf unsere bis dahin bewährte Kampfgemeinschaft berief, hatten wir doch seit Jahren Hand in Hand streitbare Schul- und Dorfpolitik betrieben; ich hatte auch mitgearbeitet an einer Gemeindechronik und seine Festschrift zur Einweihung der neuen, protestantischen Kirche mit Versen und Zeichnungen versehen. Ich wußte, daß er ein leidenschaftlicher Sucher nach kabbalistischen Offenbarungszeichen war und hatte ihm geduldig zugehört, wenn er die ver-

schlüsselte Weltenzeit zu enträtseln auf dem Sprung war. Er
hatte ein Buch verfaßt, das er später bei Rascher in Zürich
auf eigene Kosten verlegen ließ und mit dem er die Geheimnisse der biblischen Zahlenmystik zu erhellen hoffte.
In einem Brief vom 26. August 1932 schrieb mir Paul: «Du
sprachst davon, daß ich meinem Vater mit Liebe, mit Güte
begegnen solle. Du – ich kann das nicht. Ich habe ihn immer gefürchtet, nie geliebt. Ich fange an, ihn zu hassen, und
viel auch bemitleide ich ihn ehrlich. Aber dieses Mitleid
macht mich schwach, und ich schließe wieder die bekannten
alten Kompromisse, gebe nach und verliere mich in ihm ...
Wenn er gegen mich anrennt und ich dann weich werde,
prägt er viele seiner äußern Konturen in mich und formt
das Negativ seines Menschen. Unverständlich bleibt nur das
Material, aus dem ich gemacht bin, mein Blut, meine Seele
vielleicht. Und dann bin ich nicht mich selber. Ich kann
genau so gereizt und böse werden wie er und manchmal
auch ebenso ungerecht. Aber ich bin es nicht, und es macht
mich trostlos und traurig, zu wissen, daß ich unter dem
dauernden Druck an Freundlichkeit und Fröhlichkeit verliere ... Jetzt besonders, wo ich allein neben ihm arbeite,
sehe ich, wie unhaltbar dieser Zustand für die Zukunft sein
würde. Ich fürchte seine Gegenwart und arbeite verkrampft
und unselbständig. Von ihm aus gesehen, ist es richtig, daß
er gegen mich flucht und mich verwünscht, denn ich arbeite
(ihm) ohne innere Hingabe, ohne Interesse. Er muß das fühlen, wissen. Ich kann seiner materiellen Welt nicht die irra-
tionale Welt meiner Gefühle entgegenstellen. Innerhalb seiner
Welt wird er Recht behalten, und diese Welt wird ihm recht
geben. Ich werde nach außen der verlierende Teil sein.»

248

Er blieb seiner Lebtag der verlierende Teil, nach außen, nur nach außen, war doch sein freiheitlicher Geist gebunden an einen geschwächten, gebrechlichen Leib, der allen Versuchen, aus der Gefangenschaft auszubrechen, mit lähmenden, schmerzhaften Rückschlägen begegnete. Sein Augenleiden ließ ihn zum Beispiel vor der Malerei versagen und verbot ihm den Besuch von Kunstausstellungen und das Betrachten von Kunstdenkmälern überhaupt; dennoch lockte er sich gelegentlich visionäre, traumsatte, farbig ausgeglichene Landschaftsaquarelle ab; er litt dauernd an den Wechselfällen der Witterung und haßte den Föhn. Die bohrende Migräne quälte Nieren und Magen, oder Nieren und Magen erzeugten Migräne, und die verstimmten Organe wirkten ihrerseits zurück auf seine Stimmung. Trotz allem blieb er der gewinnende Teil; denn er rang sich zur Gelassenheit durch. In solcher erarbeiteter Befriedigung bestellte er sein Feld: die Sprache. Von 1932 bis 1962 veröffentlichte er ein Dutzend Bände und Bändchen, fast ausnahmslos kleinere oder umfänglichere Gedichtsammlungen:

1932 Begegnungen
1933 Judith
1934 Werker ohne Tat
1935 Die Gärten (Sonette)
     Zwischen Traum und
     Zeit
1940 Das trostreiche Antlitz
1943 Die ewige Stimme

1955 Haus der Nacht
     Die verlorene Freude
1956 Bilder und Schatten
1958 Das kleine Schuldenheft
1960 Dein Abendbuch
1961 Und ist kein anderes
     Wunder
1962 Zwischenzeit

Erst in den letzten Jahren seines Lebens, als ständig kränkelnder und Kranker, gab er das Schreiben auf und gestand er es sich selbst und uns, daß ihm ein Weiterkommen im Vers nicht mehr gestattet sei. Er blieb auf wenige Sinnesorgane angewiesen und verließ sich zumeist auf sein Ohr, das ihm den Dienst nicht versagte. Er hörte Musik, hörte Tonbänder der Blindenbibliothek ab und sprach sich klug über das Aufgenommene aus, entschieden kritisch, anregend, Widerspruch erwartend, von einem untrüglichen Gedächtnis gelenkt; aber nie hielt seine Kraft länger vor als für eine halbe Stunde. Jeden Dienstagmorgen kam sein Anruf, während Jahren, und wir verabredeten dann ein kleines Treffen: ich holte ihn am frühen Nachmittag an der Untern Zäune 11 ab, wo er sich in den letzten Lebensjahren mit seiner Frau Margrit in einer kleinen, äußerst ordentlich gehaltenen, heimeligen Wohnung eingemietet hatte, von Turmglocken umläutet. Befand er sich bei erträglicher körperlicher Verfassung, gingen wir für ein, zwei Stunden aus. Er hängte mir ein, und wir kehrten im Café Odeon ein. Dort saßen wir im Lederpolster beim Kaffee, und er bewilligte sich eine Zigarette. Thema unserer Unterhaltung: die heutige Lyrik, die ihm suspekt geworden war, der er jedoch – gleichsam sportlich angeregt – seine skeptische Teilnahme zuwandte. Ich erinnere mich eines nachmittäglichen Eintritts zusammen mit meiner Tochter Magdalena ins überfüllte Café. Er ließ sich durch uns am Ellbogen lenken, ging sehr aufrecht, mit den Füßen vortastend und den leeren Blick hinter den dicken eisgrau beschlagenen Gläsern gradausgerichtet. Jemand erhob sich von einem Ecktischchen, kam auf ihn zu und umarmte ihn. Paul erkannte die Gestalt sogleich und legte seine Backe an des andern Hals. Der Begrüßende war Max Frisch, mit dem Paul befreundet war. Wir drei fanden abseits Platz an einem freien Tisch und bald kam Frisch dazu. Es war zur Zeit, da er den «Gantenbein» abschloß und der Verleger Siegfried Unseld (Suhrkamp-Verlag) mit ihm verhandelte. Frisch berichtete ohne Geheimnistuerei über seine Arbeit, legte Paul die Hand auf den Arm und schien es sich zu verbieten, nach des Freundes Befinden und Plänen zu fragen, wohl erkennend, daß er in eine ausgebrannte Leere hinein gefragt oder forschend etwas verwundet hätte. Hingegen stellte er nebenbei eigenes körperliches Unbehagen fest und sagte, er sehe gelb, und das müsse wohl mit der Leber zusammenhängen.

Paul hielt es in der Kaffeehausbedrängnis meist nie lange aus. Sein Restchen Lebensneugier war jeweils bald gesättigt, und zudem zog es ihn heim zur Pflicht: er bereitete für sich und Margrit das Abendbrot; dort kannte er sich an Tisch und Schrank und Herd wie ein Sehender aus; denn die Dinge seiner Umgebung nahmen willig ihren festen Platz ein: auf dem Tisch ordneten sich die Dosen und Fläschchen der Medikamente und wechselten ihren Standort nicht; dort lag die eingegangene Post, die ihm nach Feierabend vorgelesen wurde; unten im Hausflur fand er mit genauem Griff das Brieffach und öffnete sich ihm das Türchen zum Milchkasten. Er ließ einen spüren – andeutend und doch deutlich genug –, wenn er müde oder gesättigt und drum bedürftig war, allein gelassen zu werden.

Er hatte ausgeprägten Sinn für Freundschaft und Freundestreue, die beide sich als Dankbarkeit bekundeten. Zu seinen langjährigen, anregenden Freunden zählte neben Hans

Schumacher und Albert Ehrismann der autoritäre Dichter und Landschaftsvisionär Hermann Hiltbrunner, der Pauls lyrischen Eigenwert früh erkannte und sich auch zu ihm bekannte, beispielsweise in einem Brief vom Silvester 1930, der sich mir in der Abschrift erhalten hat:
«Verglichen mit Ihnen ist Ehrismann [Seine erste Gedichtsammlung «Das Lächeln auf dem Asphalt» war eben erschienen], ein gerissener Techniker. Er kann, versmäßig verstanden, mehr als Sie. Er kann für seine Jugend, für sein erstes Buch, beängstigend viel, fast möchte ich sagen, verdächtig viel [...] Sie sind intensiver, stärker, und in Ihrer Leidenschaftlichkeit ruhen mehr Möglichkeiten, als in E.s Monotonie des Gegenstandes [...] Ob man etwas *kann*, entscheidet der Augenblick der Veröffentlichung, ob man aber auch etwas ist, *jemand* ist, das kann nur die Dauer, die Fortdauer an den Tag bringen. Das Erlernbare hat E. etwas besser gelernt als Sie, er hat auch mit weniger Schwierigkeiten innerer und äußerer Not zu kämpfen, wie ich weiß; aber das Erlernbare entscheidet ja nicht. – Um den Betrag, um den Sie subjektiver sind als er, sind Sie der bessere und größere Dichter. Wenn ihre Subjektivität noch nicht völlig gleichnishaft geworden ist, noch nicht restlos symbolisch, vorbildlich und verbindlich für viele, wer könnte das Ihren 3 x 7 Jahren ankreiden? Sie haben Zeit. In Ihrem Alter konnte ich nicht was Sie, war auch nicht was Sie.»
Hermann Hiltbrunner war für einen längern Anfang Paul Adolf Brenners Lehrmeister («... so kann ich Ihnen heute wohl sagen, daß ich mich meines Schülers nicht zu schämen brauche», so beendigt Hiltbrunner seinen Silvesterbrief), er wurde ihm zum Weggenossen und Freund, so lange, bis die

Freundschaft zerbrach, nachdem Hiltbrunner in seinem unbekümmerten schonungslosen, sogenannt «ehrlichen» Tagebuchwerk «Alles Gelingen ist Gnade» sich selbst und seine Freunde entblößte und seine oft durch Laune gefärbte Ansicht als Offenheit, ja als gültiges Erkennen und gar als Wahrheit dem Leser darbot.

Auch Freundschaft mit Frauen wurde Paul zuteil. Mit seiner Schwester Olga verband ihn tieferes als nur das übliche geschwisterliche Verstehen, ebenfalls mit der Mutter, einer frommen Bernerin, geborenen Sägesser, deren Vater als Lehrer in Oberburg amtete und die ihrem künftigen Mann, also Pauls nachmaligem Vater, in einer religiösen Gemeinschaft am Thunersee begegnet war. (Alles pietistisch Sektenhafte war Paul widerlich, hingegen bereute er zeitlebens, daß ihm versagt blieb, sich zumindest zum Volksschullehrer ausbilden zu lassen.) Im Jahre 1935 verheiratete sich Paul mit Frieda Sommer, die ihm den Sohn Martin gebar; nach der Scheidung (1959) vereinigte er sich mit Margrit Heuberger-Tagmann (1960). In dieser Ehe fand er letzte Geborgenheit, und nachdem er tapfer und sich selbst verleugnend im väterlichen Geschäft ausgeharrt (1924–56) und nach dem Hinschied des Vaters gemeinsam mit dem Bruder Hans zehn Jahre lang den Betrieb weitergeführt hatte, ließ er sich von der geschäftlichen Beteiligung ablösen.

Etwas Anklägerisches, Auflehnendes bestimmte zunächst die Themen seiner Lyrik, eingegeben von einer tiefgründenden sozialen Mitverantwortlichkeit und von leidendem Mitgefühl mit den von der Natur oder von der Gesellschaft Erniedrigten. Die erlittene und wundnarbig bestandene Tyrannis des Vaters wirkte lange in der Thematik nach und mußte im Einkampf überwunden werden. Solches gelang ihm, als er selbst Vater geworden war.

Die Mappe durchblätternd, in der die papiernen Andenken an den Freund bewahrt werden: Briefe, Gedichte, Photos, Merksätze, finde ich eine bräunlich verblaßte Aufnahme aus dem Jahre 1929. Ein aufgeschlagenes Buch vor sich, gleichsam lesend, zwischen Tisch und Bücherlade sitzend, schaut er etwas fischäugig durch dickes Glas in eine Ferne, die sich ebenso nach außen wie nach innen öffnet. Zu beiden Seiten stehen und liegen Bücher in Stapeln und Reihen. Die Rückwand der Dachkammer ist abgeschrägt und mit einer großblumigen Tapete überzogen. Paul trägt einen sorgfältig gebügelten Anzug, in der Brusttasche steckt ein Pochettchen, der Schlips ist genau geschlungen und gewellte Haare krönen die breite Stirn: er hat sein Äußeres nie vernachläßigt, wie er auch nie in Versuchung hätte geraten können, seiner Sprache nicht letzte Sorgfalt angedeihen zu lassen.

Diese Sorgfalt ließ ihn auch die Worte wählen, wenn er sich brieflich äußerte und sich dabei der Schreibmaschine (mit besonders großer Schrift) bediente; die letzen schriftlichen Zeugnisse, die mir zugekommen sind, finden sich auf Ansichtskarten (1967) und in einigen wenigen Briefen aus den Jahren vor 1964. Zur Ergänzung dieses Erinnerungsbildes, das ich da vom vorausgegangenen Freunde entworfen habe, setze ich einige Stellen aus Briefen hin, die er mir aus einer Heilstätte zukommen ließ. Er war dort für eine Nachkur aufgenommen worden, nachdem ihm Galle und Leber «einiges zu schaffen» gemacht hatten und ihn eine Folge schwerer Migräneanfälle schwächte. Am 12. April 1964 schrieb er mir: «... Mit meinen Gedichten stehe ich vor

enormen Problemen, die ich zwar von jeder Vorbereitungs-
zeit her kenne: doch diesmal muß ich die Arbeit ganz anders
angehen, wenn etwas daraus werden soll. Ich stehe wenigstens endlich wieder unter dem starken Druck des Zwanges,
und ich weiß, es ist keine Hoffnung auf ‹blaue Stunden›.
Erst wenn ich die Worte – ein schwer zu bearbeitendes
Material – angehe, ergeben sich Kontakte zu Bildern, die
– soviel weiß ich – fertig in mir ruhen. Scheinbar so un-
tergeordnete Tatsachen wie Gedicht-Titel erweisen sich
gelegentlich als auslösende Initialzündungen für ein Ganzes ... Oder, primär gesehen: jeder Schritt zum Gedicht ist
Urzeugung, einerlei, ob dabei ein schönes Wesen sich entfaltet, oder ob sich, trotz aller Zwänge, eine entsetzliche Miß-
geburt bildet. Solange mein lyrisches Ich noch über intakte
Empfindungs-Organe verfügt, werde ich schon unterscheiden können zwischen dem, was ich verwerfen, und dem,
was ich annehmen will.»
Die «enormen Probleme» widersetzten sich seinen «Zwän-
gen»; es kam zu keinem Vers, nicht zum kleinsten Versuch
mehr. In einem Brief vom 16. April 1963, also ziemlich
genau ein Jahr zuvor, hatte er das folgende Bekenntnis zur
Freundschaft, ja zur Liebe abgelegt und mich damit be-
schenkt:
«... Hohl* wollte ich nicht sehen, soviel wußte ich: daß er

---

* Der Schweizerische Schriftstellerverein, dem Paul Ad. Brenner während elf Jahren (von 1942 bis 1953) im Vorstand angehörte, hatte zur
  Jahresversammlung nach Genf eingeladen. «Margrit und ich hoffen,
  dort zu sein. Die alten Freunde alle endlich wiedersehen, mit ihnen
  reden, wo Gespräche noch möglich sind. Und Du wärest sicher auch
  dabei.» (Aus demselben Brief vom 16. April 1963. – Er konnte nicht
  dabei sein.)

mich nur beunruhigt haben würde. Zu solchen Schutzmaß-
nahmen zu greifen, wo einem das Herz einen ganz anders
lautenden Auftrag zuhämmert, ist nicht leicht. Im Schutze
der Vielen, die sicherlich nach Genf kommen, wirds einfacher sein. Denn Hohl bleibt für mich (genau wie für Dich)
eine Zentrale des geistigen Mühns, die man nicht übersehen
darf – oder, was schlimmer wäre: vergessen. – So nötig
diese zweite Nachkur in der Heilstätte sein mag, an einem
baulich idealeren Ort wäre sie mir lieber gewesen. Menschlich und medizinisch bin ich hier gut aufgehoben, sonst wäre
der eingesperrte Kranich flügellahm geworden. Ach,
immerzu träumt man dennoch vom freien Herumgehen, von
der *Arbeit*, von *der* Frau, die das Leben uns beschied. Ich
möchte bald, bald wieder mit Margrit zusammen wohnen,
nach der ich ein entsetzliches, schönes Heimweh habe.
(«Entsetzlich» ... gesetzt im Sinne von «Entsetzung» von
hier ...!) Ich möchte heim. Nach Hause. Die Maschinerie
hier arbeitet sehr langsam – und es wäre bei dem Personal-
und Platz-Mangel nicht verwunderlich, wenn ich ganz einfach aus *diesen* Gründen Tage um Tage länger bleiben
müßte. (*Ein* Tag zählt hier drei der Kalendertage.) Solltest
sie nur während 3 Tagen im Zwange dieser Ordnung erleben, so wie ich Dich kenne, würden unsere Rechnungen ver-
gleichsweise stimmen. Es richtet bei niemandem Schaden an,
wenn Du ein Wort in diesem Sinne für mich einlegst, Du
kannst das besser und mit besserem Rechte als mancher
meiner anderen Freunde. – Der Morgen, der so rein früh-
lings-duftend aufkam, macht schon wieder den bedeckten
Mittags-Himmel bereit. Aber ich hab ihn mit diesem kleinen Brief mir aufgeheitert, ich war mit Dir und ich weiß:

Du nimmst es als dasselbe Wunder, in das wir uns verwandeln können, wenn wir zu unsern Freunden gehn. – Dein Geburtstag in Oe.*: Lieber, hab ichs Dir nie gesagt, geschrieben, ist so viel Zeit einfach drübergedonnert: es ist mir eines der seltensten, schönsten Feste echter Freundschaft gewesen, das Du mir gabst. Hab nochmals und immer wieder meinen tausend-herzschlägelangen Dank dafür! Für *diesen* wie für jedes andere Fest der Freundschaft, darin mein Erinnern, eingebettet, ausruht und immer wieder hinsucht. Auch das ist Heimat, du weißt's.»

Es verhielt sich jedoch keineswegs so, daß einzig er des Trostes bedürftig war und das Gefälle der Freundschaft stets einseitig ihm zutrieb. Er konnte Anteil nehmen und im Austausch trösten. Dafür ein Beispiel. Im selben Jahre verlor ich zwei mir nahestehende Menschen: die Gattin und den Freund Edwin Arnet. Das waren Verluste, die ihn mitbetrafen. Am 12. Oktober 1962 schrieb er in einem längeren Briefe: «Manchmal kommst Du durch einen Traum zu mir. Letzthin wars mit Idi zusammen. Sie trug über rotem Jupe ein farbigleuchtendes Schürzlein, ähnlich jenem, das sie in der Zeit nach Euerer Verheiratung trug. Oben, bei der ‹Marmori›**, etwas höher und zur Linken, lag der gefrorene Wei-

---

* Mein Bruder Albert hatte mich und meine Tochter im Wagen zu ihm in die Anstalt geführt, und wir waren mit ihm und seiner Schwester in einem Gasthaus eingekehrt. Er fühlte sich befreit von jeder Bedrohung. Freundeszeugnis war für ihn zu jeder Zeit Heil- und Kräftigungsmittel.

**Marmori = Marmorsägewerk in Dietikon. Auf dem gefrorenen Weiher tummelte ich mich zuweilen mit meinen Schülern, zu denen auch Paul gehörte; ich übte mich mit den Kindern im Paarlaufen; es kam auch vor, daß ich mit meiner Frau zu zweit einfache, kunstlose Bögen zog.

Oetwil a. See – 1 2 . 1 0. 1 9 6 2

Mein lieber Freund – lieber Traugott,

der angefaulte Mond schob sich zwischen zwei Silberfolien
aufsteigenden Abend-Hauch⁵als ich, ihm (dem Mond) nicht
ganz unähnlich, heimwärts bummelte. Die Freude über ∎
Eueren Besuch sank dem Schmerz in die Arme, der sich so
schnell nicht besänftigen liess. Ach, dass Du gekommen bist
mit Magdalena , Deinem Kind, bleibt mir als Trost noch
lang : 's ist gleichsam ein Vorrat auch für kommende
Tage. Der Besuch bei Arnet erschütterte mich – verstärkt
noch durch den Umstand, dass es für drei Wochen mein
Réduit war. ~~Nur dass war (so nicht.~~, denn ein Zuhause
gibt es hier nicht. Seine Krankheit muss doch sehr gross
für ihn sein, sodass er mit ihr das ganze Zimmer aus-
füllte. Kaum ein persönlicher Gegenstand, kein Buch,
keine Blumen, nichts als das gute Fenster, durch das ich
genau so weinend/den Herbst kommen so. Die Birke machte
alles allein, denn weiter sah ich nicht ohne Fernglas.
Eine gute, tapfere Birke, die ihre schwierige Aufgabe
jeden Tag ein bisschen m e h r Herbst zu sagen –, mit
Farbenspiel und Blatt um Blatt zu lösen verstand. Mir gab
sie alles, i h m aber, dem lieben Freund, konnte sie
nichts mehr sagen. Und uns selber ergeht es gleich, wir
kennen das lösende Wort nicht, noch steht uns irgend eine
Gebärde zu Diensten, den Verzweifelten zu beruhigen.
Ich wollte ihn ~~~~ heute nochmals besuchen, vernahm dann
aber, dass er abgeholt worden sei. Nach Hause... Es müsste ein
"Haus des Lebens " sein, ein warmes Nest, Liebe und
vertraute Zärtlichkeit... Ich glaube einfach nicht, dass
Fände er es als das Verlorene wieder,

Paul Adolf Brenner,
erste Seite des Briefs vom 12. Oktober 1962 aus Oetwil am See
an Traugott Vogel (handschriftliche Korrekturen von P. A. Brenner)

her ... Ohne Musik, es sei denn jene innere Melodie der
Liebe und Zärtlichkeit, seh ich Euch im Traum wieder übers
Eis gleiten, unsäglich bezaubernd, vorwärts, rückwärts, es
gelang alles spielerisch leicht. Oh, diese Glückseligkeit des
einen Augenblicks von früher in meiner Kindheit, jetzt
plötzlich nochmals und nahezu unverändert *da*, im Traume
nah: es ist dasselbe Nacherleben, wenn Margrit und ich über
die Hügel dieser heilsamen Landschaft wandern. Und in mir
sagt alles: Ja, ja, ja. Und es greift mir ans Herz, das so
dumm ist, sich immer wieder Geschichten aus mir heraus zu
ködern. – Mein Lieber, ists nicht wie ein Wunder, daß es
mir besser geht? Aber dem lieben Gott, den mir die Mutter
gestohlen hat, kann und mag ich's nicht danken. Ich sah im
Traum Dich mit Idi, wundersame Figuren ziehend, über den
Weihern schweben. Etwas, ganz wenig *über* dem Eise. Als
Bild weiß ich es seit vierzig Jahren. Es hat nicht von seiner
innigen Süße verloren. Und jetzt: *mein* Zeichen, daß ich
langsam gesunde, daß ich erinnernd träume. – Mein Lieber,
wir gehören nun einmal nicht zu den «starken Männern»,
mag man uns sehen und verkleiden wie immer. Unsere Dominante ist das Zarte, das Differenzierte. Ist Hauch, ist
Tau. Deshalb auch sind wir tiefer Rührung und Trauer
fähig, denke ich mir. Sag, was ist, genau betrachtet, von
Edwin Arnet noch geblieben? Etwa sein dunkelrot aufflam-
mender Zorn – oder, diesem verwandt, seine leichte Erreg-
barkeit? Durch alle Verstörtheit des bedauernswerten Kranken hindurch sehe ich doch, wenngleich ins Unfaßliche pro-
jiziert, das Hilflos-Rührende, das selbst in der Auflehnung
die knabenhafte Innigkeit durchschimmern läßt. Es gibt nie
zweimal auf Erden dieselbe Krankheit mit entsprechendem

gleichen Verlauf. Nichts wissen wir von all diesen Geheimnissen. Heilbar – unheilbar – das sind Worte, an denen man sich wärmen, aber auch aufhängen kann. Ich wäre nicht hier, wenn ich nicht trotzdem einigen Kunstgriffen und Eselsbrücken der Ärzte vertraute. Die Sache ist, was ich daraus zu machen willens oder befähigt bin.»

Hans Schumacher (Im Geleitwort zu der Gedichtsammlung «Bilder und Schatten») hat seinem Freund bestätigt, daß seine Lyrik nie menschenleer sei: «Er adressiert seine Gedichte: an einen Freund, an einen Dichter, an einen Maler ... Und jeder von uns ist da ein Stück mitgemeint ...» In eben dieser Sammlung «Bilder und Schatten» (Altstadt-Presse Zürich, 1965) bekennt sich Paul Adolf Brenner ausdrücklich und in einem vollen Ausmaß zur Freundschaft, und die Gewißheit des Mitgemeintseins ist mir stärkend und tröstlich.

«Sprich mit dem Freund» steht über den drei Strophen als Titel. Und die letzte Strophe heißt:

«Sprich mit dem Freund, du redest mit der Welt.
Denn anders nie wirst du mit ihr verbunden
als durch das Wort, das dir in solchen Stunden
die langen Nächte wunderbar erhellt:
sprich mit dem Freund, du redest mit der Welt.»

Würde und Unwürde der Armut

Über Ludwig Hohl

«Es gehört eine ungemeine Kraft dazu, in der Geldbedrängnis (Ausgeliefertheit durch die Not) die seelische Würde aufrecht zu erhalten; der Künstler kann das, der allgemeine Mensch kann es nicht; also muß der allgemeine Mensch die Welt ändern. (Denn die seelische Würde ist alles, oder doch, worauf es zuerst ankommt.)» («Die Notizen», 1. Band, Nr. II/163, S. 149.)

Von «zwei Arten der Not» schreibt Ludwig Hohl in seinem Werk «Daß fast alles anders ist» (S. 108/110). Er sagt dort, aus *seelischer* Not könne ein Ausgang gefunden werden durch irgend eine Art Leistung. Dem *materiell* Leidenden sei eine solche Möglichkeit nicht gegeben – «überall ist Schranke. Das Äußere muß zuerst geändert werden: für den Aufgespießten gibt es keine Wege.» – Über diese Schranke, dieses Äußere in Ludwig Hohls Dasein handelt diese meine bedrückende, oft so peinliche Chronik.

Zum ersten Mal begegnete ich seinem Namen, als ich in den frühen dreißiger Jahren als Mitglied im Ausschuß für die Werkbeleihungskasse des Schweizerischen Schriftstellervereins ein kleines Bündel schlechtleserlicher Texte zur Begutachtung zugewiesen bekam. Ludwig Hohl hatte die Blätter aus Holland der Kasse zugestellt und erwartete, daß sie bevorschußt würden. Die Werkbeleihungskasse (WBK) war von Felix Moeschlin begründet worden. Mit Bundesgeldern, die von Zeit zu Zeit ergänzt wurden, sah sich der Vorstand des Schriftstellervereins (SSV) instand gesetzt, von Schriftstellern eingereichte, begonnene Arbeiten mit einem Beitrag von einigen hundert Franken zu beleihen, um derart das Fertigstellen und Herausbringen des Werkes zu fördern.

Von Ludwig Hohl lagen der WBK diesmal Erzählungen vor
(ein andermal waren es «Auszüge»); und als mir zufiel, das
Eingereichte zu lesen, stellte ich – vom besondern Wert der
Arbeiten überzeugt – in der Kommission den Antrag, die
Erzählungen so hoch wie möglich zu beleihen. Ich weiß
nicht mehr, welcher Betrag ausgesetzt wurde, erinnere mich
jedoch, den Verfasser hinterher schriftlich ersucht zu haben,
mir zwei der Erzählungen zur Veröffentlichung zu überlassen. Aus Den Haag traf denn auch die Zustimmung ein, und
damit war der Anfang zu jahrelanger brieflicher Verbindung gemacht. In der Zeitschrift «Die Zeit» (V. Jahrgang,
Nr. 1, April 1937), die Albin Zollinger mit R. J. Humms
und meiner ständigen Mitarbeit als seine Zeitschrift redigierte, erschienen von Ludwig Hohl die beiden Stücke «Das
Blatt» und «Der Igel», letzteres ein Text, der im Thema das
kommende absurde Theater vorwegnahm.
Auf dem Umweg über den Vorstand des Schriftstellervereins kam mir zur Kenntnis, daß Ludwig Hohl inzwischen
nach Genf übergesiedelt war und dort mit seiner Frau Lotte
in Armut lebte. Ein Onkel Ludwig Hohls, der Industrielle
Oberst Ludwig Zweifel in Netstal, habe dem Neffen den
Umzug nach der Schweiz dadurch ermöglicht, daß er ihm
5000 Franken habe zukommen lassen. Es trafen im Folgenden beim Sekretariat des SSV aus Genf wiederholt Gesuche
um weitere Hilfeleistungen ein, damit der größten Not ge-
steuert werden könne, und man wurde rätig, sowohl beim
Onkel Zweifel als bei den Eltern Hohl vorstellig zu werden
und sie für eine regelmäßige Unterstützung des Neffen und
Sohnes zu gewinnen. Im Auftrag des Vorstandes des SSV
gelangte ich mit Bittschreiben an Ludwig Hohls Angehörige.

Nach gedulderheischenden brieflichen und mündlichen Verhandlungen kamen die Hilfsabkommen zustande: der Vater, alt Pfarrer Arn. Hohl, Münchwilen (Thurgau), und dessen Frau waren bereit, dem Notleidenden ein monatliches Betreffnis von 150 Franken zukommen zu lassen, und diese Leistung der Eltern war Vorbedingung für eine zusätzliche Unterstützung, die der Onkel aus Netstal und die Tante aus Luzern beibrachten, freilich vorläufig auf achtzehn Monate beschränkt.

Meine Briefordner, angefüllt mit Korrespondenz aus jenen Jahren, bauschen sich mit Dokumenten: Notschreien der Frau Lotte, einer Klageschrift der einzigen, schwerkranken Schwester Ludwig Hohls, mit ausflüchtigen, gewundenen, schriftlichen Rechtfertigungen des siebzigjährigen Geistlichen (dessen finanzielle Leistungsfähigkeit sich anscheinend zu erschöpfen drohte), der mit flehendlichen Schreiben immer wieder den Sohn zu ermuntern sucht, sich einer Beschäftigung zuzuwenden, die einträglicher sei als sein fruchtloses Schreiben; auch läßt der wohlhabende und zunächst auch wohlwollende, nicht unzugängliche Onkel ihn und mich wissen, es sei ihm «restlos unbegreiflich, wie ein Mensch so alt werden kann, ohne sich ein einziges Mal Unabhängigkeit und Selbständigkeit als höchste, mit allen Mitteln und Kräften zu suchende Forderung gestellt zu haben. Ich würde zur Erreichung dieses Ziels wenn nötig Steine klopfen und mich durch die größten Schwierigkeiten winden.» (16. Juni 1938)

Das Jahr vor Ausbruch des Zweiten Weltkriegs brachte ständige Widerwärtigkeiten in die armselige Wohnung des Ehepaars nach Genf: Kohlennot, Kleiderverschleiß, Rück-

stand im Bezahlen von Gas- und Arztrechnungen, der Wohnungsmiete, des Milchmanns, dazu der Militärsteuer. «Die Kunstmanöver beginnen schon bei der Beschaffung des Brotes» (19. Oktober 1938). Erfolgloses Anbieten von Texten: «‹Die alten Weiber›, eine Erzählung, sind schon längst von Korrodi (NZZ) zurückgekommen», heißt es Ende August. Ein Manuskript von zwölf Seiten mit «holländischen Aufzeichnungen», das Ludwig Hohl für die «Schweizer Bibliothek» (Redaktion Rob. J. Lang) im Auftrag verfaßt hatte, wurde zurückgewiesen und löste Zorn und Empörung aus. Immerhin wird mit einer gewissen Befriedigung «eine vollständige Neuheit» vermerkt: der Onkel anerkennt in einem Brief, den ich L. II. zur Kenntnis gebracht hatte, «die oftmals wirklich eigenartigen Gedankenschöpfungen» des Neffen, und Hohl bestätigt mir: «Soviel haben Sie nun ganz allein vermocht. Schlechtestenfalls ist es eine außerordentliche Höflichkeit, zu der Sie den rauhen Menschen da gezwungen haben.» (11. August 1938)
Auf Weisung des Onkels sollte die zugesagte Unterstützung nur «tropfenweise» verabfolgt werden: «...aus langjährigen Erfahrungen weiß ich, daß L. H. in finanzieller Hinsicht absolut unberechenbar und unzuverläßig ist» (19. August 1938), und er bittet, ich möchte den Eltern in Münchwilen die «heutige Zuwendung absolut verschweigen». «Meine Schwester und ich stellen jedoch die *Bedingung*, daß die Überweisungen der Eltern Hohl von Franken 150.– pro Monat pünktlich weiter erfolgen, da wir nicht gewillt sind, die *Eltern* zu entlasten» (25. Oktober 1938).
Mit Albin Zollinger und dem Sekretär des SSV, Dr. Karl Naef, kam ich überein, daß immer auf den ersten des Mo-

nats vom Sekretariat aus ein Beitrag von 100 Franken nach Genf abgehe, was dann aber leider nicht mit der nötigen Pünktlichkeit eingehalten wurde. Es trafen briefliche Notschreie von Lotte Hohl ein, weil die Hilfe ausgeblieben war: «Jede nötige Briefmarke, jedes Geld für ein Telephongespräch, für eine Zeitung erfordert bei uns stundenlange Probleme . . .» (28. September 1938).

Im September 1938 kam Ludwig Hohl nach Zürich gefahren; er hatte sich vorgenommen, auf die Suche nach einem Verleger zu gehen. Seine Manuskripte trug er als Wertschriften in einem prall gefüllten Handkoffer bei sich. Mit eigenen Augen konnte ich mich davon überzeugen, daß die Sache mit dem Verfall der Kleider stimmte: sein Anzug glich dem Werkkleid eines Handlangers auf dem Bau.

Der persönliche Einsatz Hohls bei Verlagen und Redaktionen in Zürich hatte einen gewissen Erfolg: aufs Frühjahr 1939 sollte im Verlag Oprecht, Zürich, der Band «Nuancen und Details» erscheinen, und Albin Zollinger trieb bei einer literarischen Freundin (Hedwig Ammann) den Garantiebetrag von 1000 Franken auf, die der Verlag verlangte. Ferner war die Redaktion der Zeitschrift «Maß und Wert» (unter dem Patronat von Thomas Mann redigiert von Ferdinand Lion) bereit, eine größere erzählende Arbeit Ludwig Hohls zu bringen. Ludwig Hohl schrieb mir am 19. Oktober 1938: «Heute Honorar von ‹Maß und Wert›, dessen Höhe ich nicht kenne, noch nicht eingetroffen; Plan für dessen Verwendung: 1) Kleider für mich (30 bis 80), 2) Maschine (40–80), 3) zurück an E. S. 20 etc.» Es bleiben zu begleichen: «. . . Arztrechnung Fr. 95.– für Behandlung von Lo. Anfang dieses Jahres; Spitalrechnung, deren Bezahlung ja

(laut Brief der Assistance Publique Médicale, vom 13.
Januar 38) von Pfr. Hohl kategorisch verweigert
wurde...»
Wie ich diese brieflichen Zeugnisse aufblättere, beklemmt es
mir im Rückblick auf jene Zeit heute noch das Gemüt. Wie
bemühend, ja bedrückend war erst die Gegenwart dieser Ar-
mutei, für ihn, für uns, für seine Freunde. Einmal schrieb
mir der von dauernder Armut Bedrängte, nachdem er mir
vorgerechnet hatte, daß ihm nichts übrig bleibe, um Schreib-
waren zu kaufen: «Ich könnte noch einen (weitern) so mie-
sen Vormittag wie den gestrigen erwähnen, an dem mir
nicht nur wie seit Tagen jedes Getränk, sondern auch –
was das Äußerste ist – der Tabak fehlte und an dem ich
gegen zehn Uhr meine Bemühungen aufgeben mußte, da ich
die Schrift verpfuschte und sah, daß jeder Küfer es besser
machte, als ich. Dann haben wir wieder 8 Fr. von der Hausfrau (der Vermieterin) erheben können.»
Bei solcher Verfassung am Werk zu bleiben, setzt Besessen-
heit voraus. Er blieb tatsächlich trotz allen diesen «Dreck-
dingen» in rastloser Tätigkeit und berichtet von einem
«Auszug», den er in «definitive Gestalt» gebracht habe.
Auch Frau Lotte hat sich «in rühmenswerter Entschlossenheit aufgerafft, eine Tätigkeit zu ergreifen, nämlich vor
allem Maschinenschreiben und Stenographie zu lernen, und
seit einem Monat höre ich sie nebenan täglich ein paar Stunden üben» (2. November 1938). Es folgt der Nachsatz:
«Heute, am 15. Nov., sind die Fr. 100 von Naef eingetroffen. Die Zeit vorher, etwa 10 Tage, bis Ende der letzten
Woche, war die ärgste, seit ich in der Schweiz bin, hatte
schon holländische Natur. Vom Honorar von ‹Maß und

Wert› habe ich nun einen billigen Anzug gekauft und Fr. 60
an die Maschine abgezahlt. – Was dieser Brief doch erbau-
lich ist! Ich habe ihn eben wiedergelesen und finde ihn
widerlich, dachte daran, ihn zu vernichten, was ich doch
nicht kann, indem ich sonst einen großen Teil dieser Dinge
doch wieder auseinandersetzen müßte. Also sende ich ihn
los... und bitte die Naturmächte, ihm eine gute Geleit-
schaft (ich meine im Atmosphärischen oder etwas Ähnliches) zu stellen, damit er nicht allzu widerlich vor Ihnen
sich ausnehme, damit Sie ihn eben mit soviel Applikation
lesen, wie ihm zukommen darf, nicht mehr.»
Im Dezember 1938 richtete Ludwig Hohl an den Vorstand
des SSV das Gesuch um Aufnahme in den Schriftstellerverein. Ordnungsgemäß gibt er in dem Schreiben Auskunft
über seinen Zivilstand: geboren 9. April 1904 in Netstal
(Glarus), Bürger von Grub (Appenzell), öffentliche Schulen
bis zum neunzehnten Jahr besucht, in seinem zwanzigsten
die Schweiz verlassen und sich im Ausland (Paris, Wien,
Holland) aufgehalten bis 1937, dann wohnhaft in Genf.
Seit seinem 22. Jahr arbeite er ununterbrochen an seinem
Prosawerk. «Die dabei zustandegekommenen Manuskripte
verschiedener Art umfassen ungefähr 10 000 normale Seiten.» «... auf ihre richtige, die vorgesehene vollendete Form
reduziert würden diese Manuskripte 10 bis 12 Bände bilden.» Von diesen seien zwei Bände seit Jahren bereit («Erzählungen» und «Nuancen und Details»), drei weitere vom
fertigen Zustand nur durch Alleräußerstes getrennt und
eigentlich fertig zu nennen. («Für die und jede andere Auskunft möchten Sie sich vielleicht, außer an Herrn Dr. Naef,
an die Herren Traugott Vogel und Albin Zollinger wenden.»)

Dann am 17. Dezember erhielt ich vom Sekretariat des SSV die Abschrift eines Briefes, der soeben an Ludwig Hohl in Genf abgegangen war: das Eintrittsgesuch sei vom Vorstand aus formellen Gründen abgelehnt worden. Im Begleitbrief fügt der Sekretär bei, er könne sich denken, «was für eine Verheerung» der Brief anstifte. – Verheerend wirkte die Absage weniger auf den Abgewiesenen als auf Albin Zollinger und mich, hatten wir uns doch als Gewährsleute (Garanten) für Hohl verbürgt und empfanden die Niederlage als persönliche Kränkung. Es gab indessen die Möglichkeit eines Rekurses gegen den Vorstandsbeschluß, die wir denn auch ungesäumt benützten. Und wir erreichten Wiedererwägung, Neubeschluß und Aufnahme Hohls in den Verein. (Am 4. April kündigt Ludwig Hohl an: «Ihre und A. Z.s Aktion hat sich durchgesetzt: Gestern habe ich Bericht erhalten, daß ich in den S.-Verein aufgenommen worden sei.»)
Krieg und Mobilisation schoben sich gewalttätig zwischen uns. Wie Albin Zollinger diente auch ich bei den Festungstruppen im Bereich von Sargans. Noch im Januar 1939 hatten mich aus Genf Beschwerdeschreiben wegen unregelmäßigen Eintreffens der Monatsbeträge (150 Franken von den Eltern aus Münchwilen und 100 Franken vom Sekretariat des SSV aus Zürich) erreicht; jedoch trotz andauerndem Notstand («das Ausbleiben dieser 100 Frs. ist für uns eine Katastrophe», Lotte Hohl, Juli 1940) hatte Ludwig Hohl geschrieben: «Was meine Wenigkeit betrifft, so fahre ich mit meiner gewohnten langsamen Stetigkeit fort, noch einen ‹Auszug› zusammenzustellen (. . .) Ich bin tief im Grunde von Befürchtungen und Angst erfüllt und genötigt, mich unauf-

hörlich ‹in die eigenen Hände zu legen›, von den äußern
Dingen und Überlegungen mich weg- und hochzuheben, für
kurze Zeit und daher stets von neuem. Obwohl für mich
nie, ich betone: niemals, eine Frage besteht, daß ich in der
Welt *eine* Sache zu tun habe und keine andere Sache – das
ist: mein Werk zu fördern, immer unter den jeweiligen Bedingungen so gut ich kann –, ist die Lage nicht klar und
einfach» (11. Januar 39).
Tatsächlich, die Lage war nicht klar und einfach, weder die
persönliche noch die politische, weder die seine noch die
unsere; wir alle standen «an der Grenze». Nach Beginn der
Mobilisation erreichte mich «en Campagne» ein kurzes
Schreiben (Ter. Füs. Kp. I/159). Ludwig Hohl meldete:
«Das übrige Dunkel besteht. Denken Sie nicht, daß ich in
diesem Brief irgend etwas schreiben könne; die Stummheit
ist groß in mir; ich sende den Zettel nur als Gruß, der sogleich abgehen möge. – Auch ich habe, seit drei Wochen
‹meine gewohnten Übungen aufgegeben›; d. h. ich stehe
nicht mehr um halb 6 Uhr auf etc.; wozu auch? Die Tage
sind nicht so leicht zu ertragen; ich verbringe die Zeit mit
äußerlichem Ordnen, Klassifizieren der Manuskripte, hie
und da noch einem kleinen Abschreiben und etwa einer Sendung.» Zusatz: «Sollte ich Ihnen vielleicht etwas senden
können (zu lesen?) oder Ihnen sonst einen Dienst leisten,
soweit es in meiner (unermeßlich kleinen) Macht liegt, so
würde ich das mit Freude tun» (20. September 1939). Und
auf einer ebenfalls ins Feld geschickten Karte steht unter
anderem: «Alle meine Kräfte verwende ich auf das Weiter-
führen der Erzählung (‹Bergfahrt›), die ich – deren 6. Fassung; die erste ist von 1926 – seit zwei Monaten wieder

aufgenommen habe, vorrückend mit der üblichen Schnek-
kengeschwindigkeit von durchschnittlich 1 Seite pro Tag,
d. i. in etwa 6stündiger Arbeitszeit. Und ich würde, um das
Stück einigermaßen zu Ende zu führen, noch 2 Monate
nötig haben·. . .»

Es war im Juni 1940, als ich ein alarmierendes Schreiben des
SSV-Präsidenten Felix Moeschlin erhielt, «unser Mitglied
Herr Ludwig Hohl, 1, Avenue de Frontenex, Genf», habe
ihn heute am Telephon dringend gebeten, ihm doch wieder
einen Beitrag zu senden, da er sich in äußerster Not befinde.
Der Kassier des SSV aber lasse ihn wissen, daß die durch
mich vermittelte Summe sich erschöpft habe; ob es mir nicht
möglich sei, nochmals Schritte zu unternehmen, damit L. H.
geholfen werden könne.

Zu jener Zeit war ich als Fourier von der Kompanie weg
zum Stab des Ter. Bat. 159 abkommandiert und hatte die
Komptabilitäten der Einheiten zu revidieren. Nebenbei
blieb mir Muße, für allwöchentliche Radiosendungen meine
«Baschti»-Geschichten zu erfinden. Ich wandte mich sogleich an Ludwig Hohls Onkel und spekulierte, der Herr
Oberst werde mild und mildtätig gestimmt allein schon
durch den Umstand, daß ihn ein Stabsfourier anbettle. Ein
Mann von der Sonderart seines Neffen, schrieb ich, sei
natürlich neuen Gegebenheiten des Krieges hilfloser ausgeliefert als unsereiner, und ich versäumte auch nicht, beizufügen, daß Hohls nun gedruckt vorliegende «Nuancen und
Details» in der Weltwoche durch Manuel Gasser, in der
NZZ durch Konrad Bänninger und in der National Zeitung
durch Dr. O. Kleiber gewürdigt worden seien. Auch drucke
Dr. Max Rychner im Kleinen Bund regelmäßig Texte aus

Ludwig Hohls Werk ab (15. Juni 1940). Aus Bad Schinz-
nach ließ mir der Herr Oberst den Bescheid zukommen, er
sei zum Ausheilen eines erlittenen Unfalls mit schweren Folgen hier zur Kur, bleibe nach wie vor bereit, dem Neffen
die Unterstützung im bisherigen Betrag angedeihen zu lassen
und er werde sich auch mit Ludwig Hohls Tante verständi-
gen. Auf meine Bitte, die Eltern möchten ebenfalls weiterhin das Ihre zum Wohle des Sohnes beitragen, erhielt ich die
Zusicherung, es bleibe beim alten, man habe übrigens das
Monatliche seit dem Tod von Ludwigs Schwester Magda
auf 200 Franken erhöht. «Im Übrigen freuen wir uns natürlich, daß unser Sohn schriftstellerisch langsam zu reüssieren
scheint. Ich möchte lediglich wünschen, daß sein Stil etwas
lucider u. weniger kompliziert würde» (27. Juni 1940).
Der Ertrag meines Vorstoßes beim Herrn Obersten war im
Endergebnis dann nicht eben ermutigend. Es wurde nämlich
bestimmt, daß dem Neffen künftig nicht mehr als 50 Franken als Monatsrate durch die Bank auf Kosten des Onkels ausgehändigt und auch die Spende der Tante (300
Franken) nur in kleinen Beträgen überlassen werde. «Die
Angelegenheit wird zu einer Schraube ohne Ende.» 15. Juli
1940). «Der unterstützte Neffe ist nun 36 Jahre lang ohne
den leisesten Willen zur Selbsterhaltung, vollständig welt-
fremd und unbekümmert durch das Leben gegangen. Seine
Eltern haben trotzdem bis heute nicht das geringste vorge-
kehrt, daß sein Erbteil nach ihrem Ableben nicht den aller-
raschesten Weg alles Irdischen nimmt ...» Und mit seinem
Versuch der festen Hand will der Onkel «eine Änderung
provozieren».
Die Auswirkung der vom Obersten angeordneten Restrik-

tion auf den Gemaßregelten war in ihrer Heftigkeit voraus-
zusehen. Auf einer Karte (vom 9. August 1940) bricht der
Beleidigte los, er habe mich telephonisch anfragen wollen,
«ob der neue Sekretär des Teufels» sei. «Um die letzte Geldsendung mußte ich 18 Tage lang schreiben und telephonie-
ren ... jetzt hat die Geldsendung *wieder*, bis heute, *10 Tage*
Verspätung. Sollte der Mann in die Ferien abgereist sein –
‹die andern können unterdessen verrecken›? *Ich verbringe
meine meiste Zeit, Tag um Tag dieser heißen Tage, mit dem
Ausfindigmachen kleiner Kredite, Versuchen, ein Buch zu
verkaufen etc.*»
Beim Überlesen meines Skandalberichtes, wie ich ihn hier
gegen laute und leise Bedenken darbiete, stellt sich mir die
Frage, ob es sich wirklich lohne, von allen den Kleinlichkeiten
viel Aufhebens zu machen, von Schikanen, denen dieser von
jeglicher bürgerlicher Schutzwehr entblößte Mensch ausgeliefert war. Ja, sag ich mir, es lohnt sich, es muß sich lohnen. Man soll wissen, welchen Demütigungen ein Außer-
ordentlicher (außer der gebilligten Ordnung lebender und
wirkender) ausgesetzt war – und dennoch seinem Werk ergeben blieb. Es sind der Erniedrigungen noch weitere zu erwähnen; ich will sie nicht ausführlich darstellen, nur den
Umfang ihrer beleidigenden und hemmenden Häßlichkeit
andeuten. Die Erfahrungen dieses so unabhängig Abhängi-
gen sind ja keineswegs einmalig; Ludwig Hohl hat seine
Art- und Leidensgenossen unter den Schriftstellern im
Lande, und nicht von ungefähr erkannte Albin Zollinger in
ihm den Schicksalsgefährten. Es liegt mir fern, hier als Ankläger die schweizerische Geistesverfassung (wenn es so
etwas gibt!) oder nur unsere Öffentlichkeit vor die Schran-

ken zu rufen und dabei willentlich zu übersehen, daß die
Anlage zu leidvollem Geschick gewissen Menschen einge-
wachsen ist. Es handelt sich aber für uns Geregelte und
weniger Angefochtene darum, dem wachsamen, aufgestörten Grenzbewohner mit mehr Vertrauen zu begegnen, statt
ihm mit Verdächtigungen, Argwohn und Hochmut, die ja
meist nur ein Ausfluß von Angst vor unbequemer Veränderung sind, den Weg zu versperren. Mit einer Notiz (Nr. 136
im zweiten Bande seines Hauptwerkes, VII/Varia) bekennt
Hohl, wer nie in die Möglichkeit des Wahnsinns geschaut
habe, sei kein großer Geist. Es ist nicht gewiß und nur zu
vermuten, was wir hier unter großem Geist zu verstehen
haben; es ist wohl der Mensch gemeint, der, von innen genötigt, sich außer Norm und Durchschnitt setzt und Unruhe
und Wagnis fordert, also die erstarrte, verbriefte Ordnung
anzweifelt und angreift. Es braucht uns somit nicht zu ver-
wundern, wenn eigenwilliges Denken und Sehen mit ihren
Ergebnissen – wenn überhaupt beachtet und ernstgenom-
men – von Lesern, die auf Beruhigung und Bestätigung des
Bisherigen aus sind, abgelehnt wird, und mich dünkt, es sei
eigentlich erstaunlich, daß die Angehörigen Ludwig Hohls
entgegen ihres Argwohns langmütig ihre Beiträge zu dessen
Unterhalt beisteuerten. Selbst Albin Zollinger, der Einsichtige und Opferbereite, ließ es sich schließlich verdrießen,
dem Begehrlichen beizustehen (er selbst war ja der Hilfe
von außen so überaus bedürftig!), und schrieb mir (im November 1941): «Es kommt aus Genf wieder einmal ein
schwarzer Brief; aber ich bin persönlich müde, mich noch
sehr für die sonderbar Anspruchsvollen zu rühren, die sich
wundern, nicht von der Feder leben zu können.»

Wenn ich zu erfahren versuche, in welchen Untiefen eigentlich Ludwig Hohls Weigerung gründet, eine wirtschaftlich einträgliche Tätigkeit zu ergreifen, wo also die Ursache zu suchen ist für seinen Widerstand gegen jede fest entlöhnte Berufsausübung und warum er allen Demütigungen zum Trotz sich während Jahren den Launen der Wohltätigen aussetzte, befriedigt mich die Erklärung nicht, daß ihn eben «schwerer Dienste tägliche Bewahrung» erschöpfte. (Er zitiert das Goethewort aus dem Divan hier und dort, z. B. in «Die Notizen», I. Band, S. 336, Nr. 7 und im II. Band, S. 128, Nr. 139). Seine Weigerung aus psychischer Untauglichkeit, die ihm so viel Beschwernis und Behelligung bringt, muß auf eine Verwundung zurückweisen, die ihm in frühen Jahren angetan wurde. Warum, fragt sich der Teilnehmende, verbietet er sich ferner jedes Mundartwort im täglichen Umgang, warum meidet er die eigentliche Muttersprache, den Dialekt, und verdächtigt er ihn immer wieder in seinem Werk? Ein Beispiel von vielen: «Auch ist es unmöglich, daß ein durchschnittlich begabter Mensch je deutsch sprechen und schreiben lernt, der sechs Tage in der Woche Dialekt spricht.» («Die Notizen», II. Band, S. 382, Nr. 77.) Verdrängt er mit der Muttersprache die Mutter? Dieser Verdacht befestigte sich mir, als ich seine Mutter kennen lernte, und ich fand die Bestätigung meiner Vermutung in einem schriftlichen Bekenntnis Ludwig Hohls: am 12. November 1945 begann er einen Brief in Kleinformat an mich zu schreiben, den er am 29. November, sowie am 6. Dezember fortsetzte und am 15. Dezember auf der dreizehnten Seite abschloß. Bedeutungsvoll für die Antwort auf meine Frage nach der trotzigen Hilflosigkeit in finanziellen

Dingen sind die Eröffnungen, die auf den Seiten 10 bis 13 nachzulesen sind; da heißt es:

«Ich bin nicht undankbar. Bei diesen Leuten aber war es so, daß, was die eine Hand gab, die andere wieder zurücknahm in Form von – – ja einfach durch die Form. (‹Opfer›. ‹Was wir uns vom Mund absparen›. ‹Nocheinmal...› usw.) Durch Erniedrigungen. Daher schulde ich ihnen nichts. Wenn jemand zehnmal ärmer gewesen wäre, zehnmal weniger gegeben hätte, aber so, wie Arme zu geben pflegen, nämlich ohne daß Erniedrigungen damit verknüpft waren (und auch ohne Bestehen eines Drucks, sei es durch die Furcht vor gesetzlicher Verpflichtung, sei es durch die öffentliche Meinung – wie sie beispielsweise durch Sie repräsentiert wird –), – ihm wäre ich dankbar.
Der Hintergrund ist gewaltiger.
Das ist meine Kindheit. In diesen Jahren erst ist es mir klar geworden, daß meine Unfähigkeit, Geld zu erwerben, wenigstens so es sich nicht um großes Verhältnis, sondern um das Kleinere, Engere handelt, diese *Infirmität*, dort entstanden ist durch einen einfachen psychischen Prozeß: das Grauen, das die uns bekannte Dame in mir erweckte, das unbedingte Bestreben, ihr um alles in der Welt nicht zu gleichen, erzeugte in mir die genannte Infirmität. So muß auf die eine Übertreibung die andere folgen – möge man es ‹Unerbittlichkeit des Weltgesetzes›, ‹Dialektik der Geschichte› nennen.
Die Frau Pfarrer ist übrigens nicht nur der personifizierte Geiz, sie ist auch noch Sadistin. Die Veröffentlichung meiner Kindheitserinnerungen würde genügen, sie hinter

Gitter zu bringen – und wenn auch vielleicht der Verjäh-
rung wegen nicht hinter die des Gefängnisses, so doch hinter
die des Irrenhauses – wo sie hingehört hätte seit mindestens
dreißig Jahren.»

Es fällt auch hier auf, daß – obwohl von der leiblichen
Mutter die Rede ist – nie das Wort Mutter verwendet
wird; er weicht ihm aus, nennt sie «die Frau Pfarrer», «die
uns bekannte Dame», oder er spricht, wenn er die Eltern
meint, von «diesen Leuten» oder, früher, «die Geistlichen».
Ist es da verwunderlich, daß auch seine Einstellung zur
Frau allgemein durch derartige Erfahrung vorgeprägt wird
und sich in den Notizen, den Maximen, Aphorismen, bis in
die Erzählungen hinein auswirkt! Ich denke da an die er-
schreckenden Frauengestalten in der Erzählung «Vernunft
und Güte» und in der Skizze «Laurisa» (Der kleine Bund,
Bern 1938), oder man erinnert sich an Anmerkungen über
die Faulheit der Frau. («Die Notizen», Band I, S. 184, Nr.
213.) Es scheint geradezu naturnotwendig zu sein, daß einer
unter solchen Umständen zum Rebellen auswächst: unter
der «Unerbittlichkeit des Weltgesetzes» oder einfach als
Folge des Drucks und Gegendrucks und der ausgleichenden
Gerechtigkeit, nach der Pastorensöhne zur Wehrmacht aus-
reißen und Generalssöhne zur Kanzel fliehen!
Es gibt in Ludwig Hohls Notizen Einträge genug, die als
Ausdruck des geradezu verbissenen Hasses und der gesunden
Wut (er nennt sie «objektiv», die Wut) gewertet werden
müssen: gegen den Hund, gegen das Pferd, gegen den Herrn
Meyer und den Apotheker, gegen den Lehrer, gegen die
Theologen und eben gegen den Dialekt. Hohl hat seine

«Notizen» in Holland (1934–1936) aufgeschrieben, als Rohstoff nach Genf gebracht und hier, von 1937 an, das Werk umgebaut. Er betont immer wieder, daß er in jahrelanger Arbeit durch Auswählen, Anordnen, Eliminieren dem Ganzen eine Struktur gab, und was an Neuem dazukam, bestehe vorwiegend aus Fußnoten. In solchen nachträglich zugefügten Anmerkungen versucht er zuweilen, gewisse eigene schroffe Urteile durch Beschränkung ihrer Gültigkeit zu mildern. In einem Anhang zum VII. Teil (Varia) des zweiten Bandes von «Die Notizen», der mit «Autobiographisches» bezeichnet ist, faßt er Fragmente persönlichen, privaten Erlebens zusammen. In der Absicht, «die Einheitlichkeit des Werkes nicht zu gefährden, sah ich mich genötigt, die hier folgenden wirklich autobiographischen Stücke zusammenzufassen und als Anhang zu isolieren» (S. 123).

Unter diesen Stücken findet sich als Nr. 158 (S. 146) ein Geständnis, das hier ungekürzt wiedergegeben sei und das zur Rechtfertigung meines Berichtes dienen könnte, falls er dieser bedürfte. Wenige Seiten zuvor begründet Hohl übrigens sein Vorgehen mit dem Satz seines Freundes Andreas Ronai (S. 122), der gewisse Schriftsteller vor dem Irrtum warne, die Allgemeingültigkeit ihres Werkes dadurch sichern zu können, daß sie das Geschaffene von allen Fäden befreien, die es mit dem persönlichen Erleben verbinden: «Sätze und Werk werden aber dadurch nur abstrakt, nicht allgemeingültig; denn *wie sich das Leben in Erkenntnis wandelt*, macht das Allgemeingültige aus» (Ronai).

Das heißt doch wohl, individuell Erlebtes (also privat Intimes) verliere dadurch den Beigeschmack des Indiskreten, wenn es so dargeboten werde, daß es jedem von uns hätte geschehen können («indem das Gesehene wichtiger als das Geschehene» wird; S. 123), oder: indem das Einzelleiden exemplarisch als Menschenleid erkannt, subjektive Not zu objektiver Zeitnot und Nötigung aufgehellt wird. Dazu vermerkte Helmut Heissenbüttel*: «Hohl ... verbannt das seinem Empfinden nach lediglich Personale in Anhänge, fühlt sich allerdings zugleich verpflichtet, dieses Personale mit einzufügen, gleichsam wie eine Stifterfigur auf mittelalterlichen Altarbildern.»

Dieser Stifterfigur L. H. gilt hier meine Aufmerksamkeit. Aus dem Abstand Zürich–Genf, aus dem Abstand meiner bürgerlichen Geborgenheit von seinem ausgelieferten Dortsein habe ich jene Notzeit miterfahren. Seine harten Jahre haben sich bei mir niedergeschlagen in lastenden Erinnerungen, aber auch in Zetteln, Briefen und Karten. So kann ich die «einzelnen Elemente», die er in der «Tages-Chronik» namhaft macht, belegen und derart dartun, aus welchen Erfahrungselementen sich das «Leben in Erkenntnis» wandelte.

«Tages-Chronik ... jedenfalls eine so *lang* dauernde Schrekkenszeit – ohne einen Punkt des Ausruhens –, sie ist völlig neu. – Die einzelnen Elemente: L. mit grauenhaftem, zerstörendem Husten – überhaupt krank seit Monaten – von Tag zu Tag kein Gas (Münzautomat) – kein Licht droben in meinem Raum (genauer, nur die schon erwähnte trübe Petroleumlampe) (– und wenn ich gewußt hätte, als ich das schrieb, daß derselbe Zustand noch nahezu zehn Monate dauern sollte!) – so gut wie nichts zu essen – keine Ge-

* Helmut Heißenbüttel zu Ludwig Hohls «Nuancen und Details», (NZZ, 30. August 1964).

tränke – zerstörte Kleidung – Kälte, erstickendes Haus und Unmöglichkeit, auszugehen – Notwendigkeit, statt an meinem Werk zu arbeiten, mich Tage und Wochen mit schauerlichen Briefen abzuschinden (welche dann nutzlos waren) – dauernde Drohung der Hauskündigung – mit niemand zu reden möglich – keine Post – *eine* Marke. – ...»
(«Die Notizen», II. Band, VII Varia, Anhang, Nr. 158, S. 146)
Satz um Satz dieser Klage könnte ich hier mit handschriftlichem Zeugnis belegen. Zu der ökonomischen Bedürftigkeit kamen die Mühen, einen Verleger zu finden. Am 17. August 1942, also im dritten Kriegsjahr, schrieb er mir, nachdem er wieder einmal nach Zürich gefahren war und hier in Verlagshäusern und Zeitungsredaktionen vorgesprochen hatte: «...nach fünfzehnmonatigen unvorstellbaren, grausigen, unsagbaren (– allein Kafkas «Schloß» kann eine Vorstellung davon geben) Geschehen und Nicht-Geschehen mit meinen sogenannten Verlegern (unter der Führung erst 9 Monate lang von Brenner, dann 6 Monate lang von Egli*) habe ich den Entschluß gefaßt (am 28. Juni), ein Unternehmen zu versuchen, das bisher immer als Sinnlosigkeit hatte erscheinen müssen, vor *dem* Geschehen und Nichtgeschehen aber..., nämlich eine kleine Schrift wenigstens im Selbstverlag herauszugeben. – Und ‹eine Sinnlosigkeit›: die Erfahrung hat gezeigt und wird zeigen, daß da noch immer weniger Sinnlosigkeit sitzt als in dem, was von diesen Lumpen, Lügnern und faulen Hunden (Atlantis ausgenommen), welche sich in der Schweiz literarische Verleger

* Dr. Egli, Sekretär des SSV, Nachfolger von Dr. Karl Naef.

17. Aug. 42

Lieber Traugott Vogel,

nach dem fünfzehn-
monatigen ·unvorstellbaren, grausigen, unsagbaren (-allein Kafkas „Schloss" kann eine
Vorstellung davon geben) Geschehen und
Nicht-Geschehen, mit meinen sogenannten Verlegern (unter der Führung erst 9 Monate lang
von Bremmer, dann 6 Monate lang von
Egli), habe ich den Entschluss gefasst
(am 28. Juni), ein Unternehmen zu versuchen, das bisher immer als Sinnlosigkeit hatte erscheinen müssen, vor
dem Geschehen und Nichtgeschehen aber...,
nämlich eine kleine Schrift vermittelst ein
Selbstverlag herauszugeben. — Und „eine
Sinnlosigkeit": die Erfahrung hat gezeigt
und sie zeigen, dass da nichts immer weniger
Sinnlosigkeit sieht als in dem, was
von diesen Lumpen*, welche sich in der
Schweiz loterarische Verleger nennen, er-
-artet werden kann. — Ein Versuch
also, aber mit Hartnäckigkeit unternommen; ruhend ausschliesslich auf Subskript.,
denn ich habe wenige als je einen Rappen
Geld. Und, ganz allein auf

Ludwig Hohl,
erste Seite des bleistiftgeschriebenen Briefs
vom 17. August 1942 aus Genf an Traugott Vogel

nennen, erwartet werden kann. – Ein Versuch also, aber
mit Hartnäckigkeit unternommen, ruhend ausschließlich auf
Subskription, denn ich habe weniger als je auch nur einen
Rappen Geld. Und ganz allein auf privatem, privatestem
Wege vordringend – diejenigen beiden, auf die ich als
Hauptpfeiler des Unternehmens gezählt hatte, Egli und
Brenner, haben mich hier einmal völlig im Stich gelassen
(was ihre übrigen Verdienste um mich nicht schmälern soll)
– habe ich die Subskription in fünfundvierzigtägiger unab-
läßiger Arbeit auf 203 Exemplare geführt. Am 11. August
wurde sie abgeschlossen, und das kleine Buch wird in dieser
Woche erscheinen. Der III. Teil von Nuancen und Details,
der des geizigen Oprechts wegen damals zurückbleiben
mußte – erinnern Sie sich, wie A. Z. ihn mit der Schere, im
Café Ernst [damals am Bahnhofplatz], herausgeschnitten
hat –; außerdem aber ist dabei noch eine kleine Freude gelungen; wie Sie sehen werden, wenn Sie, als einer der ersten,
die Broschüre erhalten werden ...»
Was die «kleine Freude» betrifft: Ludwig Hohl ließ als Anhang seinen «Letzten Brief an Albin Zollinger» ins Bändchen einrücken. Das Werk wurde bei Albert Kundig in
Genf in einer Auflage von 400 numerierten Exemplaren
hergestellt (im Selbstverlag, Genf, 50, Rue du 31
Décembre). Es umfaßt 78 Seiten, und in einer «Übersicht»
ist vermerkt, wann und wo einzelne der hier gesammelt erscheinenden Aufsätze und Stücke zuvor gedruckt worden
sind. Vor dem Innentitel werden die vorhandenen und abge-
schlossenen Werke aufgezählt. Ein einziges davon lag gedruckt vor («Nuancen und Details», I. und II. Teil, 1939);
hinter den übrigen fünf Titeln steht: Nicht erschienen.

Im September des selben Jahres (1942) plant er, drei Teile
seiner «Notizen» (I Vom Arbeiten – II Reden, Schwatzen,
Schweigen – III Der Leser) abermals im Selbstverlag herauszubringen, und fährt, um «eine öffentliche Hilfe mobil
zu machen», nach Zürich. «Die Schillerstiftung und der SSV
müßten (zusammen) ca. $1/3$ übernehmen (ca. 400 Fr.), dann
habe ich Hoffnung durchzukommen, sonst nicht. Bis jetzt
sehen die Aussichten nicht ganz hell aus...» (Karte, 3.
September 1942). In einem Zwischenbericht vom Mai 1943
wird der Mißerfolg der versuchten Subskription festgestellt;
nach sieben Wochen Werbung sind 45 Bücher bestellt, bei
einem Minimum von 200 Exemplaren, die nötig wären, um
die Kosten zu decken.*
Verärgerung! Während ihm unterm Zeichen E. K. (Ed. Korrodi) ein Aufsatz zurückgeschickt wird («... und wir bitten
Sie, darum zu verstehen, daß wir keine Verwendung für
Ihre Kunst haben»), geht durch die Presse die Meldung von
einer Preiskrönung: E. K. wurde «in Anerkennung seiner
Verdienste um das schweizerische Schrifttum» von der
Schillerstiftung mit einer Gabe von 2000 Fr. geehrt (Mai
1943).
Verbitterung! Im Juni erhält Ludwig Hohl von der Bank
«in offenbar absichtlich grober Form» die Mitteilung, daß
gemäß «Weisung von Herrn L. Zweifel keine weitern Überweisungen mehr erfolgen». (Es handelt sich um die bis dahin
monatlich gespendeten 50 Franken.) Was war vorgefallen?

---

* Im Januar 1943 erscheint im Selbstverlag der 1. Teil der «Notizen»:
«Vom Arbeiten». Die Mittel für den Druck der geplanten drei Teile
waren «auch nicht im entferntesten Maße» aufzubringen (nach dem
Vorwort).

«Die Mitteilung stand auf dem Abschnitt der Postanwei-
sung, mittelst der mir – 4 Monate nach Lieferung und auf
ein nochmaliges Zusenden der Rechnung hin – die seinerzeit subskribierten Bücher bezahlt wurden», so schreibt mir
Ludwig Hohl am 2. Juni 1943 und fährt fort:
«Das Zusenden der Rechnung hat den Herrn offenbar in
Zorn gebracht. Ich hatte auch lange gezögert; aber ich
komme nicht zu Ende, ja ich kann kaum mehr vorwärts mit
meinen Bezahlungen (d. h. an die Druckerei, die zu mahnen
begonnen hat – und was sind das für Grundlagen für ein
neues Drucken!).»
Dann im Sommer 1944 endlich etwas Lichtes. Der Vorstand
des Literarischen Klubs Zürich, dem Max Frisch, Erwin
Jaeckle, Emil Staiger und Max Wehrli angehörten, beschloß,
Ludwig Hohl zu einer Vorlesung einzuladen, und man erteilte mir den Auftrag, mich mit ihm ins Einvernehmen zu
setzen. Im Februar zuvor hatte er mir nämlich angezeigt,
das Manuskript des ersten Bandes der «Notizen» (Teile I–VI)
liege druckfertig vor und sei im Begriffe abzugehen –
«allerdings nicht an einen Verlag, sondern an Witz (Dr.
Friedrich Witz, Artemis-Verlag) persönlich; aber dank diesem ausgezeichneten Dr. Witz kann ich hoffen, daß die Ver-
lagswirren (denn durch Vertrag bin ich doch gebunden an
diesen Morgartenverlag) auf das rascheste befriedigend ge-
klärt werden»* (16. Februar 1944).
Tatsächlich war Dr. Friedrich Witz bereit, im Artemis-Verlag die «Notizen» in zwei Bänden im Herbst und im drauf-

---

* Durch Vermittlung des Departements des Innern hatte sich der Mor-
  garten-Verlag entschlossen, die gesammelten Erzählungen Ludwig
  Hohls herauszubringen («Nächtlicher Weg»).

folgenden Frühling erscheinen zu lassen. Hohl willigte nun
ein, zu einer Vorlesung nach Zürich zu kommen, und er
zählt auf, was er vorzutragen gedenkt: eine kurze Erzählung und Stücke aus dem IV. und II. Teil von «Die Notizen». Der Vorleseabend wird auf Freitag, den 17. November 1944, angesetzt, Clubzimmer des Kongreßhauses. Im
Einladungsschreiben an die zu erwartenden Gäste steht,
daß wir in Ludwig Hohl einem Schriftsteller begegnen, «der
in präzisen Denkschritten zum Erkennen vordringt. Er
preist im treu erfüllten Gemeinen das gültige Allgemeine, im
genauen Verrichten des persönlich Gesetzten das Errichten
und Erfüllen des Menschengesetzes». Ich hatte ihm diese
knappe Formel zur Begutachtung vorgelegt, und sie wurde
stillschweigend gebilligt.
Im gleichen Monat war Ludwig Hohl in der «Katakombe»
der Genossenschaftsbuchhandlung in Zürich zu Gast. Aus
dem Text der Einladung hebe ich diese Sätze hervor, mit
denen seine Sonderart gekennzeichnet wird: «Es ist kein Zufall, wenn der Mann, der das stärkste Sprachgewissen der
deutschschreibenden Schweiz verkörpert, seit vielen Jahren
in Genf lebt. Wer Wesentliches zu geben hat, sucht sich den
Raum des größten Widerstandes aus.»
Nach Erscheinen des ersten Bandes von «Die Notizen» im
Artemis-Verlag (er trägt die Jahreszahl 1944) setzen für den
Verfasser die von uns erwarteten Erfüllungen leider nicht
ein. Das Buch wird vom Verlag – im Klappentext – so
angekündigt: «So werden Die Notizen von Ludwig Hohl zu
einem ‹Brevier für denkende Menschen›.» Kein erstauntes
Aufhorchen, weder Zustimmung noch Ablehnen durch die
Tagespresse, sondern Stille, die man zur Not als Zeichen der

Verlegenheit oder des Zuwartens deuten konnte, war doch ein zweiter Band angezeigt worden, dessen Erscheinen für das Frühjahr 1945 vorgesehen war. Und eben dieser zweite Band, «die zweite Hälfte eines völlig einheitlichen Werks», blieb aus, und dessen Fehlen wurde während nahezu zehn Jahren Ursache neuer Enttäuschungen. Anfangs 1945 schrieb mir Ludwig Hohl, der Winter sei schlecht gewesen; sogar die Maschine sei «in Aufenthalt gegangen»; die zweite Hälfte seines Werks könne nicht wie vorgesehen im Frühling erscheinen. Und wieder fehle es ihm am allernötigsten zum Lebensunterhalt, und er hätte einen Minimalbetrag von rund 1000 Franken zur sofortigen Sanierung gebraucht. Der um Beistand angegangene Verlag (Artemis) machte mir gegenüber geltend, man habe den zweiten Band bereits bevorschußt, habe ferner dessen Satz unterbrechen müssen, da die Manuskriptfortsetzungen ausgeblieben seien, und dem bereits ausbezahlten Betrag stehe «ein Einnähmchen von 1500.– Fr.» gegenüber. Es seien nicht mehr als 144 Exemplare abgesetzt worden und von den Erzählungen «Nächtlicher Weg» nur 5 Stück. Man frage sich, ob irgend eine Stiftung oder eine private Stelle dazu zu bewegen sei, Hohl ein langfristiges Darlehen zinslos zu gewähren. Einer seiner Freunde, Andreas Ronai, schrieb mir: «Hohl besitzt einen einzigen, völlig zerfetzten Anzug, der es ihm fast unmöglich macht, seine Behausung zu verlassen. Er sehnt den Winter herbei, wo sein neuer Wintermantel diese Defekte verdecken kann» (30. August 1945). Die alte Misère – und dabei lag ein gedrucktes Werk von 477 Seiten vor.

Ich wandte mich an die Weltwoche und fragte, ob man nicht bereit sei, dem Buch einen Weg in die literarische

Öffentlichkeit zu bahnen. Manuel Gasser antwortete, «Die
Notizen» seien bis dahin nicht besprochen worden, weil er
keinen Rezensenten gefunden habe. «Ich gab es dreien oder
vieren von meinen Mitarbeitern, aber die Aphorismen
kamen wie ein Bumerang jedesmal wieder zurück.» Er willigte ein, das Buch durch Herrn Ronai besprechen zu lassen,
was denn auch zustande kam (3. September 1945).
Zwecks «sofortiger Sanierung» mußte wieder bei den Verwandten angesetzt werden; der Herr Oberst sowie die
Eltern steuerten zwar ihre üblichen Gaben bei, konnten sich
aber zu einer einmaligen größern Spende nicht entschließen.
Der Vater schrieb mir, was er leiste, entspreche dem Ertrag
eines Vermögens von mindestens 130 000 Franken, und er
habe dem Sohn wiederholt erklärt, entweder heimzukom-
men oder endlich einmal irgend eine andere Beschäftigung
neben seiner Schriftstellerei zu ergreifen (2. Oktober 1945).
Es kam dann im November 1945 zu einer Aussprache mit
Pfarrer Hohl im Buffet des Hauptbahnhofs in Zürich, bei
der auch die Mutter Hohl zugegen war. Der alte Herr (78)
zeigte sich aufgeschlossen, war bereit, zur Sanierung der
Wirtschaft seines Sohnes einen einmaligen Beitrag zu leisten,
fürchtete aber, das Geld werde nicht zweckmäßig verwendet. Die Mutter anerbot sich, dem Sohn aus einem Nachlaß
einen Anzug zu überweisen, der freilich vom Schneider
zuerst umgearbeitet werden müßte.
Ich ließ Ludwig Hohl wissen, daß die Aussprache nichts Er-
sprießliches ergeben habe. Er antwortete: «Die Mühe, die
Sie sich gegeben haben, ist rührend. – Das Resultat ist das
erwartete. Nach einer Inkubationszeit werden sie eine
kleine Summe, für Anzug oder Teil eines Anzuges oder

anderes ‹opfern›» (12. November 1945). Und er fährt später
so fort: «Wenn man mir aber allgemein eine Summe übermitteln würde unter der Bedingung, daß irgend eine Bevor-
mundung damit verbunden sei, würde ich, *welches auch
immer die Summe und welches auch immer meine Lage sei,*
diese Summe zurückweisen. – In meine Lebensführung hat
sich niemand zu mischen . . .; und am allerwenigsten die
Leute, die lebenslang auch nicht halb so viel Konstruktion
des Daseins, bewußte Führung, *Lenkung* erreicht haben.
(Wer mich mit Glauser vergleicht, beleidigt mich)» (6. Dezember 1945).
Im Januar 1946 trifft ein Entscheid des Eidgenössischen Departements des Innern ein: man ist außerstande, einen
Werkbeitrag an den Druck des zweiten Bandes von «Die
Notizen» zu leisten.* Das Departement habe für die verschiedenen Teile der «Notizen» aus Arbeitsbeschaffungs-
mitteln bereits insgesamt 3300 Fr. bewilligt, dazu komme
eine Zuwendung der Stiftung Pro Arte von 1500 Franken.
– Die Absage wirkte niederdrückend; gemeinsam mit
Hanny Fries erwog man, bei Gottlieb Duttweiler vorstellig
zu werden. (Die Tat brachte ja zuweilen Texte von L. H.,
die der Redaktor Dr. Erwin Jaeckle angenommen hatte.)
Am 9. Juli 1946 richtete ich an den Rechtsvertreter Gottlieb
Duttweilers, Dr. Walter Baechi, Rechtsanwalt, ein Gesuch,
mit welchem ich um eine Aussprache bat. «Ich bin vom
Vorstand des SSV in der Sache Ludwig Hohl als freundschaftlicher Beistand bezeichnet worden und rechne es mir

---

* Dem Gesuch lagen nicht die «Notizen» zugrunde, sondern ein neues
Manuskript «Die Nachnotizen». (Nach einem rechtfertigenden Bericht Ludwig Hohls).

zur Ehre an, für diesen eigenwilligen Denker und Künstler einstehen zu dürfen» (9. Juli 1946). Die Bettelei trug 500 Franken ein.

Eine Eingabe an das Zentralsekretariat der Schweizerischen Winterhilfe, die über einen «Fonds für Künstler und Intellektuelle» verfügte, zeitigte eine etwas pedantische Antwort, die zur Folge hatte, daß Ludwig Hohl sich weigerte, auf dem lokalen Wohltätigkeitsbüro vorzusprechen, wo, wie er schrieb, «auf Bänken verhutzelte alte Weiblein sitzen, welche warten, bis einer der Beamten sie gnädig und nicht ohne Strenge anzureden geruht, um sie sozusagen zur Rechenschaft zu ziehen ... Ich will mich damit den alten Weiblein gegenüber keineswegs überheben; aber meine Gegebenheiten sind andere ... Ich aber sage Ihnen, daß, so lange Sie keinen weniger entwürdigenden Modus finden, ich auf Ihren Beitrag verzichten werde, wenngleich ich keine Schreibmaschine mehr, bis zum heutigen Tage keine Heizung, und nur Schuhe habe, durch deren Sohle bei feuchtem Boden nach zwei Schritten Wasser dringt – und auch dann verzichten würde, wenn ich noch weniger hätte» (28. Oktober 1947).

Ludwig Hohl gab sowohl mir als Edwin Arnet, der zu vermitteln versuchte, Kenntnis von seiner Empörung, indem er jedem von uns eine Abschrift seines Schreibens an die «Winterhilfe» zukommen ließ. In der Antwort Edwin Arnets an Ludwig Hohl steht zu lesen: «... obwohl ich persönlich der Meinung bin, daß es kein Verbrechen ist, wenn jemand unsere Werke nicht kennt, etwa wie Sie die Arbeit dieser Beamten nicht kennen und sich darüber trotzdem Urteile erlauben. Sie als Aphorismus-Mann müssen wissen, daß der schönste Aphorismus Goethes im Ausruf ‹Oh, kennte einer den andern› besteht.»

Ergebnis: 150 Franken aus dem Fonds für Künstler und Intellektuelle.

Es folgten diese Unternehmungen:

Im Februar 1948: Eingabe an die Emil Bührle-Stiftung; ohne Erfolg. Im März 1949 neues Gesuch an Nationalrat Gottlieb Duttweiler, Migros-Genossenschaftsbund, mit dem Ergebnis: Beitrag an Klinikkosten 500 Fr., Monatliche Beitragsleistung an den Lebensunterhalt 150 Fr., befristet auf ein Jahr = 1800 Franken.

Im April 1949: gute Botschaften! Die Schillerstiftung zeichnet ihn aus; der SSV beschließt, ihm im Kampf um die Herausgabe des zweiten Bandes von «Die Notizen» beizustehen und Herrn Dr. Martin Howald mit der Übernahme der Prozeßführung zu betreuen.

Dann im Mai 1949: «Die erwartete Person ist angekommen. Herzlichst Ihr Hohl» (Gesundheitlich normale Zustände). Ihm war die Tochter Heidi geboren worden. Die Anschrift auf dem Briefumschlag weist ungewöhnlich freudvoll ausholende Schriftzüge auf.

Februar 1950: «Die Stunde der Erlösung naht – baldiges Heraustreten aus der Dunkelhaft! Die Hauptverhandlung des Prozesses soll am 28. stattfinden. Ich werde jedenfalls gewinnen, so oder so; denn ich werde doch meinem 4 1/2 Jahre dauernden Kelleraufenthalt entrinnen.» Vor dem Handelsgericht des Kantons Zürich wurde der Artemis-Verlag durch Dr. René Niederer vertreten. Hohl bemerkt zu der Klageantwort des Gegenanwaltes, ihr fehle das Amüsante (immerhin) nicht, sie sei nicht trocken, viel mehr eine

Schmäh-, als eine juristisch argumentierende Schrift: «Verhalten des Klägers höchst unaufrichtig» – «Machenschaften» – «über die eigenen Untaten schweigt man sich aus» (Hohl nämlich) – «der Öffentlichkeit ein solches Machwerk vorzulegen» – «katastrophales Machwerk» («Die Notizen» nämlich) – «Sammelsurium von Unsinn» – «Antrag auf psychiatrische Begutachtung seines Elaborates». –
Es sollte immerhin nach erfolgtem Richterspruch noch vier Jahre dauern, bis der umstrittene zweite Band erscheinen konnte. Er ist mit einem Vorvermerk «Dr. Martin Howald in Dankbarkeit» gewidmet (1954).
Mit dem Vorliegen der beiden gedruckten Bände «Die Notizen» scheint tatsächlich «die Stunde der Erlösung» geschlagen zu haben. Das Werk liegt nun als Ganzes vor, wie es erdacht und gedacht war, und es stellen sich Leser und Kritiker ein, die dessen strukturelle Einheitlichkeit zu erkennen vermögen (siehe Vorwort zum zweiten Band). Er erscheinen nun verschiedene Würdigungen, freilich auch Anzeigen, die an Schmähung grenzen. Im Jahre 1955 gelingt es mir, von Ludwig Hohl ein «Bogen»-Heft (im Tschudy-Verlag, St. Gallen) herauszubringen. Zunächst hatte Ludwig Hohl vorgeschlagen, in dem Heft zwei Nachrufe zu vereinen: «Abendlicher Gang» (auf Katherine Mansfield) und «Letzter Brief an Albin Zollinger»; wir wählten schließlich die bittere, satirische Erzählung «Vernunft und Güte», zu der Hanny Fries eine Bildniszeichnung gab und ich ein Nachwort beisteuerte.
Während der folgenden Jahre erreichten mich keine ausführlichen handschriftlichen Belege mehr; es blieb bei ge-

legentlichen telephonischen Anrufen von Genf aus oder es kam zu Besuchen hier und dort. Nie aber hat sich eingestellt, was einst R. J. Humm glaubte mir prophezeien zu müssen, als er mir im Jahre 1938 schrieb: «Wie ich Hohl an diesem Abend kennen gelernt habe, muß der Tag kommen, wo er auch Ihnen einen ähnlichen Streich spielt. Nicht er, sondern der Dämon, der in ihm steckt.» Es ging um eine Handgreiflichkeit mit körperlichen Folgen nach erregter Debatte, in Anwesenheit Albin Zollingers, der gegen Humm und für Hohl Partei ergriffen hatte. Schon früher war ich zu Vorsicht im Umgang mit dem angeblich zu Jähzorn neigenden Hohl gewarnt worden. Dieses alles waren entweder Verleumdungen oder Urteile von Menschen, mit beschränkter Sicht, die gerechten Zorn nicht von Jähzorn zu unterscheiden vermochten.

In einem entschieden absprechenden Aufsatz (in «Unsere Meinung», April 1965) versuchte Humm nachzuweisen, daß Hohls philosophische Betrachtungsweise (die auf ein unabläßig denkendes Erkennen gerichtet ist) die Folge geistiger Unterernährung sei, und er bezeichnet dessen wunderliche Verhaltensweise, wie sie sich in seinem Werk bekunde, als den Ausdruck «spiritueller Limitierung» eines Abiturtoren mit mittlerer Bildung, läßt freilich in einer Nebenbemerkung Ludwig Hohls erzählerische Leistung als «durchaus beachtlich» gelten. Der radikalen, gott-losen Verabsolutierung der Verstandeskräfte, wie Hohl sie praktiziert, setzt Humm sein naturwissenschaftliches, mathematisches Besserwissen entgegen.

Solchen kurzschlüssigen, voreiligen Reduktionen seien einige Zeugnisse von Zeitgenossen gegenübergestellt, die den Grad

der Bildung nicht einseitig am Umfang der Belesenheit ab-
messen.

In der Neuen Zürcher Zeitung vom 27. November 1954
bespricht Werner Weber «Die Notizen», Band II. Es
heißt da einmal: «Man hat bei ihm Gelegenheit, sich auf
Schritt und Tritt durch Bemerkungen betroffen oder auch
getroffen zu empfinden, man möchte bellen, verbeißt es
dann aber, weil man lächelnd, auf einmal das Gran entdeckt hat, in dem eine Wahrheit sitzt.» Und später: «Ludwig Hohl erhellt sich den Blick auf das Leben durch den
Blick auf den Tod. Er hat die Kraft, sich eine Sache in vollkommener Lebensgefahr vorzustellen, um sie, mit einer auf
den letzten möglichen Augenblick gerafften Aufmerksamkeit noch einmal ereignishaft betrachten zu können. Er hat
den Tod als Verstärker.» Und zwei Jahre später (NZZ, 22.
Dezember 1956, «Aus Dankbarkeit») würdigt Wb. den
Außenseiter Hohl. Da heißt es: «Hohl schreibt eine Kurz-
form der Prosa, voller Urteil und Verurteilung, heftig persönlich, nicht auf Abschluß versessen, vielmehr gereizt
andere fortreizend, tief traurig über mögliche Dummheiten,
voller Liebe aber den Honig verbergend.»

Konrad Bänninger, der wiederholt von Hohl zitiert wird
(im zweiten Bande), beschließt eine Besprechung der
«Nuancen und Details» (überschrieben mit «Rechtfertigung
des Künstlers», NZZ, 27. August 1939) wie folgt: «Die
Summe des Ganzen ist beträchtlich, sie rührt an die Schultern der *Weisheit*, der Hohl selber in einem Stück ehrfürch-
tige Worte widmet... Wahrhaftig, hier ist wieder einmal ein
Künstler sowohl durch sein kämpferisches, als das rein ge-
staltende und seherische Wort gerechtfertigt, es kann ihm

nicht mehr genommen werden, und doch gehört es allen andern.»

Max Frisch schrieb anläßlich der Neuausgabe von «Nuancen und Details» in einem Brief an den Walter-Verlag: «... dabei kein prophetisches Werk, also nicht posthum-aktuell, weil die Zeitgeschichte es bestätigt, aber virulent jetzt wie vor Jahrzehnten und lesbar, als wäre es jetzt entstanden, abseitig-gegenwärtig ‹unberühmt›, aber vorhanden, als Sprache akut, ich denke, das ist Rang ...»

Und Albin Zollinger gestand, in einem Nachwort zu einem Brief an Ludwig Hohl, am 9. Februar 1939: «Dein Ton ist wie der langsame Ernst derer vor hundert Jahren. Du sprichst ohne uns nachzugehen, immer von Deinem Ort aus; wer also vor Dir flüchtet, dem wird Deine Stimme immer größer im Ohr, wie ein Trichter. Ich möchte sagen: Du bist unentrinnbar. Die Wesenheit ist unentrinnbar. Das ist unser oberster Optimismus.» (Heinz Weder: «Briefe von Albin Zollinger an Ludwig Hohl», Verlag Hans Huber Bern, 1963)

Auch Friedrich Dürrenmatt bekennt sich seit Jahren zu Ludwig Hohls Schaffen; neuerdings schlossen Kurt Marti, Peter Bichsel, François Bondy und Heinz Weder auf und «ont rendu hommage à Ludwig Hohl, un grand écrivain européen» (Mitteilungen des SSV, Nr. 6, 1969/70).

Das Treffendste, Zutreffende aber, das ich über ihn hier anführen und zur Rechtfertigung dieser literarischen Chronique scandaleuse beifügen kann, ist ein Wort Ludwig Hohls selbst, mit dem er sich zur «schöpferischen Not» bekennt. Es steht im zweiten Band der «Notizen» auf S. 505, trägt Nummer 13 und heißt:

«Auch ich glaube, daß die Welt eher gut (positiv) ist. –
Das sagt einer nach langer Bahn – und es ist nicht nötig zu
sagen ‹des Leidens›, denn das Leben ist wesentlicherweise
Leiden.»

London
Big Ben 8th August

Big Ben, London
Reise-Skizze von Traugott Vogel

IV

Verleger am Weg

Sie sind mitbestimmend am Schicksal des Schriftstellers. Unser Schicksal hat zwar seinen Urgrund in uns, nicht irgendwo draußen; aber von außen kommen die lenkenden und ablenkenden Anstöße und Einflüsse. Es waren mehrere Verleger, die in mein Leben eingriffen und meinem Arbeitsziel die Richtung gaben. Ich bin ihnen dankbar verpflichtet. An ihrer Seite und mit ihrem Zuspruch bin ich jeweils ein Stück Weges vorangekommen.

Grethlein & Co.

Zunächst war es der Verleger Konsul Hauschild aus Leipzig. Er besaß den Grethlein-Verlag und erweiterte ihn von Sportbüchern zu Belletristik. Eduard Korrodi hatte meinen ersten Roman im Feuilleton der NZZ abgedruckt und ließ mir melden, es fragten zwei Verlagshäuser nach dem Buch («Unsereiner», 1924), ich möge wählen zwischen der Deutschen Verlagsanstalt, Stuttgart, und dem Verlag Grethlein, Leipzig. Ich weiß nicht mehr, was schließlich die Wahl bestimmte, wahrscheinlich der Umstand, daß Jakob Bosshart bei Grethlein erschienen war mit der Sammlung «Neben der Heerstraße» (mit Holzschnitten von L. Kirchner) und weil mein Lehrerkollege Albin Zollinger dort bereits mit zwei Werken («Die Gärten des Königs», 1921, und «Die verlorene Krone», 1922) vertreten war und mit seinem dritten, «Der halbe Mensch», demnächst herauskommen sollte.
Das war 1924: ich hatte meinen Roman in Dietikon geschrieben, wohin ich von Hegnau-Volketswil her gewählt worden war und geheiratet hatte.

Ich schrieb einen zweiten Roman, der aber von Grethleins Lektorat nicht begehrt wurde, da er «zu schweizerisch» sei. Ich übergab ihn Walter Muschg, der ihn als Lektor bei Orell Füssli herausbrachte («Ich liebe, du liebst», 1926). Eduard Korrodi hatte ihn im Manuskript gelesen, die Arbeit anerkannt, daran aber ausgesetzt, daß die Heldin Meier hieß; so blaß dürfe keine Gestalt aus Vogels Gehege benannt werden. Ich war so starrköpfig, daß ich meine Christine Meier eine Meierin sein ließ; sie sollte eben als keineswegs außerordentliche Frau und Liebende für ihre Gattung stehen. – Den dritten Roman brachte ich wieder bei Grethlein unter («Der blinde Seher», 1930). Es war ein sozialkritisches Buch, das von der reichsdeutschen Presse mit Aufmerksamkeit behandelt wurde. In der Schweiz begegnete man meinem offenen, kritischen Wort mit Zurückhaltung. Einzig Albin Zollinger und Hermann Weilenmann bewiesen Einsicht für mein episches Anliegen und bezeugten ihre Zustimmung in ausführlichen Besprechungen. Die Rest-Auflage ist später zusammen mit dem «Unsereiner» bei der Bombardierung von Leipzig verbrannt. Heute wage ich es nicht, den «Seher» zu bedauern, weder sein Los noch seine Ungestalt; ein kleines Ungeschick hatte das Buch zum Dickwanst gemacht: der Drucker hatte zu schweres Papier verwendet, wo doch damals Leser und Buchhandel auf vollschlank und federleicht eingestellt waren. Der Verlag sah alle seine Lagerbestände in Leipzig in Schutt und Asche fallen, und Grethlein hat nicht mehr verlegt. Ich blieb aber dem Verlag verbunden, hat er mir doch den Weg zu den ersten Lesern gewiesen und sich voll Wagemut und Geschick für seine Autoren eingesetzt, zu denen nächst Albin Zollinger, Lisa

Wenger und Cécile Lauber gehörten, ferner Jakob Bührer, Paul Ilg, Adolf Koelsch, Felix Moeschlin und Paul Vetterli.

Büchergilde Gutenberg

In der Zwischenkriegszeit, also vor 1939, kam ich in Verbindung mit der Büchergilde Gutenberg, die mit andern Verlagsunternehmen den angebräunten Boden Deutschlands verlassen und sich in Zürich angesiedelt hatte. Sie stand in Verbindung mit den Gewerkschaften. Der Redaktionskommission reichte ich meinen vierten Roman ein, den ich während eines bei der Schulbehörde erbettelten und erkauften, zähe durchgestandenen und durchgesessenen Urlaubsjahrs geschrieben hatte: «Leben im Grund oder Wehtage der Herzen». Das Buch wurde von der Jury angenommen, obgleich darin «kein einziger Arbeiter auftritt», wie einer der Begutachter aussetzte. Es wurde mit Illustrationen nach Federzeichnungen von Fritz Buchser durchsetzt und erschien gleichzeitig sowohl bei der Gilde als in einem Nebenverlage, der Jean Christoph-Verlag genannt wurde. Anlaß zu solcher ungewöhnlichen Doppelung hatte die kleinliche Zänkerei zwischen dem konservativ gelenkten Buchhändler- und Verleger-Verein und der fortschrittlichen Gilde gegeben. Man lag in Fehde, weil die am freien Buchgeschäft beteiligten Buchhändler und Verleger im Treiben der Genossenschaften ein ihre Interessen schädigendes Gebahren sahen.
Der Verleger Martin Hürlimann war mit mir und der Büchergilde übereingekommen, daß der Atlantis-Verlag vorerst meinen Roman übernehme, ihn während mindestens

zwei Jahren durch das Sortiment vertreiben lasse und ihn hierauf der Gilde überlasse. Das war ein kluges und zweckmäßiges Übereinkommen; aber das Durchführen der Vereinbarung wurde durchkreuzt, als vom Buchhändler- und Verlegerverein aus dem Atlantis-Verlag angedroht wurde, wenn er auf eine derartige Machenschaft mit der Büchergilde eingehe, werde nicht nur das in Frage stehende Buch, sondern der ganze Verlag mit Boykott belegt. Derart bedroht, waren der kaufmännische Leiter der Büchergilde, Direktor Bruno Dressler, und deren Präsident, Nationalrat Hans Oprecht, auf den Ausweg gekommen, einen anscheinend unverdächtigen Verlag vorzuschieben, um dort mein Buch unterzubringen. Und tatsächlich ist in einem Verlag, der sich nach Romain Rollands Gestalt Jean Christophe nannte und mit dem Werbezeichen des Christusträgers versehen war, mein Buch als Sonderausgabe erschienen. Das Manöver verfing nicht; man roch Lunte: als mein Roman durch Ankauf einer größeren Anzahl Bände durch die Schillerstiftung ausgezeichnet werden sollte und der Sekretär der Stiftung diese Bücher durch den Buchhandel beziehen wollte, bekam er von jedem der angegangenen Händler den Bescheid, ein solches Werk kenne man nicht. (Man ließ sich also den Boykott durch Verzicht aufs Geschäft etwas kosten!) Schließlich wandte sich die Schillerstiftung an mich, und es ergab sich die Tatsache des Boykotts. Der Ankauf fand nun über die Büchergilde statt; und von jenem Jean Christoph-Verlag blieb mir bis heute als Solitär und Rarität ein Exemplar, das ich als Zeuge einer verlorenen Schlacht in Ehren halte.

Ich habe später bei der Büchergilde Gutenberg noch drei

Bändchen verlegt; zwei wurden als Werbegaben ausgegeben («Nachtschatten» und Mundartgeschichten «De Läbesbaum»), dazu die Grenzdienstgeschichten «De Baschti bin Soldaate», illustriert von Fritz Deringer.

Atlantis

Bei Martin Hürlimann, der sich Albin Zollingers Werk angenommen hatte und dem die Auflagen liegen blieben, der aber mit seinem Lektor Erwin Jaeckle unentwegt zum Dichter hielt, reichte ich im Jahr vor Ausbruch des Zweiten Weltkriegs die reale Erzählung vom «Engelkrieg» ein; auch anvertraute man mir den Plan zu einer leicht verklärten, aber sachgemäßen Anleitung zum Anbau von Gemüse während der Grenzbesetzungsjahre: «Regine im Garten oder Das Gemüsejahr». Die beiden Bändchen gingen jedoch in den Wirbeln des Kriegsausbruchs und der Kriegsmobilmachung fast lautlos unter. Ich habe es Martin Hürlimann nie verübelt, daß er diese Bändchen hat ausgehen lassen und sie nicht mehr vertrieb. Er war ja genötigt, sogar Albin Zollingers meisterliche Erzählung «Das Gewitter» einstampfen zu lassen. Die Ausgabe der Gesammelten Werke dieses Dichters kam Jahre später nur dank Mitwirkung öffentlicher Mittel und Hilfe von Stiftungen zustande. Und Werner Weber fragte in einer Samedi-Betrachtung (NZZ, 27. Juni 1971) mit Recht, wer denn Zollingers Werk aufgenommen habe, «außer (buchstäblich) dem Namen nach».
Im Jahre 1944 erschien im Atlantis-Verlag mein Roman einer Salutistin «Anna Foor». Die Arbeit an diesem Buch

hat mich in der Kriegstrübnis jener Jahre beim Glauben an die Heilkraft der Menschenliebe erhalten. In der Gestalt der Anna Foor versuchte ich, mich zur Einheit der sinnlichen und der geistigen, der «irdischen» und der «himmlischen» Liebe vorzufühlen; und es scheint, daß ich mir mit dieser Aufgabe eine Art Selbstheilung auftrug.

Im selben Jahr 1944 trat die endgültige Wende im europäischen Kriegsgeschehen ein. Als Rechnungsführer hatte ich zweimal einen Sanitätszug von Konstanz über Genf nach Marseille und zurück begleitet: Frachten wunder, verstümmelter deutscher und alliierter Soldaten. Ich selbst schien außerstande, der höllischen Visionen, die so real waren wie Angstträume, hinterher meister zu werden. Ich zweifelte an einer vernunftgewollten Möglichkeit friedlicher Lebensführung im Einvernehmen von Mensch zu Mensch und in der Verbundenheit des Schöpfers zum Geschöpf. Die Beschäftigung mit meinem Buch, das ich während kurzfristiger Urlaubswochen unter dem Arbeitstitel «Bileam» in krampfartigen Würgeschüben kapitelweise voranbrachte, fiel zusammen mit dem Eingreifen der Amerikaner auf dem europäischen Festlande (Juni: die Alliierten nehmen Rom, Landung in Cherbourg, Le Havre). Voller Bedenken brachte ich die zum Teil in einer Militärsanitätsanstalt in Nachtstunden getippten Kapitel dem Verleger und erhielt in erlösender Bälde die Zusage. Ich erinnere mich, daß die Nachricht zugleich mit einer Meldung über einen entscheidenden Erfolg an der französischen Front eintraf und ich in meiner krankhaften Niedergeschlagenheit in solchem zufälligen Zusammenspiel eine Bestätigung der Möglichkeit zu erkennen glaubte, es bestehe doch die Gnade einer Befreiung des Men-

schen durch die Tat, selbst wenn sein Tun im kriegerischen
Töten sich erschöpfte. – Das Buch «Anna Foor», erschien
im Herbst und enttäuschte im Verkauf sowohl mich als den
Verleger; denn wir beide, sowie der Lektor, hatten auf die
Geschichte des liebend gefallenen, frommen Mädchens gesetzt, in der Überzeugung, der Leser erkenne in der Hingabe
dieser Einzel-Einzigen die Opferbereitschaft der in Un-
schuld Handelnden. Trotz freundlich mitgehender Presse
blieb es bei der einmaligen Auflage, und bereits wenige
Jahre später wurde der Titel im Verlagsverzeichnis überhaupt gestrichen. Ich hatte also abermals vor der Leserschaft versagt. Offenbar ließ man einen echten Widerstreit
zwischen sinnenhafter und geistiger Verbundenheit der Ge-
schlechter als Problem gar nicht mehr gelten, oder hatte ich
nicht vermocht, meine Darstellung über den Einzelfall hinaus ins Gültige zu erheben. Mit dem dreimaligen Versagen
(«Engelkrieg», «Regine im Garten», «Anna Foor») war der
geistige Vorschuß, den der Verlag mir gewährt hatte, erschöpft; mit einer Auswahl gesammelter Erzählungen kam
ich bei Atlantis vor verschlossene Tür, und ich fragte mich,
bei mir selbst Einkehr haltend, ob ich es denn, wäre ich
Verleger, mit mir nochmals wagen würde. War ich imstande, war ich überhaupt bereit, so zu schreiben und die
Themen entsprechend zu wählen, daß das gedruckt vorliegende Ergebnis im Handel umsetzbar war? Ich kam zur
Einsicht und beruhigte mich dabei, daß ich keinem meiner
Verleger gram sein dürfe für sein Zögern und die allfälligen
künftigen Absagen. Schließlich muß umgesetzt werden
können.
Hier sei auszugsweise beigefügt, was Martin Hürlimann den

Lesern seines Atlantis Verlagsalmanachs auf das Jahr 1944
«zur Nachdenklichkeit» empfahl. Er schreibt zum «Fall
Zollinger», sein Verlag habe vom Dichter fünf Bücher
herausgebracht, ein sechstes erscheine aus dem Nachlaß.
«Von diesen Büchern hat nicht eines dem Verlag auch nur
die dafür aufgewendeten Kosten durch Absatz eingebracht,
sie sind für den Verleger alle aufgelegte Verlustgeschäfte,
und für den Verfasser und seine Nachkommen haben sie
kein annähernd angemessenes Honorar ergeben» (S. 56).
«Von ‹Bohnenblust›, dem reifsten der drei Zollingerschen
Romane, der noch unter dem Eindruck seines Todes erschien, wurden im Jahr seiner Veröffentlichung ganze 591
Stück an die Buchhändler geliefert – ein Teil davon liegt
noch bei ihnen. Genaue Vergleichszahlen fehlen, aber ich
gehe wohl nicht fehl in der Annahme, daß im gleichen Zeit-
raum von einem Unterhaltungsroman literarisch mittlerer
Qualität, der in ein mittelmäßiges Deutsch übersetzt ist und
in einem fremden, noblen Milieu spielt, in der Schweiz weit
über zehntausend Exemplare abgesetzt wurden. Ähnliche
Parallel-Ereignisse wiederholen sich von Jahr zu Jahr» (S.
57/58).
Was ist zu solcher betrüblicher Feststellung zu sagen? Daß
Wort für Wort zutrifft, auch für heutige Verhältnisse, und
Zollinger keine Ausnahme war. Aber, – und es gibt ein
Aber: uns trösten und genügen jene 591 «Bohnenblust»,
wenn sie gelesen werden.

Henry Tschudy

Es stellte sich eine Art Wunder bei mir ein. Henry Tschudy, Buchdrucker und Liebhaberverleger in St. Gallen, anerbot sich, meine gesammelten Novellen in zwei Bänden in gemessenem Abstand herauszubringen. «Schuld am Glück» mit Gunter Böhmer als Buchgestalter, 1951, und «Flucht ins Leben» mit Federzeichnungen von Felix Hoffmann, 1961. Ich wurde von St. Gallen aus sogar insofern verwöhnt, als man mich mit einem Honorar bedachte, und dies, obgleich die meisten Beiträge zuvor als Feuilletons erschienen und entschädigt worden waren.

Mit Henry Tschudy war ein Mann in mein Leben getreten, über den in gemäßigten Worten zu schreiben mir kaum gelingen wird. Gestalten seines ethischen Maßes zu begegnen, gehört zu den Glücksfällen, und ohne ihr Wirken wäre es mir nicht möglich gewesen, mich als Erzähler in der Schweiz zu halten, hier, wo die beschränkte Anbaufläche für geistiges Gut den Verleger zu Vorsicht zwingt und jede Großzügigkeit vom Geschäftlichen her zu beschränken scheint.

Als er sich erbot, meine Erzählungen gesammelt herauszubringen, bezweckte er, mit diesem Wagnis mich für meine bisherige «Bogen»-Arbeit zu entschädigen. Über diese Reihe soll gleich berichtet werden; er hat deren Herausgabe bis zu seinem Tode sichergestellt.

Mit einem derartigen Unternehmen war keine Art wirtschaftlicher Rendite verbunden; der «Bogen» sollte dienen, und einen gewissen Lohn sah Henry Tschudy lediglich in der Anerkennung seiner besondern Leistung, die darin be-

stand, der einheimischen jungen Literatur selbstlos das Geleite zu geben. Nun hatten wir bereits eine schöne Zahl Entdeckungen, die man vorerst als Versprechen nahm, herausgebracht und mit ihnen hier und dort im Land Anerkennung und Aufmunterung gefunden, und ich selber hatte vorgeschlagen, die Herausgeberarbeit unentgeltlich zu besorgen (der Idealist im Geschäftsmann Tschudy durfte nicht überfordert werden), als er selbst mich ermunterte, ihm meine gesammelten Erzählungen zur Herausgabe zu überlassen. Diese Erzählungen waren nebst den Geleitworten zu den Bogen-Heften sozusagen der einzige schriftstellerische Ertrag jener Jahre. Ich ging auf seinen Vorschlag ein, und er nahm sich der Sammlung mit einer Sorgfalt an, wie sie nur echte Berufsleidenschaft aufzubringen vermag. Ja, eine neue Auszeichenschrift, die ihm schon seit einiger Zeit im Sinne lag und mit ihren aparten Formen lockte, wurde jetzt für die Setzerei angeschafft, und in ihr ließ er die Titel in meinem Buche setzen. Sein bevorzugter Buchgestalter, der Maler Gunter Böhmer, zeichnete den Entwurf zum Umschlag. Aber wiederum schien sein und mein Werben um die Gunst der Leser vertan: meine Erzählungen «Schuld am Glück» blieben liegen, und schon schwante mir, daß auch bei diesem Verleger mein Kredit als Erzähler erschöpft sei.
Nein, völlig vertan war sein Vertrauen noch nicht; denn noch wirkte mein Einsatz für den «Bogen» vermittelnd nach. Weil ich mir erlaubte, andere, jüngere und ältere Schreiber in ihrer Art zu erkennen und anzuerkennen, von ihnen Proben in die Bogenreihe aufnahm, traute er mir eine gewisse Urteilskraft zu, die möglicherweise vor meinem eigenen Schaffen nicht versagte, und nach zehn Jahren war

er wiederum bereit, meine epische Kleinernte zu sammeln und als zweiten Band herauszubringen; Titel «Flucht ins Leben». Und abermals: von einem Verkaufserfolg keine Spur! Einer meiner scharfzüngigen Freunde sagte später, anläßlich der Beisetzung des Verlegers, er sei wohl geflohen, bevor sich das nächste Jahrzehnt erfüllt habe, wo er sich verpflichtet gefühlt hätte, nochmals meine Fähigkeit als Erzähler mit der Herausgabe eines dritten Erzählbandes zu beglaubigen. Böse Mäuler reden oft ohne Absicht gute Wahrheiten. – Genug von meinen Versuchen ohne Ladenerfolg! Gehen wir zu etwas Ergiebigerem über: zur Geschichte der «Bogen»-Reihe.

Der Bogen

Ein anfänglich mich selbst befremdender, fast ehrgeiziger Drang ließ mich den Plan erwägen und mit meinen Freunden besprechen, eine Heftreihe zu gründen, in der junge Autoren erste Proben ihrer literarischen, epischen oder lyrischen Versuche vorlegen konnten. Die Arbeiten sollten auf leichtem Papier, aber in sauberem Satz und Druck herauskommen, der Umfang jeder Druckschrift blieb auf wenige Seiten beschränkt, den Vertrieb übernahm die lockergefügte Gemeinschaft der Beiträger, und an die Gestehungskosten leistete jeder Autor einen Beitrag, indem er einen Teil der Auflage käuflich erwarb. Daß es sich ausschließlich um Texte handeln sollte, die mit einem sprachlichen und thematischen Wagnis verbunden waren, schien uns selbstverständlich zu sein und mußte als Bedingung gar nicht erst genannt werden. Man warnte mich zwar. Solche Versuche, hieß es, lohnten sich weder geistig noch wirtschaftlich; denn echte künstlerische Wagnisse genügten sich selbst: wer über seine Anfänge hinausgewachsen sei, mißachte hinterher die überwundene Stufe, ja schäme sich ihrer und verleugne gar die Zeugnisse seines Herkommens.

Wohl bedachte ich solche Einwände, schlug sie jedoch in den Wind, nachdem ich erneut meinen Plan überlegt hatte: der Einsatz einer verlegerischen Selbsthilfe mußte gewagt werden, hatte ich doch im Prüfungsausschuß der sogenannten Werkbeleihungskasse des Schweizerischen Schriftstellervereins, in den ich mich für eine Amtsdauer hatte abordnen lassen, immer wieder Manuskripte zu lesen, die es sowohl nach meiner eigenen Ansicht wie derjenigen der andern Mitglieder verdienten, einer weitern kritischen Leserschaft gedruckt vorgelegt zu werden. Diese Arbeiten blieben jedoch zumeist bei den Verfassern liegen, weil kein Verleger die Mittel oder den Wagemut zu deren Veröffentlichung aufbrachte. (Beispiel: Ludwig Hohls Erzählungen und Notizen.) Auch als Mitarbeiter der Monatsschrift «Die Zeit», die Albin Zollinger herausgab, bekam ich Einblick ins herausfordernde Schaffen eines wagemutigen Nachwuchses: es reizte mich, diesen Nachdrängenden zu einem ersten und weitern Schritt aufs literarische Podium zu verhelfen. Dabei ging es ja vorerst nicht darum, verkannte Größen zu entdecken, wohl aber den Unerfahrenen zu ermöglichen, auf dem Umweg über das veröffentlichte Wort Abstand zu ihrem Geschaffenen zu gewinnen und dabei ihr eigenes Profil zu erkennen. Zumeist hatten die Neulinge bereits hier und dort in einer Tageszeitung oder einer Zeitschrift kurze

Proben ihres Suchens und Findens drucken lassen können und waren nun imstand und bereit, etwas Abgeschlossenes preiszugeben, sozusagen ein Gesellenstück vorzuweisen, das den raschen Tag vielleicht überdauerte, indem es im Verband einer literarischen Folge mitgetragen wurde und im Buchladen aufgelegt werden konnte.

Zu meinen Freunden, mit denen ich den Plan einer solchen Reihe besprach, gehörte Edwin Arnet; auch Carl Seelig ermunterte mich in meinem Vorhaben, und Dino Larese kam hinzu, riet aber davon ab, den Verkauf der einzelnen Nummer dem jeweiligen Verfasser zu überbinden; er glaubte, ohne einen kaufmännisch geleiteten Vertrieb, der den Buchhandel bediene und bei dem ein gewisser Bestand der jeweiligen Auflage greifbar bliebe, wäre kaum an eine breitere Käufer- und Leserschaft heranzukommen; zudem müsse ja üblicherweise jede Neuerscheinung durch die Presse (Inserat, Prospekt, Katalog, Rezension) angekündigt und empfohlen werden, eine Anstrengung, zu der nur ein einigermaßen eingespielter Verlag befähigt sei. Und es waren Edwin Arnet und Dino Larese, die mich auf den Buchdrucker Henry Tschudy in Sankt Gallen aufmerksam machten. Ihm traute man Unbefangenheit und Zuversicht zu, einem derartigen Beginnen Beistand zu gewähren und mit einer rührigen Belegschaft die unvermeidlichen anfänglichen Schwierigkeiten zu meistern.

So setzte ich mich in einem kurzen Schreiben mit Henry Tschudy in Verbindung, legte ihm mein Ansinnen vor, war aber auf Zurückhaltung, ja Absage gefaßt, da sich in mir seit einer früheren schriftlichen Begegnung mit dem wählerischen Manne die Meinung erhalten hatte, hier werde nicht

nach Plan und Maß, sondern eher nach Laune entschieden.
Ich hatte ihm damals eine Erzählung angeboten, und sie
war mit einer Antwort zurückgekommen, die eher einer
Ausrede als einer Begründung geglichen hatte. Zu meiner
Überraschung erreichte mich jetzt wenige Tage nach Abgang meines Briefes der telephonische Anruf aus Sankt
Gallen, mit welchem mir gemeldet wurde, Henry Tschudy
wünsche, mit mir zu verhandeln, er sei demnächst in Zürich
und frage mich nun an, ob ich mich zu einer Besprechung
im Widder einfinden könne; er werde sich von einem jungen
Mitarbeiter begleiten lassen, dem er meine künftige Reihe
allfällig anvertrauen könnte.

Als ich mich zur vereinbarten Stunde zum Mittagessen an
der Widdergasse einfand, traf ich zum ersten Mal mit dem
Manne zusammen, an dessen Seite ich fortan mehr als ein
Jahrzehnt der ungetrübten, gegenseitig anregenden Zusammenarbeit verbringen sollte. Es saß da am Tisch in einer
Fensternische ein älterer, breitschultriger, Gesundheit ver-
strahlender Geschäftsmann in selbstsicher aufgereckter Haltung. Eigentlich befremdete mich seine betont herrisch-wür-
dige Erscheinung; denn sie schien meiner Vorstellung zu
entsprechen, die sich in mir gebildet hatte, als mir jene Absage zugekommen war. Über der kecken, kurzen Nase
schwang sich eine steile, fast störrische Stirn zum hohen
Schädel, den ein silbergrauer Bürstenschnitt krönte. Mir fiel
auch gleich sein gepflegtes Äußeres, der modische Schnitt
des Anzugs auf und daß die struppigen Augenbrauen eben
gestutzt worden waren und bürstig abstanden. Er reichte
mir im Sitzen die Hand, behielt die meine und zog mich
kräftig und zugleich vertraulich zum Stuhl, der bereit stand

und neben dem sich ein junger Mann von seinem Sitz erhoben hatte und mich mit einer angedeuteten Verbeugung begrüßte.

Es bedurfte keiner Einführung und Vorstellung: jeder schien vom andern bereits genügend Kenntnis zu haben — als reiche der Eindruck der ersten Begegnung aus! —, um sich unbefangen ins Dreieck zu fügen. Vorerst ging es zwar nur darum, die Speisekarte zu prüfen und eine Wahl zu treffen. Jedoch erwies es sich sogleich, daß mir die Entscheidung bereits vorweggenommen worden war, da der Gastgeber bereits für jedermann gewählt hatte: Reis müsse dabei sein, erklärte er, Reis passe immer, und unter den Fleischgerichten habe er sich für eine Spezialität des Hauses entschieden. Unter ähnlich freundschaftlichem Diktat verliefen alle spätern Zusammenkünfte mit Henry Tschudy in den Gaststätten der Schweiz, wo immer wir uns während der kommenden Jahre trafen, in Zürich am See, über der Limmat, an der Bahnhofstraße, oder in Sankt Gallen im Hecht oder im Weinfalken, in Basel im Euler, in Neuhausen überm Rheinfall oder im Schulser Engadinerhof. Das alles waren Tafelstätten, die ich ohne ihn nie in meinem Leben von innen zu Gesicht bekommen hätte. Sorgfältig achtete er jeweils darauf, daß die Treffen, die als geschäftliche Besprechungen etikettiert waren, mit einem gewissen feierlichen Tischzeremoniell eingeleitet wurden, indem er einem irgend eine Neuerscheinung oder einen Sonderdruck überreichte, und zwischen den einzelnen Gängen fragte er unvermittelt und heiter, ob auch alle «Kinder» zufrieden seien. Er selbst war es offensichtlich und übertrug seine Hochstimmung auf die Tischgenossen.

Er verstand es, das stellte ich schon bei jener ersten Zusammenkunft fest, die Pflicht zur Lust, aber auch die Lust zur heitern Verpflichtung werden zu lassen. Was ihn nicht erfreue, sagte er jeweils, das lasse er bleiben oder dem weiche er aus. Und ich fand meine Ansicht bestätigt, daß er tatsächlich sowohl die geschäftlichen wie die privaten Entscheide nicht nach irgendwelchen Nützlichkeitsüberlegungen fällte, sondern sich aus Gründen und Hintergründen der innern Witterung und der guten Laune beraten ließ. Beim Nachtisch sagte er damals, der junge Mann, den er da mitgebracht habe, sei dazu ausersehen, mir bei meinem Verlagsvorhaben beizustehen. Er werde uns zu bezeugen haben, daß er nach soeben bestandener kaufmännischer Lehrabschlußprüfung fähig sei, als mein Berater und Helfer, aber auch als Korrektor, Lektor, Setzer, Drucker und Administrator sich nützlich zu machen. Er, der Chef, habe zwar einen erwachsenen Sohn, dem er einmal sein Geschäft zu übergeben gedenke, der aber noch im Studium der Nationalökonomie stehe. Doch heute schon brauche er als Hausherr einen Vertrauten, dem er Einsicht in den Betrieb gewähren und wohl bald auch die Prokura übergeben könne; die geplante kleine Verlagserweiterung diene nun dem jungen Mann als Übungsfeld, und überdies finde er persönlich mein Vorhaben zwar beachtenswert in der Absicht, jedoch in der praktischen Durchführung im voraus zum Scheitern angelegt: Autoren dürften nicht mit Vertriebsmühen belästigt werden; zu solcher Arbeit seien die andern da, eben so ein junger Mann zum Beispiel, und ich möchte nun mein Anliegen in großen Zügen vorbringen.
Ich hatte mich auf diesen entscheidenden Augenblick vorbe-

reitet, war aber, wie gesagt, eher auf Argwohn gefaßt und
mehr zur Verteidigung gerüstet als zur Rechtfertigung
meines Planes. Vor einem gar nicht vorhandenen, zweifleri-
schen Gegner ging ich nun zögernd auf die möglichen Bedenken ein, die man zur Warnung vorbringen konnte, und
das waren Einwände jener Art, wie ich sie von Freundes-
seite bereits bis zum Überdruß hinzunehmen gehabt hatte:
Wer nimmt dich mit deinen Neulingen schon ernst? Wer
kümmert sich um eure neurotischen Extratouren und eure
Sprachexperimente?! Und wenn schon: wer übernimmt die
Spesen, nach welchem Verteiler gleicht ihr Ausgaben und
Einnahmen aus? – Auf derartige verfängliche Fragen war
ich gefaßt, hatte mir Antworten zurechtgelegt und stellte
nun aufatmend fest, daß meine vermuteten Wichtigkeiten
als nebensächlich übergangen wurden. Nicht mit kleinlichen
Einwänden und Bedenken setzte man mir zu, sondern ein
Programm wurde von mir erwartet, so etwas wie ein Ver-
lagsplan, der in die nächste Zukunft wies: Was gilt es zu
entdecken? Mit welchen neuen Namen gedenken Sie aufzu-
trumpfen? Welche verkappten Meisterwerke gedenken Sie
ans Neonlicht zu bringen? Und wie nennen wir die herrliche Reihe?
Mir war – derart auf- und herausgefordert –, ein erfri-
schender Blutstoß spüle durch mein Hirn. Der Herr mir
gegenüber saß nicht mehr in militärischer Brustheraushal-
tung da: er neigte sich mir entgegen; und sein junger Ge-
hülfe wartete lässig auf Ankündigung kühner Taten des
neuen Schrifttums. Und nun, vor so viel wohlwollender Erwartung, ging mir der Mund endlich über: ich legte dar,
was ich in unzähligen Selbstgesprächen mir zurechtgedacht

hatte. Also: Autoren mit bereits gefestigtem Ansehen würden unsern Bau mit ihrem Beitrag stützen, gewissermaßen wie tragende Säulen die Rundbogen einer Galerie. Zwischen diesen Pfeilern würden sich als Bogen die Kleinwerke der Neuen wölben: Versuchsprosa der Pioniere, lyrische Würfe, angriffige Essays, Bogen an Bogen . . .

Gewiß: Bogen an Bogen. Es stellte sich mit dem Wort das Merkmal unseres Unternehmens geradezu von selbst ein: Der Bogen sollte die Folge heißen, und sich zu einer Arkade reihen, zu einem Aquädukt, getragen vom Stützwerk einiger Anerkannter und Gefestigter.

Ich spürte es: mit Namen und Bild des Bogens waren die beiden Partner gewonnen. Wort und Begriff taten es ihnen an. Der Junge rühmte am Bogen die gespannte Sehne, die das Druckwerk wie einen Pfeil fortschnellte; der Buchdrucker und Liebhaberverleger erkannte den Bogen als tragendes Bauwerk, mit dem die Brücke geschlagen würde zwischen den beiden Wirklichkeiten des Geistes und des Geschäftes. Dann beide Männer: man erkannte im Bogen das Versöhnungszeichen als Regenbogen. Der gefaltete Druck-Bogen schließlich, ganz nüchtern gesehen, war eine Einheit; jeder Bogen, beidseitig bedruckt, bietet sechzehn Seiten. Anderthalb oder zwei Bogen ergeben ein Heft, dessen Blätter unaufgeschnitten in ein Deckblatt von getöntem Ingrespapier gelegt würden . . . Schon bot mir der Verleger als Schutzgeist der Bogenreihe seinen Hermann Hesse an. Starten wir mit ihm! Eine Reihe, warnte er, mit lauter Experimentierern? Damit stieße man die geduldigsten Leser vor den Kopf. Auf dem Flug ins Ungewisse muß zuweilen durch eine Dunstlücke hinab auf den Grund gesehen werden können, um abzuschätzen, wie hoch oder niedrig man schwebt; da lichten Geister wie Hesse, Jung, Albert Schweitzer das Gewölk und schaffen Durchblick und Erdsicht.

Noch zögerte ich: mich an die Rockschöße der Erfolgsmänner hängen? Weckte eine solche Rückversicherung bei jungen Stürmern nicht Verdacht und Argwohn und brächte die Reihe im vorneherein in Verruf?

Da der Verleger meine Bedenken zu erraten und vielleicht gar zu teilen schien, fügte er seinem Vorschlag bei, er möchte in voraus betont haben, daß nur Autoren in die Reihe aufgenommen würden, denen wir beide zuzustimmen imstande seien. Nun horchte ich auf; diese verträgliche Bereitschaft stimmte mich derart nachgiebig, daß ich sogleich bereit war, mit Hesse zu starten, dem ich nach meiner Wahl Vertreter jüngerer Gegenwart beigäbe, und ich schlug Kurzprosa von Albin Zollinger, Robert Walser und Albert Steffen vor.

Das war im Jahre 1950. Ich versprach dem Verleger, einen Text «Vorsatz und Vorspruch» zu entwerfen, um allfällige künftige Mitarbeiter, die Presse und den Buchhandel über unser Vorhaben ins Bild zu setzen und mit einem Bekenntnis zur wachsenden Literatur eine Art Programmschrift anzubieten, bewahre kein Manifest, ging es mir doch nicht gegen, sondern für etwas. Es sollte versucht werden – so umschrieb ich unser Ziel –, im «Bogen» die Gegensätze unserer Zeit zu vereinen: die Stile, die verschiedenen künstlerischen Strebungen, das reiche Herkommen, die geahnte und geschaute und gewollte Zukunft, überhaupt das literarische Wagnis. Daß ein solches geistiges Kunststück nur im Kunstwerk gelingen konnte, wurde wohl gedacht. Überdies bliebe das Unternehmen beschränkt auf den Versuch mit Kurzformen der Epik, mit Lyrik und Essays, sowohl unter Einbezug von Beispielen aus vergessenen und kommenden größern Werken.

Als ich nach jener ersten Zusammenkunft mit dem Verleger den Ertrag der Aussprache in Ruhe bedachte, wurde ich in meiner Zuversicht doch etwas unsicher; denn mir schien, es beginne nun für mich mit einemmal eine Wende ins Ungewisse, und eine Zäsur trenne das Bisherige vom Werdenden und unterbinde weiteres selbständiges Verfügen, denn es bliebe mir künftig kaum mehr Zeit und Kraft und wohl auch keine Lust mehr, für eigenes erzählendes Gestalten; Begonnenes bliebe liegen, hatte ich mir doch die Pflicht gesetzt, von nun an bis auf weiteres mich dem Schaffen der andern zuzuwenden. Der Verzicht fiel mir freilich nicht allzu schwer; denn ich hatte meinen guten Grund: mein bisheriges Arbeitsfeld bedurfte einer Brache; ich fühlte mich erschöpft, sowohl vom Schuldienst als infolge einer längern Anstrengung über einem Dramenwettbewerb, bei dem ich im Endlauf unterlegen war.

Das Ausmaß meiner Tätigkeit als Herausgeber war recht bescheiden geplant – jährlich bis zu einem Halbdutzend Hefte in freigewähltem zeitlichem Abstande; wäre ich damals imstande gewesen, mir von den kommenden Schwierigkeiten eine einigermaßen genaue Vorstellung zu machen, hätte ich es kaum gewagt, mich ins Abenteuer des Vermittlers einzulassen. Was alles hatte ich in Zukunft anzulocken und wieviel abzuwehren; was blieb da zu lesen und einzureihen! Von zehn und zwanzig oder mehr Texten, die mir oft für ein einzelnes Heft vorlagen, mußten alle begutachtet und der Befund mußte freundlich schonend begründet werden. Besonders zu schaffen machte einem dabei die Ablehnung und deren Begründung, wenn es nicht um eindeutig untaugliche Angebote ging, sondern eher um brave, durchschnittlich gebräuchliche Literatur, die ohne Einsatz und Herausforderung das Üblich-Gängige vertrat. Es waren diese Verfasser, die dem Verleger und mir oft Sorge bereiteten, nicht nur weil sie einem laut oder verhohlen vorwarfen, man urteile anmaßend und unzuständig, sondern weil ihr Groll schließlich in einem den Zweifel an der Gültigkeit des eigenen Urteils bestärkte, des Maßstabes, mit dem man Fremdes und Eigenes wertete. In solcher Anfechtung fiel ich auf den Ausweg, meine Mitarbeiter, von denen ich bereits einen Beitrag in die Reihe aufgenommen hatte, als Begutachter zu Rate zu ziehen: ich legte ihnen Proben neuer, vorerst ungenannt bleibender Autoren vor und bat sie um Bewertung. Die Ergebnisse fielen jedoch derart widersprechend aus, daß ich es bei wenigen Versuchen bewenden ließ. Was der eine als zukunftweisend lobte, fand beim andern keine Gnade; es mißt eben jeder Kunstschaffende das Werk des andern nach seinem eigenen Vorbild.

So sah ich mich bald wieder auf mich selbst angewiesen und blieb fürderhin beim selbstverantworteten Entscheid. Der Preis für solche aufgenötigte Eigenmächtigkeit war freilich nicht gering; er bestand darin, daß ich vor lauter Hinhorchen auf die andern mich von mir selbst entfernte und entfremdete. Die bislang als Trost wirkende gelegentliche Versuchung, wieder einmal eigene Themen ins Wort zu holen, schwand zusehends und setzte dann völlig aus. Vielleicht geschah damit ja nur das Übliche, das jeden musisch beflis-

senen Menschen von Zeit zu Zeit heimsucht und als Drohung quält: es ist aus mit deiner schöpferischen Potenz!
Während der zehn Jahre Schweige- und Latenzzeit, die ich
mir als Erzähler gesetzt hatte, ließ ich es tatsächlich bei
wenigen, meist matten Ausbruchsversuchen bewenden, fand
Mut und Muße höchstens für einige weitere Herausgeber-
tätigkeit neben der «Bogen»-Arbeit. Dann, um wieder zu mir
selbst zurückzufinden, bedurfte es des Verlustes sowohl des
«Bogen»-Verlegers als zweier hilfreicher Freunde, Edwin
Arnets und Marcel Fischers, und es kam im selben Jahre
(1962) der Hinschied meiner Lebensgefährtin dazu. Erst
jetzt, vereinsamt, gelang es mir, mich wieder aufzuraffen
und aus Selbstschutz etwas aus eigenem Grunde Keimendes
ans Licht zu locken, nicht des Ergebnisses wegen, sondern
allein zum Bezeugen eines Restes noch vorhandener Trieb-
kraft. – Die Bogenreihe war inzwischen auf über siebzig
Nummern gebracht worden, und mir schien, es stehe mir
nicht mehr an, mich in meiner Geschwächtheit weiterhin als
Beistand und Förderer aufzuspielen. So ließ ich die Arbeit
an der «Bogen»-Reihe liegen, tröstete mich in der Annahme,
mit mehr oder weniger Glück und Geschick das dereinst Geplante getan zu haben und hoffte, die Reihe finde so oder
anders ihre Fortsetzung, mit diesem oder jenem Verleger,
mit diesem oder jenem Betreuer.
Ein über Jahre hinweg liegengebliebener Romanentwurf
kam mir in meiner Vereinsamung zu Hilfe (das Thema
nahm sich meiner an!), und über den wachsenden Kapiteln
wurde die Trauer zum Antrieb. – Eigentlich sollte ich jetzt
im Rückblick prüfen, ob sich der «Bogen»-Aufwand jener
Jahre gelohnt habe, ob ein allfällig festzustellender Gewinn

sich nachweisen lasse und worin dieser bestehe. Freilich, in einem bin ich mir einig: ich selbst bereue den Einsatz nicht und betrachte den Aufwand an Zeit und Arbeit keineswegs für vertan, blieb ich doch in ständiger Verbindung mit einem drängenden, fordernden Nachwuchs und sah ich mich dadurch genötigt, die eigenen kunstkritischen Organe zu üben und im Gebrauch auszubilden und auch auf mein eigenes Tun anzuwenden. Ich weiß wohl, daß das zerlegende Prüfen fremder Werke den Berufskritiker derart seiner eigenen Arbeit gegenüber unsicher macht, daß der unbefangene Wagemut zu schwinden beginnt und er sich selbst zum lähmenden Widerspruch wird.

Als zweites Heft der «Bogen»-Reihe gab ich Zollingers mit bösen Ahnungen geladene Erzählung «Labyrinth der Vergangenheit» heraus, die er für seine Zeitschrift «Die Zeit» (1936) verfaßt hatte und mit der er den Prototyp der verführten deutschen Jugend des Dritten Reichs hellsichtig beschwörend gezeichnet hat. In dieser und in seiner letzten Erzählung «Das Gewitter», die er hinterließ und deren Erscheinen er nicht mehr erlebte, erschöpfte sich seine streitbare Phase, an deren Anfang die «Große Unruhe» und an deren Ausgang die beiden Pfannenstielromane erscheinen. Wund und abgekämpft vom Widerstand gegen die lärmige Rohheit der Vorkriegsjahre stößt er die Bücher aus. Nun, beschattet vom nahen Ende, faßt er seine Zuversicht zusammen und gelingt ihm etwas so endgültig Reifes wie die Liebes- und Ehegeschichte vom «Gewitter». Er hatte sie noch dem Feuilleton der NZZ angeboten, von Eduard Korrodi jedoch zurückerhalten; dann lag sie bei Max Rychner, der sie einem Mitarbeiter überließ; aber auch hier blieb sie liegen. Nach Zollingers Tod forderte ich die Blätter zurück, bekam sie, mit einfältigen Randglossen versehen, radierte das Gekritzel weg und überließ das Manuskript der Redaktion der Monatsschrift «DU» (Friedrich Witz), die sie sogleich erscheinen ließ. Später brachte sie der Atlantis-Verlag als braunes Pappbändchen heraus (1943); die Auflage mußte jedoch eingestampft werden, da sowohl die Kritik als die Leserschaft vor dem Werk versagten.

Nach der Katakombenerzählung «Labyrinth der Vergangenheit» habe ich im «Bogen» nochmals ein Zollingerheft herausgebracht, ihm zum Gedenken, der während seiner extraversiven Periode gerne und mit Eifer davon gesprochen hatte, einmal seine kurzen Sachen zu sammeln und als Feuilleton mit dem an Robert Walser erinnernden Untertitel «Kleine Prosa» zu veröffentlichen, gewissermaßen sich selbst zum Zeugnis, daß er trotz seiner politischen Angriffigkeit der Dichtung nicht abzuschwören gedenke. Das Heft erschien unter dem von ihm seinerzeit gewünschten Titel «Kieselsteine» im Jahre 1954 als Heft 38, und ich beschloß das kurze Begleitwort mit dem beinahe rätselhaften, beinahe blasphemischen Zollingerschen Zitat aus einem der kleinen Beiträge: «Allesamt glauben wir nicht an die Kunst. Das Ewige überfällt uns nur heimlicherweise.» Solche Kunstverdrossenheit fand ihre Rechtfertigung im Vorahnen eines frühen Todes. Es war ihm, wie jenem Verliebten in Thomas Manns «Tod in Venedig», «eine unverbesserliche und natürliche Richtung zum Abgrund eingeboren».

Ich bin vom Thema «Bogen» und von der Gestalt des Verlegers etwas abgerückt zu den Autoren, und ich verweile – mit Bedacht – etwas länger bei Albin Zollinger, weil ich in ihm einem Menschen begegnet bin, dessen Gattung bei uns selten anzutreffen ist: er war fähig, sein Werk liegen zu lassen, wenn es galt, einer Sache oder deren Vertreter Beistand zu leisten. Er war einer von der Gilde der Hilfsbereiten und handelte und schrieb im kindlichen Glauben, mit dem entschiedenen Wort die Welt oder wenigstens die Umwelt verändern zu können. Deshalb plagte er sich ja ab mit der Herausgabe der Zeitschrift «Die Zeit», die kaum je zur Zeit erschien, und er war bereit, seine Feder als Wurfspieß, die Fiedel als Schlagzeug zu handhaben.

Wenn ich die 77 «Bogen»-Hefte, die ich während 17 Jahren durch den Tschudy-Verlag einer gelassen hinnehmenden Leserschaft vorlegen durfte, in ihrer Vielgestalt heute überprüfe und dabei mich selbst mitprüfe, ist mir, ich sei einen mäandrischen Lauf gegangen, mit viel schäumenden Stromschnellen, habe jedoch witternd eine angepeilte Richtung immer wieder einzuschlagen vermocht, einem Gefälle folgend, das zur Tiefebene der kämpfenden Duldsamkeit und friedlichen Wehrhaftigkeit drängt. Unterwegs sein, unterwegs bleiben war der Leitsatz. Ankommen wäre das Ende gewesen, das Ende der Aufgabe, aus der unsereiner lebt.

Ich habe meine Vorlieben zu pflegen und meine Voreingenommenheiten auszuleben versucht. Es war mir dabei vergönnt, im literarischen Gewerbe meiner Umgebung auf Erstlinge hinzuweisen, die inzwischen zum Festbestand aufgeschlossen haben, einige kamen als Verkannte, Vergessene oder Übersehene dazu, ein guter Rest brachte seinerseits den «Bogen» zu Ansehen und Geltung neben jenen zuverläßigen Hülfen, die der Reihe als Stützpfeiler dienten. Sogar die paar Beiträger, die in der Folge nicht zu halten vermochten, was sich in ihnen als Versprechen angekündigt hatte, habe ich nicht als Versager in Rechnung gesetzt; denn ich möchte heute keinen der Namen missen, gilt doch, daß nur wer hoch zielt, hoch fehlen kann.

Bis zum Hinschied des Verlegers Henry Tschudy hatte die Reihe in stetem, zuweilen ruckweisem Wachstum zugenommen. Vier letzte Nummern 74 bis 77 erschienen nach seinem Tode; aber mit dem Ableben des Gönners schwand bei seinen geschäftlichen Nachfolgern die Lust zu weiterem verlegerischem Einsatz. Von Haus aus dem Bankfach zugehörig, hatte Henry Tschudy seinerzeit aus familiärer Verpflichtung zum Beruf des Buchdruckers übergewechselt; ein edler Ehrgeiz spornte ihn zu besten Leistungen in seinem neuen Gewerbe an. Nichts Minderes, einzig sorgsam ausgewogene Arbeit, selbst wenn es lediglich um alltägliche Gebrauchsdrucke ging, verließ seine Offizin; und bald erweiterte er seine Unternehmung, indem er sich vom Drucker zum Verleger aufwertete. Sein erstes Buch wurde der «Nachsommer», und in seiner Liebe zu Stifter fand er Zugang zur Literatur der Gegenwart. Zu seinem siebzigsten Geburtstag stellte ich in einem «Hausbuch» die erstaunlich reiche Liste seines verlegerischen Schaffens zusammen; ich kam auf über 300 Titel, ohne die vielen kleinen Liebhaberdrucke mitzuzählen. Zu seinen Freunden und Mitarbeitern gehörte neben schweizerischen Autoren auch der «Inselherr» Kippenberg; sowohl für Hermann Hesse als für die schweizerischen Bibliophilen und die Rotarier besorgte er während Jahrzehnten eine große Zahl von Sonderdrucken, alle geschenkweise. Neben den Kosten, die ihm die «Bogen»-

Reihe bereitete, gewährte er Hans Rudolf Hilty großzügige
Startbedingungen für seine «Quadratbücher» und die Zeitschrift «Hortulus». Er wußte wohl, daß sich seine leidenschaftliche Liebhaberei nicht bezahlt machen würde, daß
sie sich jedoch in einem tiefern Sinn doch lohnte. In gedul-
diger Hilfe stand er den Werdenden und Kommenden bereit. So half er Erika Burkarts lyrischem Werk zum Durch-
bruch, er stand zu Hans Boeschs Anfängen, verlegte erste
Proben von Jörg Steiner, Peter Lehner, Karl Kuprecht,
Elfriede Huber-Abrahamowicz, Fritz Senft, Gertrud Wilker
usw. Im «Bogen» wurde an den vergessenen Karl Stamm erinnert, mit kleiner Prosa auf William Wolfensberger hingewiesen. Edwin Arnet kam zum Wort, auch C. I. Loos wurde
mit einer Erzählung gedacht; und dann stellte sich ein muti-
ger Voraustrupp ein und bekam sein Geleit: von Raffael
Ganz über Ernst Eggimann bis zu Walter Lüscher, Hans
Zinniker und Ernst Leu. Als es still geworden war um
Robert Walser, als Ludwig Hohl darbte, als Adrien Turel
belächelt wurde und das nachgelassene Werk von Otto Wirz
zum Seziergut junger Germanisten abgesunken war, ließ es
sich Henry Tschudy nicht verdrießen und gab die Bahn frei
für Versuche, diese Literatur zu neuer Bewertung vorzulegen. Es soll nicht verschwiegen werden, daß solche Wie-
derbelebungsversuche keinen der Schriftsteller von Rang
davon abhielten, sich mit einem Beitrag in die «Bogen»-Reihe
stellen zu lassen. Hermann Hesse lobte das Unternehmen
und lieh ihm zweimal seinen Beistand (die Hefte 1 und 50),
Eduard Korrodi, Fritz Ernst, C. G. Jung, Gotthard Jedlik-
ka, Max Rychner, Werner Weber, W. R. Corti und Adolf
Portmann bekannten sich zur unbenannten Gemeinschaft;

es fehlten auch nicht Hinweise hier auf Maler und Zeichner, dort auf einen Musiker, ja man wagte den Versuch mit welschen Texten, deren Übersetzung dem Original mitgegeben wurde.

Freilich fanden nicht alle Hefte gleicherweise aufmerksame Leser und verständige Wertung; und als der Verlag den Nachlaß seines Begründers ordnete und man kaufmännisch Verlust gegen Gewinn abwog, stellte man mir trotz roter Bilanzzahlen die Vorräte in einem rollenden Container vors Haus, und ich füllte mit den beträchtlichen Sedimenten einen Winkel meiner Garage. Regelmäßig treffen seither vom Inland und von jenseits der Landesgrenze Nachfragen nach Heften ein, und wenn ich mit Hilfe meiner Tochter den Anforderungen Folge leiste und uns die Mühe des Spedierens verdrießen will, ermuntere ich mich, indem ich mir das vorbildliche Verhalten Henry Tschudys vergegenwärtige: in schelmischer Gelassenheit verbuchte er jede abgesetzte Druckschrift seines Verlags als eine Rückvergütung für verjährte Kosten und Mühewaltung seiner Buchdruckerei.

Josef Stocker-Schmid

Bald nach dem Erscheinen der letzten «Bogen»-Hefte und nachdem die Presse gemeldet hatte, daß die Reihe nicht mehr fortgesetzt werde, zeigte sich eine neue Möglichkeit, das Werk wieder aufzunehmen. Ich hatte meinen neuen Roman «Die verlorene Einfalt» abgeschlossen und für das Buch beim Verlag Josef Stocker-Schmid, Dietikon, ein Unterkommen gefunden. Der Buchvertrieb Stocker-Schmid hatte sich aus einer Versandbuchhandlung zum Verlagshaus erweitert. Inhaber und Verlagsleiter waren entschlossen, neben meinem Buch auch die «Bogen»-Reihe weiterzuführen, wobei man bereit gewesen wäre, neue Hefte bei Tschudy in Sankt Gallen drucken zu lassen. Das mit dem «Bogen» «mag na ine», scherzte Josef Stocker an einer Vorbesprechung, und sein Mitarbeiter stimmte bei. Wir beschlossen, künftig je ein literarisches und ein graphisches Heft jährlich in die Reihe aufzunehmen. Ein solches Vorhaben würde weder den Verlag noch mich zu stark beansprüchen, schüfe immerhin Gelegenheit, auf unsere beschränkte Weise davon zu zeugen, daß im Lande Neues im Werden ist. Inzwischen hatte ich auf frisch aufgenommener Fährte junge Gesichter für die neue Bogenfolge entdeckt und war überdies dabei, mich ins Abenteuer einer größeren erzählenden Arbeit zu begeben, ermuntert durch den Verleger, dem ich von meinem Plan berichtete, meine literarischen Erinnerungen als Lebensbericht aufzuschreiben. Nur wer es am eigenen, zweifelsüchtigen Geist erfahren hat, welch fördernde oder welch hemmende Kraft von der Vorstellung ausgeht, es sei da ein Mensch, der auf dich schaut und auf dein Schaffen achtet oder eben einer, der an dir zweifelt und nicht bereit ist, dir Vorschuß auf deine Unternehmen zu gewähren, – nur wer schon im Vorhimmel oder in der Vorhölle solcher Erhellungen oder Verdüsterungen sich zu bewähren hatte, der weiß, welch ein Segen oder welch ein Unsegen uns von außen zu fördern oder zu hemmen vermag. Nun, Josef Stocker-Schmids Bereitschaft hat mich angespornt, und mir gelang es, sowohl eine neue Bogenperspektive zu entwerfen als über meine Rückschau

kapitelweise Bericht zu erstatten. Ja, eine beginnende
Altersreife enthemmte mich: die Sorge, was ich zu berichten
habe, entbehre einer wenn auch beschränkten allgemeinen
Gültigkeit, schwand dahin, war ich doch nur Mittelsmann
und Zwischenträger; mein Privates sollte nur als Katalysa-
tor wirken, um den persönlich erfahrenen Lebensstoff zu
sondern und ihn in der gefällten Form eines Bodenschlags
darzustellen. Dabei galt es, im Bericht den Schein zu meiden, es gehe um mein Eigenes, wenn ich meinem Weg, den
ich durch bewegte Jahre gegangen war, im Rückblick folgte
und dabei das Strandgut sichtete, das am Ufer der Zeit an-
geschwemmt worden war.

Mit meiner Selbstschau kam ich rüstig voran, erkannte jedoch, daß «große Dinge», die mir seinerzeit im Erleben
bedeutsam erschienen waren, nun aus Abstand sich als nich-
tig erwiesen, daß aber in gewissen kleinen Vorfällen der
Keim für bedeutsames Wachstum angelegt war. Im Herauf-
holen versunkener Tage sah ich ferner ein, daß es sich gelohnt hatte, frühzeitig mit dem täglichen Buchführen zu beginnen, um etwas vom Zeitstoff im Netzwerk der Worte
aufzufangen. Es hatte genügt, das Erfahrene mit einigen
Werkworten zu fassen; denn allein schon das Überdenken
des vergangenen Tages ordnet dessen Fülle. Auf Jahrzehnte
zurück konnte ich meinen Herlauf verfolgen. Es sind nur
kleine tagebuchähnliche Agenden, die sich in Zehnergruppen
aufgereiht haben; ihre Stichworte fallen wie Farbtropfen
ins Reagenzglas der Erinnerung und geben der aufgerufenen
Zeit ihre Tönung.

Beim Aufwecken der Vergangenheit ging es mir wie es jenen
Patienten geht, die angewiesen werden, auf ihre Träume zu

achten und sie schriftlich zu fassen: je mehr Stoff dabei zutage gefördert wird, umso ergiebiger erweist sich der versunkene Grund. Ich blieb jedoch meinem Vorsatze treu, jeweils mein Persönliches nur insofern in die Betrachtung einzubeziehen, als es in Zusammenhang gebracht werden konnte mit einem Allgemeingültigen, das heißt: mein Privates diente lediglich als Anreiz und Vorwand, um vom Sonderfall auf eine weitere Bedeutung schließen zu können.

Nachdem die Themen geordnet waren und ich nach anderthalb Jahren die Kapitel geschrieben hatte, reichte ich dem Verlag meine Arbeit ein. Der Zeitpunkt war aber insofern ungünstig gewählt, als der Verleger ernsthaft erkrankt war und der wechselnde Verlauf seines Leidens auf bedenklichen Ausgang schließen ließ. In meiner Besorgnis um den Mann – aber auch um das Unterkommen meiner Arbeit – begann ich mir zum Trost sein männliches Bildnis aus der vagen Vorstellung zu lösen und vor mir zu errichten, um es mir lebendig zu erhalten: ich erinnerte mich der ersten Begegnungen mit ihm, sah seine leicht vorgeneigte, ragende Gestalt, und was sich mir am deutlichsten eingeprägt hatte, war sein Lächeln, das als Schimmer auf seinem Gesicht lag, die Schärfe der schmalen Nase milderte und den genau geschnittenen sprechbereiten Mund umspielte.

Josef Stocker-Schmid war bedeutend jünger als ich; aber es hatte sich gleich zu Beginn unserer Bekanntschaft eine zwanglose Gleichgestelltheit eingefunden, wobei der Umstand mitwirkte, daß er bereit zu sein schien, die Nachfolge Henry Tschudys zu übernehmen. Es blieb denn auch künftig – für eine kurze Zukunft freilich – bei dieser Vertrautheit im Umgang: etwas umgekehrt Patriarchalisches

bestimmte unser Verhältnis, indem der jüngere den altern-
den betreute.

Ich weiß nicht, ob er in einer ursprünglichen Beziehung
stand zu meiner Art des Erzählens und überhaupt zu meiner
Einstellung zum Leben, die sich im Erzählten kundtat; aber
die Gewogenheit, die wir einer für den andern bezeugten,
wirkte sich auf sein wertendes Urteil aus, und so gewährte
er mir Vorschuß: er hielt, was ich schrieb, für verlegens-
wert. Auch meine «Erinnerungen», deren Themen ich zuweilen ins Gespräch mischte, sagten ihm zu, und er war es
denn, der mich wiederholt zum Zusammenfassen dessen auf-
forderte, was in meinem Dasein als Schreibbeflissener geschehen war. Als ich ihm die erste Zusammenstellung vorgelegt hatte, war er etwas enttäuscht gewesen, da sie nicht
umfänglicher war, und ich hatte sie dann ohne Zögern ergänzt, hatte hier nachgetragen, dort verändert, und eines
Tages erfuhr ich nun, daß er während eines Kuraufenthaltes
in Orselina meine Kapitel wiederholt gelesen habe und bereit sei, das Buch zu verlegen. Erneut machte ich mich ans
Überarbeiten, in der Hoffnung, seine Zuversicht dürfe als
Anzeichen auf völliges Genesen und somit des weitern Zu-
sammenschaffens gedeutet werden.

Aber er starb von so viel Begonnenem und Geplantem weg,
und mir blieb die Erinnerung an das Bild seiner anregenden
Gestalt, das ich weiterhin Zug um Zug ergänzte und zu bewahren suchte. Im Tagblatt für das Limmattal hatte ich jeweils seine Berichte gelesen, mit denen er der Öffentlichkeit
zusammenfassend über die Verhandlungen im kantonalen
Parlament, dessen Mitglied er war, Rechenschaft ablegte,
und ich war zufrieden, mich an der Seite eines «öffentli-

chen» Geistes zu wissen, der über parteipolitische Verschie-
denheiten hinweg seine Mitarbeit und Mitarbeiter gewählt
hatte.

Welches Maß an Verantwortung er zu meistern vermochte,
erriet ich, als er mir einmal Einsicht gegeben hatte ins Werden eines neuen Verlagswerkes, das er in die Liste seiner
«Bibliophilen Drucke» aufzunehmen gedachte. Es handelte
sich um den mehrfarbigen Faksimiledruck des Mainzer Psal-
ters von 1457, eines Meisterwerkes der Buchdruckerkunst
aus der Zeit nach Gutenberg. Er hatte verschiedene dieser
auf Pergament gedruckten Werke, von denen sich nur noch
zehn erhalten haben, zu Gesicht bekommen; sie waren alle
in mehr oder weniger mitgenommenem Zustande, durch
jahrhundertelangen liturgischen Gebrauch vernutzt und von
Weinflecken und Kerzentropfen verunstaltet, als er in der
Österreichischen Nationalbibliothek in Wien ein wohlerhal-
tenes Exemplar der Vollausgabe entdeckte, voll Entzücken
und wie benommen sogleich Hand darauf legte und sich die
Rechte zur Reproduktion beschaffte, unbesonnen und ohne
überschlagen zu haben, zu welchen finanziellen Folgen ein
solches Unternehmen führen würde. Er wußte, daß er nicht
imstande war zu verzichten, und er fühlte sich gestärkt vom
Glauben, das Wagnis könne nicht fehlen. Mir selber hatte
damals um den Mann beinahe gebangt, der Geschäftliches
mit Intuition vermengte, und dennoch bewunderte ich
seinen Wagemut, der für das Vertrauen in ein Geführtwer-
den zeugte. Schon früher bin ich in geringerem Maße ähn-
licher Verfügbarkeit dem geschäftlichen Wagnis gegenüber
im Umgang mit Henry Tschudy begegnet. Auch er hatte es
sich geleistet, aus reiner Berufsleidenschaft immer wieder

Sonderdrucke zu wagen, ohne sich von den kaum absehbaren Kosten abschrecken zu lassen; hier aber, bei Josef Stocker-Schmid, schien mir, gehe das Wagnis bis an die Existenzgefährdung. Gerade diese Lust jedoch, das Geschick herauszufordern, hatte seiner Natur entsprochen, verführte ihn aber nicht zu unverantwortlicher fatalistischer Spekulation: er hatte vorsorglicherweise das Unternehmen des «Verlags Bibliophile Drucke» vom übrigen Buch- und Zeitschriftenverlag abgesondert und das finanzielle Risiko auf sein privates Konto genommen. So war gewissermaßen sein Sonntagsgewissen der Werktagsverantwortung entzogen. Mit seinen bibliophilen Drucken hat er einem noblen Ehrgeiz genügt, mit dem er als ehemaliger Außenseiter sich vor der Gilde der Verleger als Meister auswies, und auch in dieser Hinsicht glich er Henry Tschudy. Beide Liebhaberdrucker haben mit Meisterstücken sich selbst bestätigt.

«Bogen»-Autoren

Neue Namen: Hans Boesch, Max Bolliger, Erika Burkart, Ernst Eggimann, Raffael Ganz, Arthur Häny, Elfriede Huber-Abrahamowicz, Peter Lehner, Ernst Leu, Walter Lüscher, Klaus Merz, Hans Mohler, René Peter, Fritz Senft, Jürg Schubiger, Jörg Steiner, Heinz Weder, Gertrud Wilker, Hans Zinniker.

Stützen und Hülfen: Fritz Ernst, Fritz Enderlin, Hermann Hesse, C. G. Jung, Eduard Korrodi, Selma Lagerlöf, Gotthard Jedlicka, Adolf Portmann, Werner Weber.

Namen, die dem «Bogen» Geltung verschafften: W. R. Corti, Meinrad Inglin, Lothar Kempter, Max Rychner, Albert Steffen, Charles Tschopp, Regina Ullmann, Robert Walser, Hermann Weilenmann, Albin Zollinger.

Vergessene, Verkannte, Übersehene: Edwin Arnet, Ludwig Hohl, C. I. Loos, Karl Stamm, Adrien Turel, Otto Wirz, William Wolfensberger.

Monographien: Brühlmann (Lothar Kempter), Emil Burki, Fritz Deringer, Rubens und Rembrandt (Marcel Fischer), Ernst Gubler, Felix Hoffmann, Othmar Schoeck.

Herkommen und Hingehen

Gedenkblatt für meine Eltern

«Zeugniß vollkommener Zufriedenheit»

Von meinem Vater sind ein paar wenige schriftliche Zeugnisse auf mich gekommen: das umfänglichste sein in Leinen gebundenes, mit einem vergilbten, nachgedunkelten Papierschildchen beklebtes militärisches Dienstbüchlein: «Dienstbüchlein für Vogel Conrad von und in Riesbach, 1865.» Dieser persönliche Ausweis umfaßt 64 Seiten, also vier Bogen zu 16 Seiten, und gibt Auskunft über den Träger: Name, Bürgerort, Wohnort, verschiedene Stempelabdrücke, Unterschriften, militärische Einteilung, sanitarische Untersuchung, Ausrüstung, gefaßte Militäreffekten, bestandene Waffeninspektionen und Wiederholungskurse. Hinten im Büchlein finden sich einige lose Beilagen, darunter ein gefaltetes Blatt mit der in schwungvoller Handschrift bezeugten Bestätigung einer erfüllten Gärtnerlehre. Mir selbst ist dieses Blatt eines der liebsten Andenken an meinen Vater; es muß auch ihm besonders wert gewesen sein. Wie anders sonst als durch Sorgfalt wäre es auf den Nachfahren gekommen, verwahrte er es doch im Dienstbuch, dem persönlichsten Ausweis des Bürgers und Wehrmanns.

Dieses handschriftliche «Zeugniß vollkommener Zufriedenheit» wurde in München-Nymphenburg am 1. Januar 1883 ausgestellt, trägt als gedrucktes Signet das Firmenzeichen einer damals offenbar recht angesehenen Gärtnerei G. Tierry, den Namenszug des Lehrmeisters und besagt, daß Conrad Vogel von Zürich «fleißig und treu» war, «und wünsche ich ihm ein glückliches Fortkommen. Er verläßt seine Stelle, um nach Hause zu gehen.»

Er ist tatsächlich nachhause zurückgekehrt, und zwar nach

dem Civilstandskreis Riesbach im Canton Zürich, dem heutigen Stadtkreis gleichen Namens, wo seine Mutter, die Maria Vogel, geb. Werder, als Witwe des Vogel Konrad an der Wildbachstraße 22 wohnte und für vier Söhne und zwei Töchter zu sorgen hatte. (Später war zuweilen in der Familie meiner Großmutter von einer berühmten Nachbarschaft die Rede: auf der Landzunge Zürichhorn, im Atelierhaus zur Hornau, verbrachte der Tiermaler Rudolf Koller seine glücklichsten, ergiebigsten Jahre; von 1862 bis zu seinem Tode im Jahr 1905).

Die Burstwiesen

Ich weiß, daß der Heimgekehrte, als ältester Sohn, seiner geprüften Mutter zur Seite stand, sich zunächst als Gärtnergeselle verdingte, aber bald darauf drängte, daß man irgendwo im Umkreis der Stadt wohlfeiles Land erwerbe, um es urbar zu machen und im Gemüsebau zu nutzen. Man wählte denn auch bald im Gebiet der Vorortsgemeinde Wiedikon am Fuße des Uetliberges im flachen, leicht abschüssigen Feld gegen das Dorf Albisrieden hinaus einige Jucharten Streuland und sogenannte Burstwiesen. Dort stand abseits vom bewohnten Gelände nahe dem Letzigrabenbach eines der Pulverhäuser, wo die Stadtverwaltung hinter rustikalem Mauerwerk die Munitionsvorräte zu verwahren pflegte, beschattet von blitzableitenden Pappeln.

Meine Großmutter mit ihren halbwüchsigen, noch unmündigen Kindern bekam von freundlichen, jüdischen Maklern genügend Vorschuß für den Landkauf; auch ließ sie dort in der ländlichen Abgeschiedenheit ein einfaches Wohnhaus errichten. Eine Ausfallstraße führte von der Stadt und von Wiedikon her zum Triemlihof hinauf und an Albisrieden vorbei zur Höhe der Waldegg und weiter in Richtung Birmensdorf; die Straße hieß denn auch Birmensdorferstraße und heißt heute noch so. Bevor sie zum Triemli anstieg, zweigte ein Feldweg ins Brachland hinaus. Diese Wegspur, ohne Steinbett, nie beschottert, endete bei der Umgebungsmauer des Pulverhauses; und hier also siedelte sich meine Großmutter Maria Vogel-Werder mit ihren Kindern an. Mehr als ein holpriger Feldweg war diese Burstwiesenstraße nicht, und in den nassen Jahreszeiten des Übergangs trennte er unsere Siedelung mehr von der Stadt als daß er sie mit ihr verband. Ergiebig erwies sich der lehmige Grund einzig für die Ziegeleien und Backsteinfabriken, die sich nebenan über dem Schwemm- und Schlämmkegel des Uetlibergfußes eingerichtet hatten und in verschiedenen Gruben den Lehm abbauten.

Im Vorfeld der Stadt

Im Dienstbüchlein meines Vaters steht unter dem gedruckten Titel «Wohnortsveränderung» der gestempelte Vermerk, er habe sich im April 1888 in der Gemeinde Riesbach ab- und in der Gemeinde Wiedikon angemeldet. Im selben Jahr läßt aber das Kreiskommando Zürich den Eintrag «Wiedikon» streichen: es ist eben das Jahr der großen Eingemeindung der Außenorte mit der Stadt: Wiedikon und mit ihm unser Heuried werden städtisch angegliedert. Drei Jahre später, im Juli 1891, läßt sich mein Vater vom Civilstandskreis Riesbach

durch einen Auszug aus dem Ehe-Register bescheinigen, daß
er (geboren am 20. März 1865) gesetzlich durch die Ehe verbunden worden sei mit Hug Elisabetha, von Affeltrangen,
Thurgau, geboren in Aegeri, den 19. Februar 1868, Tochter
des Hug Franz und der Dorothea geborenen Kienast. (Der
Eheschein liegt hinten im Dienstbüchlein.) Im August des
nächsten Jahres wird ihnen ein Knabe geboren, und man
tauft ihn auf den Namen des Vaters. Konrad ist der Erstge-
borene von künftigen zwölf Geschwistern. Von diesem meinem ältesten Bruder hätte ich nicht eitel Erfreuliches zu erzählen; denn an ihm machten sich die Erziehungsfehler in
einer Weise geltend, die ihm, dem Verwöhnten, ebenso wie
seinen Angehörigen, ein Leben lang zu schaffen machten.
Doch hat er inzwischen nach einem bewegten, vielfach geprüften Dasein den Frieden gefunden, und der bleibe unge-
stört. – Ich weiß nicht, wer es eigentlich war, der dem Ältesten besondere Rechte zubilligte, ob es die Eltern selbst waren oder ob es die Großmutter war, die in ihrer frühen Wit-
wenschaft den ersten Enkel begreiflicherweise mit besonderer
Inbrunst begrüßte. Klein Konrad muß ein ausnehmend leb-
haftes und auch hübsches Kind gewesen sein: ein blonder
Krauskopf, frühreif und herrisch. Offenbar haben sich die
beiden jungen Tanten, meines Vaters Schwestern, eifersüchtig
um des kleinen Prinzen Gunst bemüht. Ich stelle mir vor, wie
sich alle die Menschen im gar nicht geräumigen Hause drängten: zu ebener Erde hatte sich die Großmutter eingerichtet;
zu ihrem Haushalt gehörten drei Söhne und zwei Töchter;
im ersten Stock fanden meine jungvermählten Eltern Unterkunft, und oben unterm Ziegeldach baute man zusätzliche
Schlafkammern und eine winzige Küche ein. In diese geord-

nete, aber bedrängende Enge wurde nun mein Bruder geboren und hatten sich später die andern Geschwister zu fügen.

Mir bleibt ein unbestimmtes Erinnern an ein nicht eben ausgeglichenes Verhältnis der jungen Frau meines Vaters, also meiner Mutter, zu den beiden Schwägerinnen, und ich kann es verstehen, daß man die aus ebenso ärmlichen Verhältnissen kommende junge Frau zunächst als Eindringling zurückhaltend und abwartend in Kauf nahm. Es muß sich indessen das Einvernehmen sogleich verbessert haben, als der Knabe eintraf und sich mit ihm eine neue Generation meldete. Klein Konrad wurde zum Hätschelkind aller, und mit ihm fand sich dessen Mutter aufgewertet. Lisettli wurde sie gerufen, sowohl von ihrem Mann als von der Großmutter und deren Söhnen und Töchtern, und aus der Verwelschung und Verkleinerungsform des Namens Elisabeth klingt eine verhaltene Zärtlichkeit, wie sie bei diesen vom Lebensernst geprägten Menschen selten genug zum Ausdruck kam. Ich weiß es von meiner Mutter, daß die zwei ersten Ehejahre ihre freundlichsten und gelöstesten waren.

Magerer Boden

Zu den erworbenen Jucharten Riedlandes hinzu hatte meine Großmutter weitere Landstriche in Pacht genommen. Mit ihrem Ältesten, meinem Vater, teilte sie sich hälftig in die Felder, gegen entsprechenden Pachtzins, auf dessen Entrichtung sowohl die Großmutter als die Geschwister meines Vaters notgedrungenerweise bedacht waren. Auch hatte das junge Ehepaar monatliche Wohnungsmiete zu bezahlen.

Zunächst war mit einem gärtnerischen Ertrag, der aus den Magermatten zu ziehen gewesen wäre, kaum zu rechnen. Das erste Jahr, da man in diesen Burstwiesen mit Gemüsebau begann, war zudem von einem ungewöhnlich trockenen Sommer gekennzeichnet. Man stelle sich den harten Boden des borstigen Wieslandes vor, das Teil eines Flachmoores war. Nie ist hier gedüngt, nie auch nur gemäht worden. Wo sich der Boden zur Riedmulde senkte, blieb das Wasser liegen, der Grund vermooste, wurde sauer und trug mancher Art Trespen, Riedgras, Seggen und sogar Schilf.

Der Name Burstwiese weist auf die Trespe (Bromus erectus) hin, die auch Burstgras heißt. Der Boden, den die Trespe bevorzugt, ist kalkhaltig. Ich sehe mich als Kind bei der Großmutter im Feld stehen. Sie hebt eine Hand voll Erde auf und zeigt mir die winzigen, kalkigen Muscheln, die vom Molassemeer hier als Rückstand liegen geblieben sind. Sie hat mir beigebracht, daß es gelte, zum hohen Kalkgehalt hinzu den Boden mit Stickstoff anzureichern, ihn also mit Stallmist und Jauche «z büüne» (zu düngen), um so aus den mageren Wiesen ertragreiche Fettmatten erstehen zu lassen.

Mein Vater, ein etwas untersetzter, gesunder junger Mann, mit keck ausholender Hakennase, die er gutgelaunt Synagogenschlüssel nannte, und mit einem starken, Tatkraft verratenden Kinn, ging auf die Schwierigkeiten des zähen Grundes wie auf einen Gegner los: er machte sich ungesäumt ans Verbessern des Bodens: Rigolen, Meliorieren und Drainieren, diese Hauptwörter wurden ihm und uns vertraut. Sie waren aus substantivierten Verben entstanden und beherrschten während langen Jahren sein Denken, Reden und Handeln. Vorerst mußten einige Felder nach und nach entwässert werden; dies geschah durch Drainage: man zog Gräben durch das künftige Pflanzland, legte Tonröhren in den Boden und sorgte dabei für leichtes Gefälle, damit das Wasser abfließe und sich in einem Bach oder später in der städtischen Kanalisation sammle. Die Tonröhren lagen als kurze, gebrannte Stücke zu Haufen bereit; wir nannten sie ihres Aussehens wegen Makkaroni. Man versenkte sie in den nassen, torfigen Grund, deckte die Gräben zu, und wo die Stränge, die das Land unterirdisch wie Blutgefäße durchzogen, sich kreuzten und vereinigten, blieb der Boden als Grube geöffnet und vernarbte nach und nach mit dem wuchernden Kraut. Dem Kind tönte von unten die gurgelnde Stimme wie Pulsen des Erdblutes herauf.

Neben der Drainage das Rigolen! Das Wort soll niederländisch-französischen Ursprungs sein. Eine Rigole ist eine Rinne, ein Entwässerungsgraben. Für meine Großmutter und meinen Vater bedeutete das Rigolen ein mühseliges Verfahren, mit dem im Boden das Unten nach Oben gekehrt wurde. Nach dem Wörterbuch bezeichnet man mit rigolen auch ein tieferes Pflügen; den Meinen aber genügte kein noch so gründliches Umgraben; sie holten mit mannstiefen Schächten den Torfgrund nach oben und versenkten die lehmige, faserige Oberfläche in die Tiefe. Wir alle, Erwachsene und Kinder, verstanden den biologischen Sinn dieser mühsamen Umwälzung keineswegs, vertrauten aber dem Meister, der wohl zu wissen schien, wie er es anzustellen hatte, um des Gehaltes dieses Erdreichs habhaft zu werden; und der Erfolg gab ihm und unserem Vertrauen recht: während Jahrzehnten trug sein Land Frucht, ernährte seine große, ständig wachsende Familie und ließ weder bei meiner Großmutter noch bei den

Onkeln und Tanten den Verdacht aufkommen, man lebe ärmlich von der Hand in den Mund. Wir wußten nicht, was Mangel, gar was Armut war; wir genügten uns selbst.

Merkmal niederer Herkunft

Freilich sei ein Makel, der uns Neusiedlern etliches Unbehagen bereitete, nicht verschwiegen; besonders die heranwachsende Jugend empfand ihn als Entwertung ihrer selbst und ihres Herkommens. Ich habe bereits vorhin auf diese wunde Stelle hingewiesen: es ging um das Fehlen einer würdigen Wegverbindung von unserer Siedelung mit der städtischen Außenwelt. Der Lotterweg, den sie Burstwiesenstraße nannten, wurde für uns Kinder geradezu zum Fluchzeichen: wer ihn ging, war gezeichnet. Bei Regen füllten sich die Wagengeleise mit schmutziggelbem Wasser, das während Tagen und Wochen zu Brei verdunstete und den Fußgänger knöcheltief einsinken ließ. So wurde uns Lehm zu Schmutz, Schmutz zu Dreck und Dreck zu Kot.

Wie einem Bauernkind, das in der Schulstube des Vororts nach Stall riecht und seines würzigen Tierduftes wegen von den Kameraden gemieden wird, so wich man in den städtischen Schulhäusern uns Heurietlern mit unseren verklecksten Schuhen und Hosenstößen aus. In solcher Notgemeinschaft herangewachsen und zur Selbstwehr gezwungen, suchten wir Geschwister uns zu helfen, indem wir unsere Schuhe mit Lappen einbanden oder unterm Arm heimlicherweise ein zweites Paar mittrugen, das wir dann an der Hauptstraße vorn hinter Backsteingestellen der Ziegelei gegen die verschmutzten

auswechselten; das war freilich kein wohlfeiles Verfahren,
da uns die abgelegten Schuhe von Mißgünstigen nicht selten
entwendet wurden.
Über mein zweites Lebensjahrzehnt hinaus hat mir der
Lehm als Kennzeichen der Verschmutzung stille Not bereitet.
Lehm galt noch dem Jüngling als Merkmal der niedern Herkunft und der lästigen Bodenschwere. Erst nach Jahren der
peinvollen Ermannung kam ich zu einer vernunftgemäßen,
ins Sinnbild gehobenen Lösung und Erlösung: Lehm kann ge-
formt, getrocknet und gebrannt werden, um mir als Back-
stein, Ton oder Terracotta zu dienen. Es war ein Leidensweg,
den ich als Knabe und Jüngling zu gehen hatte; aber gerechterweise sei gestanden, daß weder ich noch meine Geschwister unsern Vater auch nur in Gedanken der Vernachlässi-
gung der Sorgfaltspflicht gegenüber den Seinen anklagten:
es ging einfach über seine Kraft, die einige hundert Meter
lange Zufahrt von der städtischen Ausfallstraße bis zu unserem Heimwesen auszubauen. Wohl ließ er gelegentlich die
Geleise mit etlichen Fuhren Schotter oder auch nur mit Bau-
schutt ausfüllen: alles Feste versank bald im weichen Grunde.
Auch sei hier beigefügt, daß wir Anwohner der Burstwiesen
trotz der Abgeschiedenheit uns nie in Unzufriedenheit gegen
den uns tragenden, uns wohlgesinnten, ernährenden Boden
wandten oder ihm grollten: wir ertrugen und trugen unser
Anderssein als eine Art Auszeichnung: der Sonderling war
ein Besonderer.

Hartes Wasser

In jenem ersten Jahr, nachdem man im eigenen, mit Hypotheken reichlich belasteten Haus eingezogen und der trockene Sommer dem Rigolen und Drainieren förderlich war, mußten einige ausgewählte, in der Nähe des Hauses gelegene Felder oberflächlich für einen ersten Anbau von Gemüse hergerichtet, zum mindesten vom Riedgras gesäubert und mit Spaten und Grabgabel ausgeebnet werden. Erstes widerstandsfähiges, wenig anspruchsvolles Gemüse wurde angebaut.

Meine Mutter, in Erwartung ihres ersten Kindes, meines nachmaligen Bruders, kam später immer wieder auf jene harte Arbeit zu sprechen, ohne Klage und mit dem heimlichen Stolz, der den Pionier auszeichnet, dessen Opfer dadurch sinnvoll wird, daß das gewagte Unternehmen gelungen ist. Sie erzählte: mit dem Brecheisen, einer schweren mannshohen stählernen Stange, die Heb-Ise (Hebe-Eisen) genannt wurde, mußten für die Setzlinge handtiefe Löcher in die ausgetrocknete Erde gestoßen werden. Zwar rutschte das krümelige, staubige Erdreich nach; aber man stieß ein zweites und drittes Mal in die Tiefe, pflanzte nun den Setzling in die kleine Grube, goß Wasser nach und schwemmte so die Wurzeln ein. Es waren Kohlarten, denen man zutraute, genügsam und widerstandsfähig genug zu sein, um zu überleben: Kabis, Wirz, Rosenkohl, vielleicht auch Feder- und Blumenkohl. Und sie gediehen. Zwar galt es, Tag für Tag mit Tanse oder Gießkanne Wasser zu tragen und die Pflänzchen wie Säuglinge zu stillen, um sie vor Sonnenbrand zu bewahren. – Doch woher nahm man das Wasser?

Mein Vater hatte sich vorgesehen. Zwar besaß er keinen Mosesstab, auch fehlte ihm der Wüstenfels. Wahrscheinlich waren ihm ähnliche Schwierigkeiten hinter dem Bodensee und dem Allgäu in München begegnet, und hat man ihn gelehrt, sie zu beheben. Er ließ eiserne Röhren in den Grund treiben, wußte er doch, daß auf der Molasse, unter Torf und Lehm, die Schotterbank lag: eine tiefgründige, wasserführende Kiesschicht. Das Grundwasser sprudelte zwar nicht als Quell oder Ausstoß aus der angebohrten Tiefe. Nein, so freigiebig war unsere Heuriednatur nicht. Man hatte Handpumpen einzusetzen, die förderten das harte, kühle Wasser zu Tag und ergossen sich in einen Zuber, Stande geheißen, der als Trog diente. An diesen Handpumpen mit ihrem langen Schwengel hatte man sich nun zu betätigen: eine dauerhafte Plackerei, beinahe eine Galeerenfron.

Nicht daß ich wüßte, daß je einer der Pompiers, weiblichen oder männlichen Geschlechts, jugendlichen oder bestandenen Alters, das Pumpen verwünscht hätte! Bestand doch der Lohn der Mühe in wahrem Lebenswasser. Es schlug sich außen am Pumpenhals in silbernen Perlen als Nässe nieder, und im Umkreis der Schöpfstelle gedieh Pflanze, Tier und Mensch. Man kam sich ins biblische Land und an den Jakobsbrunnen versetzt vor.

Die Kindbetterin

Mein Vater war von Haus aus ein nüchterner Mann und zeigte keinerlei Neigung für religiöses Bekennen. Ich glaube, daß er seine Frau, unsere Mutter, schätzte und auch redlich

Konrad Vogel, der Vater
Holzschnitt von Traugott Vogel

liebte; ihr frommes, stillinniges Wesen ließ er schweigend als Gottvertrauen und Lebensmut gelten, auch wenn er sie vielleicht für sich nachsichtig belächelte. Ich habe ihn nie zur Kirche gehen sehen, er gehörte auch keiner politischen Partei an, betätigte sich jedoch als ausgebildeter Berufsmann gerne unter seinesgleichen. So zählte er zu den Begründern eines Berufsverbandes, der sich Gemüsebauverein nannte. – Einmal gab er mir, als ich mich in der Primarschule als Zeichner ausgewiesen hatte, den Auftrag, für seinen Verein ein Abzeichen zu entwerfen, und riet mir, als Sinnbild die wichtigsten Gartengeräte kreuzweis anzuordnen. Mein Entwurf fand bei ihm und seinen Kollegen Zustimmung, und ich trug fortan den Kopf um eine Spur höher, wenn ich in der Stadt, etwa auf dem Gemüsemarkt an der Bahnhofstrasse, mein Zeichen an einem Lieferwagen entdeckte.

Eben schrieb ich, Gottvertrauen und Lebensmut hätte man hinter der Haltung meiner Mutter verspürt. Wie sonst, frage ich mich, wäre zu erklären, daß eine zarte Frau von armem, ja kümmerlichem Herkommen – sie hatte als Einlegerin an einer Liniermaschine gearbeitet – die Kraft aufbrachte, sozusagen aus einem Nichts an bürgerlichem Erbgut einen Haushalt zu erschaffen und ihm während eines vollen Lebens vorzustehen! Dreizehn Kinder hat sie ihrem unbekümmert fruchtbaren Manne geboren, ohne Fehlgeburt oder unzeitigen Todesfall. Alle zwei Jahre ungefähr legte sie sich ins Kindbett; und einmal kam sie mit Zwillingen von der Klinik heim. Als ich als Erwachsener mir ein einschränkendes Wort über meinen Vater, ihren verstorbenen Mann, erlaubte, wies mich die sonst so weitherzige, duldsame Frau recht barsch zurecht und untersagte mir Aussetzungen an

ihrem Mann in ihrer Anwesenheit. Und als er einmal für
eine übertrieben tüchtige Dienstmagd eine Neigung und
Voreingenommenheit verraten hatte, litt sie während Jahren
schweigend, und es bedurfte der Parteinahme der heran-
wachsenden Söhne und Töchter, um die anmassende Person
auszuschalten; unsere Mutter hätte schweigend weitergelit-
ten und die Entfremdung gar als Selbstverschulden auf sich
genommen.

Aber ich will ja von Geschehnissen berichten, die belegbar
sind und sich nicht im Halbdämmer der Vermutung verlieren.

Unsere Mutter war eine unangefochten fromme Frau; sie
reichte in ihrer Ergebenheit an die Gestalt unserer Großmutter heran, jedoch war die Ahne einem alttestamentlich
herrischen Gott hörig und las zu ihrer Erbauung ihren Spurgeon*, während Frau Lisette weniger dem Martha- als dem
Marienwesen zugehörte und keinem zürnenden, sondern
einem gütigen Herrn und Heiland ergeben war. Am Sonn-
tagnachmittag ruhte sie sich von den sechs bis zur Mitternacht ausgefüllten Wochentagen aus: von der Kinderpflege,
vom Gemüsegarten, von zweimaliger Marktfahrt, vom Ab-
wehren ihres leistungsfreudigen Gatten, ja sie hatte sich vom
Gang zur Sonntagspredigt zu erholen, vom Herrichten des
üblichen Sonntagsbratens, vom Nichtversäumen all der Ge-
burtstage, dem Großeinkauf von Fett und Brot und weite-
ren nicht selbsterzeugten Lebensmitteln, vom Ausbessern der
Kinderkleider, von Krankenpflege, großer Wäsche. Und
nun sitzt sie allein am Fenster unterm schrägen Wandspie-

---

* Charles Haddon Spurgeon (1834–1892), der populärste Prediger Lon-
dons in der zweiten Hälfte des 19. Jahrhunderts.

gel. Das Haus hat sich sonntäglich entleert, die Kinder
gehen ihrer Wege, der Mann schnarcht in der Kammer, der
Jüngste rüttelt im Stubenwagen den Roller, irgendwo hand-
orgelt ein Knecht oder dudelt's aus einem Grammophon-
trichter in die nachmittägliche Stille; durchs Fenster ver-
nimmt sie das Pusten der eifrigen Uetlibergbahn ... Sie liest
im «Evangelium», dem Hausblatt der Methodistengemeinde.
Über dem Papier nickt sie ein. Ich stelle mir vor, sie habe
eben noch die Geburtsjahre ihrer Kinder vor sich hingesagt:
Konradli 1892, Träugeli, 1894, Dorli, Gritli ... Sie öffnet
die Augen ohne aufzusehen; denn unterm Herz hat sich das
Kommende geregt. Sie schließt die Augen und schaut in sich
hinein, zu ihm hinab. Sie lächelt. Sie sagt ihm willkommen
und nimmt sich vor, den Jutesack, den man Emballage
nennt, doppelt und vierfach unter die Knie zu legen, wenn
sie morgen im Gartenfeld kauert und die Rübensaat ver-
dünnt ...

Die Zumutung

In München hat mein Vater beruflichen Umgang mit bayrischen Landarbeitern gepflegt und ist mit einigen von ihnen
in Verbindung geblieben. Auch hat er «draußen» gewisse
hochdeutsche Manieren kennen gelernt und davon einige
behalten. Zu diesen Manieren gehört das Spielen auf der
Konzertzither. Zuweilen am Abend stülpt er den Ring über
die Fingerbeere des rechten Daumens, ordnet die übrigen
vier Finger der selben Hand und legt sie auf den Saiten so
zurecht, daß sie den Grundton und den zugehörigen Moll-
oder Durakkord anschlagen können. Die Finger der Linken

setzt er steil auf das Griffbrett, drückt sie auf den Steg, und nun greift er die Melodie eines Liedes. Es gelingt ihm tatsächlich, ein Lied herbeizulocken, das er in Erinnerung hat: «Weißt du, Muetterl, was i träumt hab? I hab in Himmel eini gschaut . . .» Bald bleibt er stecken, als sei in ihm eine Spielwalze abgelaufen, und halb hilflos, halb erzürnt schaut er uns, die schweigen und warten, der Reihe nach an, als plage ihn eine ernste Frage. Aber er fragt nicht; er packt die Zither in den schwarzen Kasten und stellt ihn beiseite. Ich jedoch weiß, was er fragen wollte. Und ich erwarte die Frage mit einigem Bangen. Eines Tages fragt er mich tatsächlich: «Möchtest du nicht Zitherstunden nehmen? Ich habe mit einem Musiklehrer gesprochen.»

Nun war ich schwächlich und schüchtern oder rücksichtsvoll genug und wagte nicht, mich gegen diese Zumutung zur Wehr zu setzen. Ich sagte nicht nein, sagte zögernd zu, und während Jahren trug ich fortan den vierkantigen, schwarzen Kasten mit der summenden, schwirrenden Zither allwöchentlich einmal in die Stadt zum Unterricht, machte mich voll innerer Abwehr mit den Übungsstücken weniger vertraut als daß ich mich mit ihnen leidlich vertrug; doch stand stets mein Wunsch nach dem Klavier. Der einzige im Haus war mein Vater, der für meine mit verhaltenem Widerstand ausgeübte kümmerliche Spielkunst einige Aufmerksamkeit zeigte, während doch jedermann zu spüren schien, wie unergiebig mein musikalischer Aufwand blieb. Ich gab denn das Zitherspiel auf, sobald sich ein schicklicher Vorwand finden ließ, – und der ergab sich, als mein Vater (durch mich) erfuhr, daß zur Erlangung eines Ausweises für das Lehramt mehrjähriger Unterricht im Klavier- oder

Geigenspiel vorausgesetzt werde und kein Zitherspiel genüge. Die Zither blieb in ihrem schwarzen Kasten versargt;
der Kasten stand hinter einem Schrank, verstaubte, und zuweilen stöhnte es jämmerlich schluchzend in ihm auf, wenn
eine der Saiten sprang.

Stadtmist

Mit dem Gedeihen der Familie wuchs auch der gärtnerische
Betrieb; oder besser: es hat eines das andere gefördert – in
einem Wettlauf der Fruchtbarkeit. Zum Anbau im Freiland
kam die Treibbeetkultur. Man sättigte den entsäuerten
Boden mit Dünger aus den Pferdeställen der Brauereien am
Uetliberg und Hürlimann, auch mit Kehricht, dem sogenannten Stadtmist, dem Müll des Abfuhrwesens der Stadt.
Es gab noch keine Kehrichtverbrennungsanstalt, und die
Stadtverwaltung lieferte den Abfall aus den Haushaltungen
unentgeltlich, ja zahlte für jede Fuhre, die sie bei den Land-
wirten deponieren konnte, ein gewisses Draufgeld.
Es bereitete uns Kindern ein abstoßendes und doch aufrei-
zendes Vergnügen, wenn eine Magd oder ein Knecht die in
der Zersetzung dampfenden Müllhaufen mit großzinkigen
Harken, sogenannten Kräueln, durchkratzten, um harte
Gegenstände auszusondern; da fanden sich in Ruß und
Asche aller Art Scherben und Blech, Gewebefetzen und zer-
brochene Uhren, oft auch Nippsachen, leicht oder schwer
verletzt, alles Zeugnis eines fremden, fernen unfassbaren
Wohlstandes, dem wir Naturkinder mit argwöhnischer Be-
wunderung begegneten. Man verbot uns, die Fundstücke zu

berühren und warnte uns vor Ansteckung: die Haut der
Hände, die da zugriffen, würde Warzen ausscheiden. Dennoch: an Warzen war bei uns kein Mangel; es gab zu vieler-
lei verlockenden Schutt, gesunkenes Kulturgut vom Zürichberg.

Der gesäuberte, durchwühlte Müll blieb an hohen Haufen
während Wochen liegen, erwärmte sich in der Zersetzung,
und als verrotteter, phosphorhaltiger Abraum wurde er
schließlich von unserem Vater mit dem Tierdünger ver-
mengt. – Alle Verwandlung gehe über die Fäulnis, sagte er;
diese geradezu marxistische Einsicht kam ihm aus der dampfenden, gärenden Anschauung.

Der Geborgene ist heiter

Von jenen bayrischen Landarbeitern, die mit unserem Vater
in Verbindung geblieben waren und von denen er diesen
und jenen «in d Schwoiz nei» holte und als Gesellen ein-
stellte, sind uns Kindern besonders deren zwei in ungetrüb-
ter Erinnerung geblieben. Die beiden waren unter sich bereits eng befreundet und blieben es, als die schweizerische
Fremde ihre neue Heimat wurde. Der eine bewährte sich im
Dienste meines Vaters, der andere im Dienste meiner Großmutter und hernach meines Onkels. Ich denke gerne an sie
zurück: sie bewahrten uns in unserer ländlichen Abgeschiedenheit vor der Enge des Selbstgenügens; aus Bayern kommend sprachen sie eine eigene, beinahe eine andere Sprache
und wurden damit Zeugen aus einer für uns neuen Außen-
und Innenwelt. Vor ihrem Boarisch hob sich mir mein Züri-

tüütsch geradezu befremdlich ab, und in solchem Gegensatz
erkannte ich staunend, daß sich die Eigenart der Welt, in
der einer lebt, nicht nur in ihr selbst (in der Welt!), sondern
in ihrer Sprache darzustellen vermag und sich hier verwirklichen kann. Auch stellte ich im Umgang mit den beiden
fest, daß zwar ihre Sprache zusehends-zuhörends verblaßte
und sich in unserer Mundart auflöste, die Männer selbst
aber in ihrer Persönlichkeit sich nicht veränderten; sie bewahrten sich in ihrer angeborenen Art, obgleich sich ihre
Sprache der neuen Umwelt anpaßte. Wir unsererseits eigne-
ten uns für die Dauer nicht einen einzigen ihrer Ausdrücke
an, obwohl es deren zur Genüge gab: Namen von Geräten,
von Pflanzen und Bezeichnungen gärtnerischer Tätigkeiten.
Wohl nahm man sie zur Kenntnis, versuchte sie zu gebrau-
chen, stieß sie jedoch bald wieder ab.
Einen einzigen Ausdruck, dem es beinahe gelungen ist, sich
in unserer Umgangssprache zu behaupten und der dann
doch abstarb, habe ich bis heute im Ohr behalten: mit dem
abschätzigen Wort «Krauterer» bedachten sie einen unfähi-
gen Gärtner, einen Pfuscher und Stümper; alle Schärfe der
Verachtung legten sie in das Schmähwort, und es gab solche
Auchgärtner nach und nach in bedrängender Zahl rings ums
Heuried! Auch in der mundartlichen Einkleidung «Chrauteri» ließ sich der Ausdruck nicht naturalisieren; vielleicht
weil der Stamm mit dem Doppellaut «au» die fremde, nörd-
liche Herkunft verriet. Und da sich der Eindringling nicht
zu «Chruuterer» oder «Chruuter» umbilden ließ, ging er
ein, und einzig in der Zwitterform «Chrauteri» konnte er
sich für einige Zeit im Gedächtnis und in gelegentlichem
Gebrauch unserer Familie erhalten. Ein Chrauteri war ein

höchst verächtliches Subjekt, das Berufsstolz und Standes-
ehre beleidigte, und hatte demnach auszusterben, als Ding
und als Wort.

Die beiden deutschen Gesellen blieben bei uns im Land, bei
uns im Heuried. Zwar folgte der eine einmal dem Aufgebot
seiner alten Heimat, leistete als Einjähriger den vaterländischen Dienst, kam in zweifarbenem Tuch in Urlaub, fremd
und beinahe abstoßend schneidig gedrillt und beschnauzt.
Was ihn aber zu den Burstwiesen zog, war nicht allein das
gute Auskommen, das er hier gefunden hatte, und kaum ein
erstes Ahnen demokratischer Freiheit, sondern es war die
Tochter eines Nachbarn, eines kaufmännischen Angestell-
ten, der sich am Rande unseres großmütterlichen Garten-
landes ein schmales Feld erstanden und darauf sein bescheidenes Wohnhaus errichtet hatte.

Die beiden deutschen Burschen sind nicht mehr über den
Bodensee in ihre alte Heimat zurückgekehrt; selbst der
Krieg von vierzehn-achtzehn hat sie nicht heim ins Reich zu
holen vermocht, obschon sie wußten, daß sie während ban-
ger Wartezeit als staatenlose Aufenthalter zwar hier Asyl-
recht genossen, jedoch bei einem Einbruch des deutschen
Heeres in unser Land als Verräter ihr Leben verwirkt hätten. Welche Macht es war, die sie hier festhielt, konnten wir
wohl ahnen, doch hatten wir diese Macht nicht als Liebe zu
erkennen vermocht, obschon offensichtlich sie es war, die
das Geschick der beiden bestimmte.

Wenn ich an die braven «Schwoobe» denke, wacht in mir
ein tiefsitzendes Gefühl der Kameradschaftlichkeit für sie
auf. Obgleich sie ja bereits erwachsen und wir noch Kinder
waren, vereinte uns eine echte Freundschaft, die ihre ge-

meinsame Mitte in der Verehrung unserer Großmutter, aber
auch unserer Eltern hatte. Was diese dachten, vertraten und
glaubten, war für sie und uns das unbezweifelbar Richtige;
es war Gesetz. Unter dem Schutz dieses Gesetzes fühlte man
sich geborgen. Und der Geborgene ist heiter.
Ja, sie waren heiter. Sie pfiffen und trällerten bei der Arbeit
auf dem Feld oder bei Regen im Schopf. Und wir Kinder
waren mit ihnen heiter. Aus Deutschland hatten sie Lieder
mitgebracht, nicht auf Platten (es gab sie zwar schon, die
ersten, aber nicht für sie und uns), sie sangen ihre Schlager
auswendig: «Im Grunewald, im Grunewald ist Holzauk-
tion» (eigentlich hieß es bei ihnen «Holzaktion») und «Wir
sind die lustigen Holzhackerbuen».

Hiersein und Jenseits

Es blieb aber nicht bei Scherz und Kurzweil. Sie ließen uns,
und vielleicht im besonderen Maße mich, der ich zu träume-
rischem Hinhorchen neigte, an ihren Mannes- und Men-
schensorgen teilhaben; namentlich der eine – ich will ihn
hier Georg nennen – gab sich mit geradezu schwermütiger
Lust mit Fragen ab, die ich, wäre ich reifer gewesen als ich
es als Zehnjähriger war, als Philosophiererei erkannt hätte.
So ist mir ein abendliches Gespräch in Erinnerung geblieben,
mit dem wir die Unendlichkeit des Weltalls zu erfassen versuchten und dabei an eine Grenze kamen, an der mein Be-
griffsvermögen zu versagen begann und in meiner Vorstellung von der Welt sich Leere und Unendlichkeit deckten,
Leben und Tod eins wurden, Hiersein und Jenseits, Gegen-

wart und Ewigkeit in einander übergingen. Beim Betrachten des Sternenhimmels hatte er mir bestätigt, daß das Weltall unbegrenzt sei, dabei aber den Ausdruck Makrokosmos nicht gebraucht, wohl weil er ihn nicht kannte. Ich berauschte mich an Sinn und Begriff der Unendlichkeit, die von mir weg nach außen geht; dabei zuckte eine Erhellung durch mein Kindergemüt, wie sie wohl jeden Menschen früher oder später einmal befällt, ohne daß man diesem innern Blitz besondere Bedeutung schenkt: eine Rakete schießt lautlos hoch, versprüht ihre Lichtbahnen von einer strahlenden Mitte aus, sternförmig sich öffnend, eine Riesenfeuerblume am dunkeln Himmel: die Erkenntnis, daß dem einen unendlichen Kosmos ein Gegenkosmos entspreche, der nach innen führe und ebenso unendlich im Teilbaren sei wie das äußere Universum. «Da hast du etwas entdeckt, von dem noch wenige Menschen wissen, von dem die meisten keine Ahnung haben. Das ist ein Fund, Junge. Doch bilde dir nichts darauf ein. Alles Wunderbare muß von uns neu entdeckt werden.»

Von Stund an waren wir über jeden Altersunterschied hinweg durch dieses gemeinsame Wissen miteinander verbunden. Zwar wurde der deutsche Kamerad in unser Geheimnis eingeweiht, nahm aber die Erkenntnis einer Unendlichkeit, die sich sowohl nach außen wie nach innen dehnt, in ihrer Ungeheuerlichkeit gar nicht wahr. Der eine und ich, wir sprachen nicht mehr davon; es genügte jedem die Mitwisserschaft des andern: wir gehörten einem namenlosen Bunde der Eingeweihten an, und als ich nach vielen Jahren ihn wieder einmal traf, zufällig, bei einem nüchternen Geschäft auf dem Grundbuchamt, und er im Wagen angefahren kam, während ich zu Fuß angetreten war, und er es wirtschaftlich weiter gebracht hatte als es je mein Ziel gewesen war, sagte er nur: «Weißt du noch, die Milchstraße?» Ich nickte ihm zu, und wir gingen ungetrennt voneinander.

Ich habe die Sterne zwar oft übersehen und nie gebührend beachtet und bedacht in meinem Leben, aber mich immer wieder jenes ersten Schauers erinnert.

Der Schutzengel

In regelmäßigem Ablauf von je zwei Jahren also hat unsere Mutter ihre dreizehn Kinder zur Welt gebracht. Über ihrem Bett in der getäfelten Kammer hing an der Wand neben dem Öldruck «Schutzengel» ein rundliches, walzenförmiges Blechgefäß, dessen Gebrauch uns Kindern fremd blieb und nach dessen Zweck wir auch nicht fragten. Später erfuhr ich, daß das kleine Reservoir als Irrigator verwendet wurde. Ein Schläuchlein, etwa anderthalb Meter lang, mit einem Hahnreiber am untern Ende, führte vom Auslauf des Gefäßes zum Bett hinab, und es bedurfte eines Zufallfundes im Lexikon, daß ich dem Fremdwort, das mir bei irgend einem Erwachsenengespräch zugefallen war, einen Sinn zu geben vermochte. Im Buch stand: «Irrigator: Bespüler, Wundtusche, Spülapparat (Mediz.)» Aber es stellte sich dem jungen Wunderfitz nicht eher eine sinnvolle Verbindung zwischen Apparat und Bett her, als bis er zufällig den Vater sagen hörte, halb verlegen, halb gaudiert, er brauche nur seine Hose an ihre Bettstatt zu hängen, und schon erwarte sie ein Kind. Nun ging dem aufmerkenden Sohn der Sinn des befremdlichen Gegenstandes und dessen Beziehung zur Fruchtbarkeit der Mutter auf: Zeugen und gebären: Zufall oder Fügung? Welche Macht ist es, die über Werden und Nichtwerden des Menschen entscheidet? – Seither verwandelte sich ihm, was er bisher als Kindesliebe für seine Eltern empfunden hatte, in ein kühles Befremden, das mit wachsender Einsicht in die Lebenszusammenhänge die angeborene Ehrfurcht vor den Eltern tilgte und abgelöst wurde vom Wissen um eine kreatürliche, nüchterne Zugehörigkeit zu den beiden.

Ich glaube gar, daß dieses nüchterne Wissen der kindhaften Dankbarkeit für das Leben, das mir geschenkt worden war – ob durch Zufall oder Fügung –, keinen Abbruch tat. An Stelle der Kindesliebe bildete sich etwas wie Sippentreue und Sippenstolz heraus.

Jener Öldruck im Rahmen an der Kammerwand hat sich mit Eindringlichkeit meines Gedächtnisses bemächtigt. Der Schutzengel als hohe weibliche Gestalt schreitet im Schwebegang über ein Rasenband unter steilem Felshang und neben jäh abfallendem Abgrund. Das überirdische Wesen führt ein Kind an der Hand, und beide scheinen die Gefahren nicht zu achten, die ihnen drohen: weder den Absturz noch die züngelnde Schlange im Kraut. Ich weiß, daß unsere Mutter an den Schutzengel glaubte und ihm ihr eigenes und all ihrer Kinder Leben im Gebet anempfohlen hat, und ich selber bin überzeugt und werde es meiner Lebtag so halten, daß es ihr Glaube gewesen ist, der sie vor Verlust auch nur eines einzigen Kindes bewahrt hat. Der Vater, ihr Mann, ist ihr zehn Jahre voraus gestorben. Vielleicht wußte er, daß keine irdische oder überirdische Stelle seine

Bestimmung zu verändern vermocht hätte, er also nicht im Wirkbereich des Schutzengels lebte.

Gotthelf im Schindelkorb

Unser Vater war nicht nur ein ausgebildeter Gärtnermeister, der seine Fachblätter zu Rate zog, er hatte auch das Talent, den beruflichen Schwierigkeiten erfinderisch zu begegnen. So war er der erste, der das leichte Gefälle der Felder für sein Gewerbe ausnützte. Er erschloß es mit schmalspurigen Geleisen, auf denen er statt mit Schubkarren mit Rollwagen das geerntete Gemüse oder den Dünger vom Haus hinweg oder zum Haus hinauf führen ließ. Er erfand auch eine Fußbremse, die bei der Talfahrt die Geschwindigkeit stufenweise regelte; er bastelte einen Blechkorb, den er so geschickt an das Blatt der Sense löten ließ, daß das Grünzeug, zumeist war es Spinat, mit dem Schnitt zugleich aufgefangen und im Schwung in den bereitgehaltenen Schindelkorb gekehrt wurde. Von ihm lernten wir früh schon die Bösewichter des Bodens kennen und bekämpfen: die Werre (Maulwurfsgrille), die Erdraupe, den Drahtwurm, die Lauchmotte und weiteres, fast zahlloses, lauerndes Gesindel. Kniend oder kauernd wurden wir unter seiner Anleitung vertraut mit dem Unkraut in allen seinen mühsalbereitenden, schleichenden, wuchernden und hartnäckigen Arten und Abarten. Während der Schulferien belohnte er ein gesäubertes Saatbeet, für welches man sich während Stunden abgemüht hatte, mit einem Halbfranken, einem für unser Ermessen großzügigen Entgelt.

Eines Tages kam er aus der Stadt und eröffnete mir, ein Kunde, der ihm den Betrag für etliche Gemüselieferungen schuldig war, habe ihm seine Bücherei angeboten; ich dürfe mir auslesen, was ich brauchen könne und mir Freude bereite. Ich säumte nicht hinzugehen, fand aber auf jener Bücherlade wenig, das mich lockte, zumeist waren es Reiseberichte und gebundene Zeitschriften. Einzig zwei kleine Bücher habe ich gewählt und heimgebracht. Das eine enthielt Proben aus Mark Aurels Schriften, das andere war eine Aesthetik. Aus dem Umstand, daß ich gerade diese Bücher auslas, will ich nicht etwa auf einen besonders ausgebildeten Spürsinn oder einen frühreifen Geist schließen lassen; was mich zu der einen Wahl bewog, war ein Hinweis im Geleitwort des Buches, mit welchem darauf aufmerksam gemacht wurde, der Leser begegne hier einem schreibenden römischen Kaiser. Für mich, den Jüngling aus lehmigem Grund, hatte die Verbindung von Krone, Geist und altrömischer Lebensweisheit etwas aufreizend Unwirkliches. Ich habe das Bändchen während Jahren immer wieder zur Hand genommen und mich weniger an den Sentenzen erbaut, als mich dadurch ausgezeichnet gewußt, daß ich mich in kaiserlicher Gesellschaft befand. Und aus jenem Aesthetikwerk ist mir eine Begriffsbestimmung bis heute in Erinnerung geblieben: Das Schöne erfülle sich, wenn die Idee und deren Darstellung sich deckten.

Zuweilen brachte unser Vater ganze Schindelkörbe voll Zeitungen und Zeitschriften heim, deren Papier man auf dem Wochenmarkt zum Verpacken von Gemüse benötigte. Einmal fand sich dabei ein Korb voll Gotthelf; es war die Neuenburger Zahnsche Ausgabe von Otto Sutermeister in

Lieferungen. Dieses außerordentliche Frachtgut hat sich auf alle Glieder der Familie ausgewirkt. Man ließ die Hefte zu Büchern einbinden, und sie bekamen ihre Lade über einer Tür im Hausgang neben dem Brockhaus, und die Wälzer, so plump und schwer sie gebunden waren, begleiteten uns bis ins Bett. Doch erst mit der Zeit stellte sich bei mir mit der wachsenden Reife die Bereitschaft ein, Gotthelfs Geschichten nicht nur anzulesen und mich in den Illustrationen zu verträumen, sondern das Abenteuer des Lesers zu wagen. Den nachhaltigsten Eindruck bewirkten zunächst nicht die Worte, weder die erzählten Geschehnisse noch ihre Gestalten, auch nicht die prophetischen Beschwörungen und Mahnungen, sondern es war die Zweiheit Bild und Wort, die mich in ihren Bann zog und mich entscheidend zu bilden vermochte. Die Federzeichnungen vor allem Albert Ankers hatten es mir angetan. Es mag sein, daß tatsächlich der geistige Wuchs des Malers der ragenden Gestalt des erzählenden Moralisten nicht weiter als bis zu dessen Knieen reichte, wie ein gewisser Gotthelfdeuter wahrhaben wollte, – mir öffneten diese Illustrationen Ankers den Zugang zum Dichter, und eine ganzseitige Zeichnung wie etwa diejenige des auf dem Waldboden schlafenden Erdbeer-Mareilis oder die Skizze von strickenden Mädchen, die auf der Steintreppe sitzen («Und alle, die kamen, lernten von Mareili Gutes fürs Herz und Nützliches für die Finger»), so drahtig der Federstrich im Buchdruck wiedergegeben war, stimmten mit dem Tonfall des Erzählers überein, auch wenn diese Gemeinsamkeit sich lediglich auf ein kindliches Profil oder auf die zart gezogene Nackenlinie oder das dunkle, glanzlose Auge eines ernsten Mädchens beschränkte.

Mit Rührung gedenke ich des Mannes, der im Korb, dessen Schindeln noch feucht waren vom milchig tropfenden Kopfsalat, uns Kindern solches Gut heimbrachte. Abende lang konnten wir Geschwister vor solcher Makulatur, die vom Tisch der Satten gefallen war, in Eintracht kauern und beim Licht der Petrollampe blättern, ausscheiden, lesen und einander die Funde vorweisen. Hier bin ich zum ersten Male dem Lesezirkel Hottingen und dessen Zeitschrift begegnet und fand ich Namen von Malern und Dichtern, lernte nicht nur die Namen kennen, sondern traf auf die wunderbare Tatsache, daß sie nicht als längst abgeschiedene, unerreichbare Geister zu betrachten, sondern in ihrer vollen Gegenwärtigkeit vorhanden, zu hören und zu sehen waren.

Wie banal: da räumt das Zimmermädchen in einer Villa an der Freigutstraße den Inhalt der Papierkörbe ihrer Herrschaft beiseite, trägt die Köchin die gebündelten papiernen Abfälle zum Wochenmarkt, um sie der Gärtnersfrau zu übergeben, die dort ihr Gemüse feilbietet und stets Bedarf an Hüllpapier hat, und in diesen Zeitungen und Heften finden die Kinder der Gärtnerin einen Lesestoff, der in ihren Gemütern aufgeht und den Geist weckt und reizt und ernährt. Noch seltsamer, noch verwunderlicher: es ist viel Schales, viel gewichtloses, ja einfältiges gedrucktes Geschreibsel, das da mitläuft und sich der lesegierigen Jugend anbietet; aber es hat wenig Keimkraft und wirkt wie jener Müll, den sie Stadtmist nennen und der in der Zersetzung Wärme erzeugt und als Dünger wirkt.

Von der Hygiene

Ich weiß, ich soll auf Vaters Dienstbüchlein zurückkommen, um dem amtlich gelenkten Lebenslauf zu folgen; aber es ist vorerst noch dies und jenes nachzutragen, das sich mir aufdrängt und ans Licht gehoben werden will. Da ist zunächst eine Sonderbarkeit nicht zu übergehen, eine unangenehme! Die mich über weite Strecken hinweg immer wieder bis in den Traum hinein behelligte und zur Folge hatte, daß ich – um sie zu entwirklichen – zeitweise geradezu der Kleinlichkeit in dieser Sache verfiel. Es ging um die Hygiene, genauer: um die damals mangelnde Hygiene.

Im Hause der Großmutter gab es kein Badezimmer, überhaupt kannte man kein fließendes Wasser und außer dem Schüttstein keinen Ort, der zur Körperpflege geeignet gewesen wäre. Das Wasser mußte von der Pumpe, die sich vor dem Hause im Hof befand, in die Küchen getragen und dort in kupferne Gelten gegossen werden.

Das harte kühle Grundwasser, das den Schotterbänken der Tiefe entnommen wurde, ist nie versiegt. Jedoch kam es in strengen Wintern vor, daß die Saugleitung im Erdboden einfror und der Pumpenschwengel sich nicht mehr bewegen ließ. Da half nur das Auftauen des Eises mit brennendem Petrol. Man umwickelte die Pumpe dicht mit ölgetränkten Lappen, die man anzündete. Das Eisen der Röhre leitete die Hitze in die Tiefe und löste das Eis auf.

Das amerikanische Petroleum bezog man in Kannen. Mit schwerbeladenen, dunkeln, vom Doppelgespann gezogenen Wagen kamen sie angefahren, mit scheppernden Kannen, scharfriechend; wir standen mit unseren öligen Gefäßen am

Weg, tauschten sie gegen die gefüllten Kannen ein, bezahlten bar und sahen beinahe andächtig zu, wie unsere Münzen vom Schlund der großen ledernen Geldtaschen das Petroleummannes geschnappt wurden. Der Handel mußte jeweils vor Einbrechen der Nacht erledigt sein, so verlangte es die Vorschrift der städtischen Feuerschau, und da wir weit ab vom bebauten Stadtrand wohnten, geschah es zumeist, daß das Geschäft des Öleinkaufs «unter Licht» geschah und man eigentlich straffällig war, was uns Kinder wohlig erschauern ließ.

Beides, Öl und Wasser, war dem Grund entnommen und ließ uns das Geheimnis des verborgenen Elementaren ahnen. Öl und Wasser gehörten zu den heimlichen Mächten – wie Feuer und Luft –, die uns dienstbar waren und gleichzeitig bedrohten.

Erst als wir etwas herangewachsen waren, stellte man uns Geschwistern steifbeinige Eisengestelle mit einer Schüssel als Waschtisch in die Kammern. Gelegentlich im Winter gab es sich, daß man am Abend nach der großen Monatswäsche im Keller, der als Waschküche diente, sich ein Bad richten konnte, und es nahm dann keines und keiner Anstoß daran, wenn mehrere zugleich oder hintereinander das nämliche Wasser nutzten. Im Sommer badete man im Bach oder in hölzernen Zubern, Standen geheißen und von zersägten Fässern gewonnen, unterm freien Himmel. Bei solcher notgebotener Wasserscheu war es eigentlich verwunderlich, daß die dauernden Hautgebresten, verursacht durch Schürfungen, Schnitt- und Stichwunden, so rasch und überhaupt heilten. Wir hatten es wohl einer Art biologischer Selbstreinigung, wie man solche bei Gewässern feststellen kann, zu danken, wenn unsere Glieder trotz Schweiß und Schmutz gesund blieben. Freilich waren Ellbogen und Knie jeweils während eines Winters derart verschuppt, daß es in Flocken von einem stob, wenn man sich dort kratzte.

Noch bedenklicher bestellt war es um die Fäkalienabfuhr, um die Aborte und die Jauchegrube. Im Haus gab es zwei Örtchen, das eine gehörte zum Haushalt der Großmutter, meines Onkels und der Tanten, das andere zu unserer Familie. Eigentlich waren sie dauernd besetzt; denn man hielt ja auch Mägde und Knechte. Eine meiner ledigen Tanten, die sich in den obersten Stock unters Hausdach zurückgezogen hatte und von hier aus als Kindermädchen meines Onkels ihr Dasein fristete und auch der Großmutter beistand, hatte sich in der bedrängenden Kleinräumlichkeit einer Dachkammer recht wohnlich einzurichten vermocht und es auch durchgesetzt, daß ihr ein Verschlag zu einer Art Toilette ausgebaut wurde. Dieses schräge, niedere Gemach mit seinem blanken Holzsitz und dem runden Deckel, mit einer Stofftasche voll zurechtgeschnittenen Papiers, mit einem kleinen Oberlicht aus einigen glasklaren Ziegeln, dieses verschwiegene, abseitige «Häuschen» hat meine Jugendzeit freundlich verklärt. Die liebe, geduldige, anspruchslose, jungfräuliche Tante hat mir, dem bevorzugten Neffen, jeweils den Schlüssel zu ihrem blanken Kabinettchen überlassen, und ich wußte ihr Vertrauen zu würdigen und habe den Rat befolgt, den Adalbert Stifter für das Bibliothekzimmer des Rosenhofs im «Nachsommer» den Benützern empfahl, nämlich daß man den Raum, hier das Räumchen, so verlassen möge, wie man es oder ihn anzutreffen wünsche oder angetroffen habe.

Auch für seine Knechte hat der Vater einen Ausweg aus der
Not der Notdurft zu schaffen gewußt. Er hatte erfahren,
daß auf gewissen Baustellen kleine Bedürfnisstühle errichtet
wurden; das waren listig ausgedachte hölzerne Throne, auf
deren Klappsitz man sich niederließ, um seinen Beitrag
durch den runden Ausschnitt zu deponieren. Beim Verlassen
des Sitzes löste sich im rückwärtig angebrachten Kasten ein
kleiner Wurf trockenen Torfmulls und legte sich auf die frische Losung. Für uns Kinder wurde das Erprobte des Appa-
rates zum Spiel. Wir trieben es mit der «Chlöpfgelte» so arg,
bis uns deren Gebrauch auch im Notfalle verboten wurde;
denn es erwies sich beim Leeren des Kotkübels, daß dessen
Inhalt zur Hauptsache aus reinem Torfmull bestand.
Da sich hier mein Erinnern im Umkreis der menschlichen
Absonderungen bewegt, will ich eine Eigenart meines Vaters
erwähnen, die sich ebenfalls aufs körperliche Ausscheiden
bezieht und deren Auftauchen in mir die Gestalt des Vaters
aufweckt, deutlicher als ein photographisches Bild es vermöchte. Ich sehe ihn zwischen den Beeten des Gemüsefeldes
stehen; er hat sich gebückt, um etwas aufzuheben, streckt
sich und wittert mit geblähten Nasenflügeln in die Morgen-
luft. Ein glasklarer, wässeriger Tropfen hängt vorn an der
Nasenscheidewand und droht zu fallen. Der Vater greift in
die Hosentasche und zieht sein Nastuch hervor. Es ist ein
großer, rotbedruckter gefalteter dünner Stofflappen; er be-
nützt nur diese Art von Taschentuch, diese Größe, diese
Farbe, dieses Gewebe. Ich habe damals und auch später
mich oft gewundert, warum es gerade diese Umständlichkeit
war, die er gewählt und beibehalten hat und zwar so aus-
dauernd und genau, daß sie mir über so lange Zeit hinweg

in Erinnerung geblieben ist. Bevor er sich schneuzte, breitete
er mit beiden Händen das Taschentuch wie eine kleine
Fahne vor sich aus und ließ es hangen. Nun griff er mit
tastenden Fingerspitzen den Rand des Tuches ab. Was er
suchte, fand ich wohl heraus, denn das Zeremoniell gehörte
zu seiner Gewohnheit, ich begriff aber dessen Sinn erst
lange Jahre hinterher; er tastete den kleinen, schmalen
Saum ab, und erst jetzt, nach einem abermaligen Kehren
oder Wenden des Tuches, schneuzte er sich die Nase. Hierauf
schlug er die äußere Seite um die feucht gewordene Innen-
hälfte und steckte das Tuch ein, als enthalte es eine Kost-
barkeit.
In dieser Gebärde des Bewahrens lernte ich sein Wesen erkennen, eigentlich viel zu spät: er gehörte zu jenem Menschenschlag, der wußte, daß wir uns in einer zweigeteilten
Welt zu bewähren haben, in einer Wirklichkeit der Duali-
tät: man schneuzt sich nicht nach Zufall und Laune ins
Tuch; die eine Hälfte hat rein zu bleiben und dient der ge-
brauchten als Hülle.
Einmal mußte ich für ihn eine kleine Spruchtafel mit
Druckbuchstaben in Tusche beschriften und die Tafel im
Geräteschopf anbringen. Der simple Spruch hieß: «Ein jedes
Ding an seinem Ort, erspart viel Zeit und unnütz Wort».
Ich begriff: Ordnung bedeutete, daß dem Unnützlichen wie
dem Nützlichen der ihm zugehörige Ort angewiesen werde
und also Abfall und Unrat gleichermaßen Anrecht auf Be-
achtung haben, damit der fruchtbare Austausch zwischen
Zersetzen und Neuwerden sich vollziehe.

Überfordert

Unser Vater hatte im täglichen Einsatz eine ständig sich
verändernde Umwelt zu meistern. Angetrieben von äußerem
Zwang wechselte er notgedrungen zum Beispiel vom selbst
geschlagenen Sodbrunnen zum Anschluß an die städtische
Wasserversorgung mit ihren Röhrenleitungen, Hahnen und
ihrem Wasserzins; er wechselte vom Handwagen (von Hunden gezogen) übers Pferdefuhrwerk zum Auto, von der
Grabgabel zur Bodenfräse, vom Kienspan über Kerze und
Petrollampe zum Auerbrenner und zur elektrischen Glüh-
birne, vom Umgang mit Taglöhnern und vertrautem Ge-
sinde zum Verkehr mit der Gewerkschaft, von der herrlich
vielfältigen Kultur begehrter Gemüsesorten zur Beschränkung auf einige wenige ergiebige Spezialitäten wie den Anbau von Tomaten, Gurken oder Rhabarber; derartige Um-
stellungen haben ihn auf die Dauer bis zur Erschöpfung
verbraucht.
Während Jahrhunderten war den vorangegangenen Ge-
schlechtern genügend Zeit eingeräumt worden, um die geistigen und die wirtschaftlichen Veränderungen der Gesellschaft zu verarbeiten und sich ihnen einzufügen. Was aber
jetzt nach der Jahrhundertwende vom Einzelnen an Anpas-
sung an den hastig einsetzenden politischen und technischen
Umschwung gefordert wurde, war in der knappen Frist
eines Menschenlebens kaum mehr zu bewältigen – ohne
daß dieser Einzelne, der mit der Zeit Schritt zu halten gewillt war, sich zur dauernden Überanstrengung seiner
Kräfte genötigt fand.
Am Abend bevor er sich zum letzten Mal hinlegte und noch

etwas zu lesen versuchte, soll er zu seiner Frau gesagt haben, er wisse, es sei Zeit, daß er abdanke, er habe «nichts mehr zu sagen». Unsere Mutter sei hierauf versucht gewesen, ihm zuzureden, er müsse eben die Jungen machen und entscheiden lassen. – Das sei es nicht, was ihn beschäftige, habe er mißmutig erwidert; wenn er feststelle, er «habe nichts mehr zu sagen», heiße das nicht, man höre nicht mehr auf ihn, sondern es heiße, er sei tatsächlich ratlos all dem Neuen gegenüber, da schweige man besser und ziehe sich zurück; aber wohin?

Trotz seinem überanstrengten Leben als Landmann und Familienvater hielt seine starke Natur den Anforderungen des Tages stand, wohl dank jenem ordnenden Sinn. Die verhaltene Art seines Strebens entspricht seiner beherrschten Lebensführung: mit wenig mehr als sechzig Jahren meldeten sich die Herzbeschwerden, denen er wohl zu wenig Beachtung schenkte. Des Abends, an dem er starb, etwas verspätet, legte er sein Augenglas, einen Zwicker, zwischen die Seiten einer Erzählung von Gottfried Keller. Am Morgen fand man ihn tot; das Buch mit dem Zwicker lag unter seinem Kopfkissen.

Der Sarg, in den man ihn bettete, war für den Mann mit untersetztem Wuchs etwas zu lang. Die Lesehefte und Bändchen, die sich unter dem Kopfpolster angehäuft hatten, stopfte man zwischen die Sohlen des Toten und das Fußbrett des Sarges, damit die Leiche nicht ins Rutschen gerate, wenn man den Sarg über die steile Treppe hinunter zum Leichenwagen trug. So stand er auf der Heimatliteratur wie auf einem Sockel, als er das Haus verließ.

Das Treibhaus

Ich blättere weiter in seinem verwelkten Dienstbüchlein. Die Leinwand des Einbandes ist im Gebrauch fleckig und spröd geworden, das Papier im Innern angegilbt. Ich streiche die Eselsohren der Seiten glatt, mit Sorgfalt, damit das müde Papier nicht breche, lege Seite um Seite um, jetzt nach vorn in die Frühzeit seines Lebens, jetzt nach hinten: hier bleiben etliche Seiten leer; das Leben hat sie nicht angefüllt mit Stempeln und Unterschriften. Auch die 34. Seite, überschrieben mit «Ehrenmeldungen. Lobenswerte Auszeichnungen bei Hülfeleistungen in Unglücksfällen etc. etc.», weist keinen Eintrag auf. Es gab keine Auszeichnung zu vermerken. Der Mann hat lediglich seine Pflicht als Bürger und Soldat getan und ist ohne Lob, aber auch ohne Rüge, aus der Wehrpflicht entlassen worden.
Ist das genug, damit ein Leben als erfüllt bezeichnet werden kann? Gewiß, es genügt, hat er doch etliche Jucharten spröder Burstwiesen urbar gemacht und in fruchtbaren Garten verwandelt. Zwar dehnen sich heute auf seinem Land nicht mehr die Beete mit strotzendem Gemüse; seine Kinder sind ausgezogen, einige schon gestorben. Die Stadt nahm Besitz vom Heimwesen, zog Straßen darüber hin, und wo vormals die Treibhäuser standen, baute sie ein Schulhaus, also eine Art Treibhaus, das nicht weniger edel, aber auch nicht edler ist, als seine Gewächshäuser waren.

Ausgedient

Ich lege mein eigenes Dienstbüchlein zu dem seinen. Sie gleichen einander zum Verwechseln, wenigstens im Äußern: dieselbe graue Leinwand, dieselbe Größe, zweckmäßig gewählt, um in die Tasche des Waffenrocks oder des Tornisters gesteckt und mitgetragen zu werden. Mein Dienstbüchlein sieht älter und verbrauchter aus als das Dienstbüchlein meines Vaters. Die Leinwand franst in den Kanten und scheint auch mehr Schweiß geschluckt zu haben. Das ist begreiflich, haben doch die Jahrgänge meines Vaters keinen einzigen Ernstfall an der Grenze zu bestehen gehabt. So belegen die beiden Büchlein die verblüffende Weisheit, die sich im Spruch der Alten erhalten hat, nämlich daß der Sohn älter sei als der Vater.

Wenn ich die beiden Dienstbüchlein in ihren Inhalten miteinander vergleiche und mir dabei auffällt, daß das ältere geradezu ärmlich beschriftet, bestempelt und mit eingeklebten Zetteln versehen ist, werde ich bedenklich. Ich vergleiche die jahrelangen Dienstleistungen des Sohnes mit den wenigen Dienstwochen des Vaters mit einiger Wehmut. Es sind nicht eigentlich die Beschwernisse im Feld, nicht der Verzicht auf freies Entfalten im Beruf, die einen bedrückten, nicht so sehr das Entbehren der eigenen Häuslichkeit während Hunderten und Tausenden von Uniformtagen, die dem Jüngern das Vorankommen erschwerten und seinen zivilen Durchhaltewillen auf verschiedene Proben stellten, es war viel mehr der schleichende Zweifel an der Richtigkeit seines Verhaltens, wenn er trotz allem zur Armee stand und damit zum Vaterland, das sich in den Notzeiten der euro-

päischen Kriege zur Wehrhaftigkeit bekannte und damit
von seinen Bürgern verlangte, daß sie ihr nationales Hab
und Gut verteidigten, indem jeder Einzelne bereit sei, auf
Befehl zu schießen, wo doch das höhere sittliche Gebot das
Töten so ausdrücklich als sündhaft verurteilte.
Ich hielt zu meiner eigenen Verwunderung durch, stand zu
meiner Vernunft, ließ aber die Entschlossenen gelten, die an
meiner Statt ihrem Gewissen gehorchten und sich der Armee
verweigerten, ich verteidigte ihre Zuversicht.
Meine Dienstpflicht habe ich ernst, ja verbissen bis zur endgültigen Entlassung geleistet. Das letzte Aufgebot übermit-
telte mir den Befehl, mich im Kriegskommissariat zur Ab-
gabe der Ausrüstung zu stellen: «Das Dienstbuch ist mitzu-
bringen.» Man setzte den Stempel «Dienstuntauglich»
hinein, und das tat ein wenig weh. Aber seither bin ich dem
Vater näher gekommen. Sein Dienstbüchlein und meines
liegen Seite an Seite im Schrank, ausgedient.

Ein Bürger Alemanniens

Traugott Vogel
oder Stichworte zum literarischen Zürich im 20. Jahrhundert

1

«Mit grüßendem Flügelschlag», so hat es Traugott Vogel mit
Bleistift in sein Spiel vom «Circus Juhu» hineingeschrieben,
im August 1937, als er mir, dem damaligen Sechstkläßler, ein
Exemplar widmete ... Diesen «grüßenden Flügelschlag» gab
es in jenen frühen Jahren (früh für mein Erinnerungsvermögen) ein paarmal, in Briefen, auf Karten, in Widmungen an
meine Eltern. Denn da waren Interessen, die verbanden:
Mundartdichtung, Jugendbuch, Schultheater. Mein Vater
hatte eine Sankt Galler Mundart-Anthologie herausgegeben;
Vogels Mundart-Anthologie «Schwyzer Schnabelweid» erschien ein Jahr darauf.
«Mit grüßendem Flügelschlag», diese Formel gefiel mir, dem
Schüler, damals derart, daß ich sie selber ausprobierte, obwohl ich kein Vogel war und meine einzigen Flügel die der
Jugendlichkeit waren. Fast zwanzig Jahre später, als Traugott Vogel Albin Zollingers «Briefe an einen Freund» publi-
zierte, sah ich, wie sehr das Spiel mit dem Namen eine Geschichte hatte; die Variation der Anrede – «Vögelein», «Lieber Vogel», «Lieber Vogel-Freund», «Lieber Walter von der
Vogel-Weide» – war für Albin Zollinger oft schon ein Element der Inszenierung, und das hieß: des Selbstschutzes, seinen eigenen genialischen Aufschwüngen und seinen Nieder-
geschlagenheiten gegenüber.

2

Wenn ich heute den «Circus Juhu» wieder lese (veröffentlicht 1928), in dem die Widmung von 1937 steht, bleibe ich
an einem Text des Löwen Mähn hängen: «Ich hocke im Mor-

gengrauen am Waldrand. Auf der Landstraße kommt ein Einspänner. Der Fuhrmann ist eingenickt. Ein Duft steigt mir in die Nüstern. Bei meinem Löwenhunger, das ist der Abdecker. Ich springe ihm von hinten auf den Wagen. Unter der Blache duftet ein umgestandenes Pferd. Ich fresse mich unter die Decke und vergesse Zeit und Umstände. Da hält das Gefährt. Ich krieche hervor... Da hockt ein kleines Menschenkind im Weg. Ich denke: Hei, mein Nachtisch! Und will es mitnehmen. Aber der kleine Mensch kriecht mir auf allen Vieren entgegen, hält mir die Sandschaufel hin und sagt so einfältig: Wau, wau. Er glaubt, ich sei ein Hund. Aber ich war kein Hund. Ich ließ dieses Vesperbrot hocken und hab mich aus dem Staub gemacht.»

Heute kommt mir das wie ein Gleichnis für die geschichtliche Situation vor: das Kind mit der Sandschaufel, das wau-wau macht, als Schweiz und der Löwe Mähn als Hitler. Aber 1937 konnte man freilich auch als Schüler so unbefangen nicht denken. Es muß in jenem Jahr gewesen sein, daß wir in einem gewissermaßen zusätzlichen kleinen Schulausflug über die Eggen nach Teufen geführt wurden, wo uns im verdunkelten Saal eines Gasthofs ein Offizier in schwarzen Reitstiefeln (was damals noch auffiel) eine Tonbildschau über die Bedrohung unseres Landes, über Wehr und Waffen vorführte; wir Sechstkläßler aus dem Hebelschulhaus von St. Gallen-St. Jörgen waren Versuchskaninchen für Hans Hausamann.

Es war in den gleichen Jahren, daß die literarischen Gesellschaften in unserm Land (mein Vater präsidierte die Gesellschaft für deutsche Sprache St. Gallen, in deren Rahmen auch Traugott Vogel ein paarmal sprach oder las) von zwei-

erlei deutscher Literatur umworben wurden: der emigrierten
und der angepaßten, Thomas Mann und Erwin Guido Kolbenheyer (zum Beispiel). Das gehört mit zu den Erinnerungen, die nicht zu löschen sind: wie da bis in die Kriegszeit
hinein mein Vater mit pflichtschuldigen Propagandabriefen
von Herrn Kolbenheyer belästigt wurde. Wenn Hans-Albert
Walter in seiner Dokumentation über die deutsche Exillitera-
tur bemerkt, daß selbst Thomas Mann Vortragsreisen «durch
schweizerische Kleinstädte wie Thun, Glarus und Burgdorf
nicht verschmähte», weil er «auf die Erträgnisse solcher Vortragsreisen nicht verzichten konnte», so ist das nur die eine
Seite (und diese eingleisige Darstellung zeugt von seltsam
wenig Einfühlvermögen in die Zeit). Die andere Seite ist die:
daß die NS-Höflinge unter den deutschen Autoren jederzeit
bereitstanden, um Vortragsreisen durch «schweizerische
Kleinstädte» zu unternehmen.

3

Hier ist eine Zwischenbemerkung nötig. Beim Durchsehen
der Handexemplare von Traugott Vogels Werken, aus denen
er in den dreißiger Jahren öffentlich vorlas, sind mir Zettel
in die Hand gekommen, mit Notizen, die seine Einleitungen
festhielten. In den dreißiger Jahren: da las er – nun einmal
abgesehen von den Bemühungen um «Läbigs Züritüütsch» –
vor allem aus seinem Roman «Der blinde Seher», erschienen
1930. In diesem Roman klingt auch die Frage der Dienstverweigerung aus Gewissensgründen an (und Anfang der dreißiger Jahre hat Traugott Vogel ja den jungen Albert Ehrismann, der den Militärdienst verweigerte, vor Divisionsge-

richt verteidigt). Und dabei ist eine Aufzeichnung, datiert 8. Februar 1938:

«Heute halte ich die militärische Landesverteidigung für eine leide Notwendigkeit, setze aber voraus, es werde um Gotteswillen endlich und ernsthaft dafür gesorgt, daß uns überhaupt etwas kulturelle Eigenart zu verteidigen bleibe. So allein kann der Wehrwille erhalten werden.»
1938: das war das Jahr, in dem die Stiftung (damals noch Arbeitsgemeinschaft) Pro Helvetia gegründet, das Rätoromanische als vierte Landessprache anerkannt und in der Bundesverfassung verankert wurde. So weit entsprach also Vogels Erklärung auch der «offiziellen» Politik. Aber man muß sich schon genauer vorstellen, was seine Einschränkung in diesem Jahr – kurz vor Hitlers Einmarsch in Österreich – hieß: «setze aber voraus, daß uns überhaupt etwas... zu verteidigen bleibe...»
In den jüngsten Jahren (und also nicht vor dem absehbaren Ausbruch eines Krieges), hat es bösartige Kommentare hervorgerufen, daß Schriftsteller der mittlern und jüngern Generation die Frage aufwarfen, in welchem Maß die Schweiz denn noch «verteidigungswürdig» sei. Max Frisch hat es, stellvertretend für viele, in seiner Ansprache bei der Verleihung des Großen Preises der Schweizerischen Schillerstiftung nochmals deutlich gesagt: «Wie heimatlich der Staat ist (und das heißt: wie verteidigungswürdig), wird immer davon abhängen, wie weit wir uns mit den staatlichen Einrichtungen und mit ihrer derzeitigen Handhabung identifizieren können.»
Was rückblickend erstaunt: Daß 1938, in der Zeit eines voraussehbaren und die Schweiz bedrohenden Krieges zum Bei-

spiel Vogels Einschränkung «ich setze aber voraus» niemand
auf den absurden Gedanken brachte, er sei kein zuverlässiger
und heimattreuer Schriftsteller, während heute die bloße
Frage, wie verteidigungswürdig die Schweiz denn noch sei,
einen Autor schon in die Kategorie der «Subversiven» ein-
reiht, obwohl die Wahrscheinlichkeit einer militärischen Landesverteidigung heute nicht so nah vor der Tür steht.
Von der Seite national gesinnter und rückwärts gewandter
Wortführer wird die Frage nach der Verteidigungswilligkeit
offenbar um so lauter und absoluter gestellt, je ferner, je weniger konkret vorstellbar die militärische Bedrohung ist.

4

Eine der deutschen Besprechungen des Romans «Der blinde
Seher» (1931 in der «Vossischen Zeitung», Berlin) beginnt
mit dem Satz: «Der Verfasser dieses wunderlichen und ver-
schlungenen Romans ringt mit alemannischer Zähigkeit um
die eidgenössische Seele.» Und da ist nochmals an Vogels Bemühungen um eine lebendige Mundarttradition zu erinnern.
In den dreißiger Jahren geriet die Mundartbewegung ja auch
auf seltsame Abwege, markiert durch die Schrift «Aleman-
nisch, die Rettung der eidgenössischen Seele», die 1936 ein
Pfarrer aus dem Zürcher Oberland erscheinen ließ. Darin
wurde die Schaffung einer gemein-schweizerdeutschen (eben
alemannischen) Verkehrssprache – nach dem Vorbild des
Niederländischen – gefordert, und das hätte geheißen, den
Teufel des Germanisch-Völkischen mit dem Beelzebub des
Alemannisch-Völkischen austreiben, homöopathische Abwehr
also. In den Gesprächen, die ich als Schüler am Rande mit-

bekam, wurde eben das abgelehnt. Und es war dann eine spätere Konsequenz dieser in den dreißiger Jahren bezogenen Position, daß Traugott Vogel nach dem Krieg in den Auseinandersetzungen über Balzlis Mundarthörspiele nach Jeremias Gotthelf die Partei von Walter Muschg gegen Ernst Balzli ergriff, den Kunstcharakter von Dichtung (auch von Mundartdichtung, auch von Dichtung mit mundartlichen Einschüben – wie bei Gotthelf) gegen jegliche Art von Einschmelzung auf ein harmlos-gefälliges Mittelmaß in Schutz nehmend.

Das bleibt ein Maßstab bei allem, was noch über seine alemannische Welt zu sagen sein wird.

5

Nun sind indessen die Erinnerungen an jene Gespräche über Mundart und Mundartdichtung nicht meine einzige frühe, ja nicht meine erste Erinnerung an den Namen Traugott Vogel. Wenn ich mein Erinnerungsvermögen befrage, so steht am Anfang der erste Band von Vogels Jugendbuch «Spiegelknöpfler», und vor mir wird ein Bild lebendig: wie da ein älteres kleines Haus eingerahmt wird durch vielstöckige Hochhäuser (was man in den dreißiger Jahren eben Hochhäuser nannte: Gebäude mit sechs oder acht Etagen) und wie dadurch einer – noch ganz friedlichen – Jugendbande der Spielraum abhanden kommt.

Und dann hat unser Lehrer am Hebelschulhaus in St. Gallen-St. Jörgen tatsächlich am Samstag aus dem Vorlesebuch «Samstag elf Uhr» vorgelesen, das Traugott Vogel 1936 herausgab.

Wann ich zum erstenmal Traugott Vogels Romane las, weiß
ich nicht mehr. Aber wenn mein Gedächtnis nicht trügt,
stand im Büchergestell meines Vaters «Unsereiner» von Traugott Vogel neben dem Roman «Der Befreier» von Hermann
Weilenmann, neben Inglins «Schweizerspiegel» und neben
«Johannes» von Jakob Schaffner. Daß die Welt des Stadt-
randes bei Traugott Vogel eine andere war als jene, die ich
in St. Gallen erlebte, nämlich eine Welt von Lehm und Treibhäusern und nochmals Lehm und Dreck und Kiesgruben, eine
Welt auch von Menschen am Rand: das habe ich entdeckt,
ich weiß nicht mehr wann, und später noch ist mir bewußt
geworden, daß es aus dieser Welt Wege gäbe zur Welt von
Wolfgang Bauer, von Samuel Beckett vielleicht. Rudolf Jakob Humm hat bezeugt, daß der Roman «Unsereiner» «für
viele eine Offenbarung war und den Namen Traugott Vogel
mit nicht minderem Glanz leuchten ließ wie heute den Namen Max Frisch» («Bei uns im Rabenhaus»). Aber die Literaturwissenschaft hat sich nie um die Frage bemüht, was
denn da vielleicht vorweg erfahren wurde.
Mir, dem Schüler der dreißiger Jahre, dem Gymnasiasten der
Kriegszeit, hat nicht einer der Romane Traugott Vogels den
literarischen Weltkontakt erschlossen, sondern ein anderes –
und für die Schreiber von Literaturgeschichten ebenso ver-
gessenes – Buch: «Erziehung zum Menschen» von Werner
Johannes Guggenheim, in der Romanfassung. Guggenheim
(ich erinnere mich noch an die letzte persönliche Begegnung
mit ihm, auf der Straße vor der St. Galler Stadtbibliothek
Vadiana; er trug einen Stoß Bücher unterm Arm, trug den
Hemdkragen offen, was damals noch eine ungewöhnliche
Geste von Unabhängigkeit war, und ich vergesse nicht seine

Stimme, diese volle, entschiedene, vitale Stimme eines geborenen Theatermenschen) hatte «Erziehung zum Menschen» zuerst, 1938, als Drama geschrieben; aber nachdem eben sein brisantes Stück «Bomber für Japan» nervöse Reaktionen ausgelöst hatte, wagte auch das Zürcher Schauspielhaus nicht, «Erziehung zum Menschen», diese klare Absage an den Ungeist des Nationalsozialismus und wohl auch das geglückteste Werk Guggenheims, in den Spielplan zu nehmen (daß es auch Stücke gab, die selbst das Schauspielhaus nicht zu spielen wagte, hat die zur Ikonographie umgeschmolzene Zeitgeschichte längst verdrängt). Indessen ermutigte Dr. Emil Oprecht, dem das Werk wichtig war, den Autor, «Erziehung zum Menschen» als Roman umzuschreiben; als die Romanfassung im Buchhandel erschien, war der Krieg schon ausgebrochen.

6

Traugott Vogel: die nächste Momentaufnahme, die mein Gedächtnis freigibt, kann ich auf den Herbst 1944 datieren, als ich in Zürich zu studieren begann. Es ging um Grüße der Eltern, aber auch schon um eigene gymnasiastenhafte Texte. Ich traf Traugott Vogel in einem Restaurant, das es bald nicht mehr geben sollte, an einer Seitenstraße der Bahnhofstraße, einem dunklen Schlauch (wenn meine Erinnerung nicht trügt), und kurz bevor ich wegging, kam ein Mann in hellem Sacco dazu, und Traugott Vogel stellte vor: einen jungen Architekten, der auch schreibt, mit Namen Max Frisch. Ich hatte, aus der ostschweizerischen Provinz kommend, von und über Frisch bis dahin nicht mehr gehört als eine Besprechung am Radio (vermutlich über «J'adore ce qui me brûle oder Die Schwierigen»). Das war damals, 1944, also nicht die Begegnung mit einem Berühmten, sondern einfach ein Händedruck im Café. Von heute aus gesehen: eine Scherbe Erinnerung.

Zur gleichen Zeit hing im germanistischen (oder, wie es offiziell hieß: deutschen) Seminar eine Einladung des Literarischen Clubs Zürich – und darunter die Namen Max Frisch, Emil Staiger, Traugott Vogel (und ein paar mehr, die in meinem Gedächtnis nicht Wurzel geschlagen haben). Vielleicht zeigt nichts deutlicher als das Ensemble dieser drei Namen, zwischen denen heute Welten stehen, die Veränderung der literarischen Szenerie Zürichs an.

Oder: Das «Trivium» (Vierteljahresschrift für Literaturwissenschaft und Stilkritik), herausgegeben von Theophil Spoerri und Emil Staiger, redigierte damals Gerda Neukomm (bald Zeltner-Neukomm), welche später als erste den «Nouveau roman» im deutschen Sprachgebiet bekannt machte.

Oder: In einem Brief von Werner Zemp an Konrad Bänninger (1945) ist eingefangen: «Ich kam letzthin neben Gottlieb Heinrich Heer und Max Frisch zu sitzen, die sich während des Abends ebenso zu mopsen schienen wie ich.»

Oder: Humm erzählt («Bei uns im Rabenhaus»): «Wir trafen uns im Kongreßhaus bei einer Veranstaltung des Literarischen Clubs, bei der außer Max Frisch, der den Club präsidierte, den zwei Referenten, ferner zwei Lyrikern und dann eben Carl Seelig sonst niemand anwesend war; ich lud dieses Strandgut des geistig so wild bewegten Clubs zu mir nach Hause . . .»

Konstellationen also, die man sich schon ein paar Jahre später überhaupt nicht mehr vorstellen konnte, so sehr gingen im literarischen Zürich die Wege alsbald auseinander. So etwas wie eine Klammer bildete nur noch die Erinnerung an den 1941 als «Frühvollendeter» (so das Stereotyp der Literaturregistratoren) verstorbenen Albin Zollinger – aber vorläufig fast nur als Gerücht und Geheimtip. Und als 1956 eine Auswahl aus seinem lyrischen Werk neu erschien, herausgegeben von Emil Staiger, war es verschlankt auf das «Zeitlose», purgiert von Anklängen an Brecht und «Tönen expressionistischer Herkunft». Daß Zollingers eigentlichste Begabung in der Lyrik lag, haben seither rund ein Dutzend Literaturkritiker nachgeschrieben, ohne den Sachverhalt neu zu hinterfragen.

(Konstellationen, bald nicht mehr nachvollziehbar, kamen noch zum Ausdruck im freundschaftlichen Du, mit dem Max Frisch in öffentlicher Gegenrede Emil Staiger ansprach, 1966, nach Staigers Rundum-Schelte an die heutige Literatur bei der Entgegennahme des Zürcher Literaturpreises. Frisch an Staiger: «Trotzdem bin ich, offen gestanden, noch immer verwirrt, da wir Deinen empfindsamen Scharfsinn im Umgang mit Werken der älteren Literatur kennen und schätzen; plötzlich unterscheidest Du, wenn es um heutige Literatur geht, nicht einmal zwischen Autoren und sprichst ohne jeden Beleg, ohne Namen, ohne Haft, ohne Unterscheidung, als wäre das Unterscheidungsvermögen nicht gerade die Tugend, die Du lehrst, eine Voraussetzung großer Kritik.»)

7

Der «Zürcher Literaturstreit», den Emil Staiger 1966 mit seiner Rede zündete, war indessen nur das letzte einer Reihe von seltsamen Literatengefechten, die uns, den damals «jungen Autoren», das Gespräch mit der vorausgegangenen Literatur des Landes schwer machten und mit Mißverständnissen beluden.

Da war zuerst, 1948, das Sperrfeuer der textkritischen Schule Zürichs gegen die «Tragische Literaturgeschichte» von Walter Muschg. Wenn man einmal bei Emil Staiger in Zürich und einmal bei Walter Muschg in Basel in der Vorlesung saß, erkannte man zwar bald, wo welche Methode mehr erschloß. Aber, aufs Ganze gesehen, war dieser Gelehrtenstreit doch höchst akademisch und höchst gegenwartsfeindlich: «Zerstörung der (deutschen) Literatur», das blieb, unterschiedlich instrumentiert, schließlich der gemeinsame Nenner.

Gleichzeitig kamen, auf anderer Ebene, die Reaktionen auf den einsetzenden Weltruhm – oder, genauer gesagt, zunächst auf die Weltoffenheit und Weltläufigkeit – von Max Frisch. Für die Nachkriegsautoren war da der Anknüpfungspunkt, das Scharnier. Der junge Maler-Dichter Robert Konrad schrieb 1947 in einem Brief: «Frisch hat ein neues Buch herausgegeben, ‹Tagebuch mit Marion›, ein gefährliches Buch, ein Buch, das einem die Axt zur Hand gibt, die Grenzen, die Enge, die Formulare, Zöllner, die den Geist versperren, niederzuschlagen.» Und Alexander Xaver Gwerder schrieb 1952, kurz vor seinem selbstgewählten Tod, in einem kritischen Essay: «Max Frisch hatte sich bereits zu kommentieren nach der Aufführung seines ‹Graf Öderland›. Wozu? Er tat gewissermaßen einen Griff in seelischen Staub mit diesem

Schauspiel; das beunruhigte, und man wollte Näheres wissen. Vielleicht vermutete man Dynamit drin, jedenfalls etwas zu verzollen.»

Daß von Autoren der unverstellten «geistigen Landesverteidigung» (Bundesrat Etter an einer Jahresversammlung des Schweizerischen Schriftsteller-Vereins: «Mir kommt nicht darauf an, daß einer ein guter Schriftsteller ist, sondern nur, daß einer ein guter Schweizer ist») gegenüber dem jungen Ruhm von Max Frisch und der «Nachkriegsgeneration» Unsicherheit, Bedenken, Verschrecktheit artikuliert wurden, war kaum anders zu erwarten. Doch der erste öffentliche Schuß kam von Rudolf Jakob Humm (in den ersten Nummern seiner Zeitschrift «Unsere Meinung»), dem urbansten, wenn man so will: internationalsten Schriftsteller der Vorkriegsgeneration; ihn hatte es gestört, daß Frisch die Frage nach der «Relevanz» der schweizerischen Existenz im Nachkriegs-Europa gestellt hatte. Und das mußte uns Jüngere zunächst verwirren, mußte die Zeitgrenze vertiefen, die Vorkriegsgeneration ferner rücken.

Und schließlich brachte Karl Schmid aus staatsbürgerlicher wie literarischer Sorge eine Vielzahl richtiger Beobachtungen auf den falschen Nenner, indem er (1963) vom «Unbehagen im Kleinstaat» sprach. Max Frisch zog die Summe einer neuen Generation, wenn er 1974 bei der Entgegennahme des Großen Preises der Schweizerischen Schillerstiftung sagte: «‹Unbehagen im Kleinstaat›: Verehrter Professor Karl Schmid, das ist es wohl nicht, was dem einen und andern Eidgenossen zu schaffen macht; nicht die Kleinstaatlichkeit.» Doch das fatale und so griffige Wort hatte inzwischen Schule gemacht, nicht zuletzt bei einigen Vertretern der jüngern Ge-

neration selbst; es hatte die wirklichen Probleme eher ver-
stellt als erhellt. Ängstlichkeit gegenüber der wieder möglichen Weltoffenheit, Kleinkariertheit, Formulare und Zöllner: das war ja nicht durch die Kleinheit des politischen Ter-
ritoriums zu erklären.

Nicht nach 1945. Und schon gar nicht in den früheren Pha-
sen der schweizerischen Existenz, auf die Karl Schmid ver-
gleichend verwies. Wer hat denn eher und prägender die
Kleinstaatlichkeit überspielt und verleugnet: der Eisenbahn-
könig Escher (zum Beispiel), dessen Standbild vor dem Zürcher Bahnhof errichtet wurde wie das Standbild eines Für-
sten vor seinem Schloß – oder der Dichter Conrad Ferdinand
Meyer, der, eher narkotisierter Mitschwimmer als literarischer Bannerträger, dieser Eisenbahnkönigswelt die passen-
den brokatenen Wortvorhänge lieferte? Wer hat sich denn
eher die Menschenverachtung eines autoritären Groß-Regi-
mes geleistet: der Bundespräsident Welti und sein Sohn –
oder der Maler-Dichter Karl Stauffer-Bern, der von jenen
verfolgt und in die Irrenanstalt und ins Gefängnis verlocht
wurde, als wäre ein zaristischer oder stalinistischer Geheim-
dienst am Werk?

Und Jakob Schaffner, um dessen Rehabilitierung sich in der
jüngsten Zeit so viele Literaturkritiker bemühen? Stammte
seine Hinwendung zum «Dritten Reich» aus «Unbehagen am
Kleinstaat»? Schaffner hatte 1920, also Jahre bevor Musso-
lini auf Rom marschiert war, Franco in den Spanischen Bür-
gerkrieg eingegriffen hatte, Peron, Metaxas und Salazar in
Erscheinung getreten waren, Hitler zur Machtergreifung ge-
blasen hatte, eine Schrift veröffentlicht, die den emotionalen
Urgrund aller Faschismen exakt ins Wort hob: «Die Erlö-

sung vom Klassenkampf». In diesem Fall also nicht Unbehagen am Kleinstaat, sondern am Klassenkampf.
Nicht einzelne einsichtige Bemerkungen Karl Schmids, wohl aber der Leisten, über den sie geschlagen wurden, verriegelte abermals den jüngern Autoren den Blick auf das Schaffen der ältern Kollegen.

8

Trotz all dieser Barrieren haben wir Nachkriegsautoren niemals das Jahr 1945 für die Schweiz als Nullpunkt angesehen, haben wir – und mochte die Wahl gelegentlich allzu sehr durch Zufälligkeiten bestimmt sein – die Anknüpfung an ältere Kollegen gesucht, Tradition als etwas Selbstverständliches empfunden. Das literarische Zürich (und nur von ihm kann hier die Rede sein) begann sich dabei zu strukturieren. Es deuteten sich Schwerpunkte an: das Rabenhaus und seine Gäste, die Universität und ihre Klassizisten, die Bürger Alemanniens. Das ist eine ganz vorläufige Strukturierung, und natürlich gab es Überlappungen; Zollinger zum Beispiel hatte Anteil, woher auch immer man sich zu nähern suchte.
Und es gab, bei näherm Zusehen, menschliche Zuneigungen und Abhängigkeiten, die verblüffend übereinstimmten. Hier wie dort die Anlehnung des genialisch Gefährdeten an den breitern Rücken des Freundes, der fester im Leben stehen mochte. Werner Zemp an Emil Staiger (1936): «Den Brief habe ich mit viel ‹Herzleinreißen› gelesen, und ich glaube, es ist Dir gelungen, den Dachs aus seiner Höhle zu räuchern. Mit ein wenig zu viel Weihrauch allerdings, der aber, wie

ich wohl fühle, freundschaftlich-überschwänglich gefärbt war. Lieber, ritterlicher Bär! . . .»

Und entsprechend Zollinger an Vogel (1937): «Ich käme am liebsten auch heute zu Dir hinüber, um mich etwas anzulehnen, ich bedrückter Angstvogel; aber schließlich hätte Deine Frau Grund zur Eifersucht. Und ich soll ja auch wohl allein auskommen in dieser zudunkelnden, schneeahnenden, krisenfiebrigen, gfürchigen Welt . . .»

Traugott Vogel hat sich später Gedanken darüber gemacht, wie weit sein größerer Körperwuchs, seine widerstandsfähigere physische und psychische Verfassung dazu beigetragen haben, daß Zollinger ihn als «väterlichen» Freund empfand, obwohl er einige Monate älter war. Emil Staiger war sogar mehr als ein Jahr jünger als Zemp. Freundschaft unter Dichtern hat es immer gegeben, und immer wieder war einer der Freunde, unabhängig vom kalendarischen Alter, die väterliche Stütze. Aber Äußerungen, so ganz ohne jede Spur des Gespreizten, sind selten: «Lieber, ritterlicher Bär»; «ich soll ja wohl allein auskommen in dieser zudunkelnden Welt . . .» Demgegenüber ist Schiller-Goethe eine große Oper. Aber vielleicht überliefert uns die Literaturgeschichte einfach die falschen Briefe . . .

Um beim literarischen Zürich zu bleiben, um zum Beispiel das vielgerühmte literarische Zürich des achtzehnten Jahrhunderts zu zitieren. Das ist doch nicht nur Stil der Zeit, sondern auch nach Publikum schielende Eitelkeit, wie da etwa Usteri an Rousseau schreibt: «Auf Wiedersehen, mein lieber Rousseau, erinnern Sie sich von Zeit zu Zeit an den, der sich einen Ruhmestitel daraus macht, mit der größten Hochschätzung und vollkommenen Verbundenheit zu sein

Ihr ergebener Freund ...» Oder Füßli an «Mme Orell née
Escher»: «Sie zu bitten, und durch Sie Ihren Orell mit der-
gleichen Briefen umzugehen – hieße Sie beyde beleidigen ...»
Oder Bäbe Schultheß an Goethe. Die freundschaftliche Di-
rektheit, ohne Faltenwurf und Brokat, gab es nur in Briefen
Pestalozzis. Aber an welche Schulter eines ritterlichen Bärs
hätte er sich lehnen können?

9

Das Rabenhaus und seine Gäste, die Universität und ihre
Klassizisten, die Bürger Alemanniens ...
Jene Kenntnis über das literarische Zurich zwischen den
Weltkriegen, das uns die Universität vorenthielt, fanden wir
damals noch jungen Autoren am leichtesten und spannend-
sten bei Rudolf Jakob Humm im Rabenhaus. Daß Humm
einmal einen für uns unverständlichen literarischen Streit mit
Frisch vom Zaun gerissen, war kein Hindernis für Kontakte
mit hoher (und selbstverständlicher) Kollegialität über die
Generationen hinweg. Humm war ein Autor urbanen Geistes, und sein Haus war neben dem von Emil Oprecht das
gastfreiste in der Zeit, da Emigranten in Zürich eine neue
oder doch eine vorübergehende Heimat fanden. Humm hatte
nie «den Igel gemacht», hatte an internationalen Kongressen
teilgenommen, und dem in Modena Geborenen, der in Göt-
tingen Physik studiert hatte, war Internationalität das Nor-
malste auf der Welt, war aber immer auch Spontaneität und
Offenheit ein fragloses Element der Existenz. Daß wir Jün-
geren ihn drängen mußten, seine Erinnerungen an die drei-

ßiger Jahre schriftlich festzuhalten (daraus wurde sein Buch
«Bei uns im Rabenhaus»), war typisch; für ihn waren diese
Erinnerungen ein Bestandteil seines Lebens, eigentlich kaum
der Rede wert, für uns aber Information aus erster Hand
über einen Zeitabschnitt, der schon ein Vierteljahrhundert
später in dummen Klischees zu versinken drohte. Humm war
und blieb ein Einzelgänger, aber – wie es François Bondy
später im Nachwort zur Buchausgabe einer Auswahl von
Betrachtungen aus seiner Ein-Mann-Zeitschrift «Unsere Meinung» sagte – ein Einzelgänger, von dem immer eine «gesell-
schaftsbildende Kraft» ausging.
Und da konnte man dann auch fast zufällig auf das Buch
stoßen, das wohl das wichtigste der deutschsprachigen
Schweiz der dreißiger Jahre bleiben dürfte, das wichtigste
zwischen Robert Walser und Max Frisch: Humms Roman
«Die Inseln»: ein – wenn man so will – «nouveau roman
avant la lettre», geschrieben 1929/30, im Manuskript bereinigt 1934/35, erstmals erschienen 1936, von allen Zeitgenossen verpaßt, von Literaturkritikern wie von Schriftsteller-
kollegen, aber dreißig Jahre später mit Überraschung und
Entzücken von uns jüngern Autoren wiederentdeckt. Begeisterung bei Martin Walser («Ihr gewaltloser Umgang mit
der Erinnerung, das hat mich gefesselt») oder Gerda Zeltner-
Neukomm, die nun nicht mehr die Schriftführerin der Päpste
der Stilkritik, sondern die sachkundige Deuterin des «Nouveau roman» war: «Ich freue mich an seiner avantgardisti-
schen Struktur..., seiner Liebe zu den Worten, die hier etwas anderes, Ursprünglicheres, meinen als bloße Mitteilung.»
Nachdem ich «Die Inseln» im Feuilleton des «Volksrechts»
neu gedruckt hatte, kam es 1968 auch zu einer Neuausgabe

in Buchform; sie wurde von der Nachkriegsgeneration gefeiert, «als wär's ein Stück von uns».

Was den Klassizismus anbelangt, der aus der Stilkritik her-
vorging, die zu meiner Studentenzeit die Universität be-
herrschte (ob notwendigerweise oder nicht, bleibe dahinge-
stellt), so hat er die erwähnte «verschlankte» Neuausgabe
von Zollinger-Gedichten hervorgebracht (der, glücklicherweise, ein halbes Jahrzehnt später eine Fast-Gesamtausgabe
folgte) und schließlich eine Gesamtausgabe des Oeuvres von
Werner Zemp. Zur Kenntnis des literarischen Zürichs in der
ersten Hälfte dieses Jahrhunderts aber hat er – was auch immer seine Verdienste sonst gewesen sind – nichts beigetragen;
wo, aus gebotenem Zufall, so etwas versucht wurde, geriet
der Versuch ins Groteske (so eine Lobrede Emil Staigers auf
Hans Roelli). Hingegen hat sich von dieser Seite her ein
spannender Emanzipationsprozeß vollzogen, der sich Schritt
für Schritt in den sich folgenden Lyrikbänden von Erwin
Jaeckle und Urs Martin Strub gewissermaßen seismogra-
phisch ablesen läßt. Im gleichen Jahr, da die erste neue Zol-
linger-Auswahl den Dichter aufs Zeitlose hin purgierte, über-
raschte Erwin Jaeckle mit Gedicht-Einsätzen wie: «Glaubt
einer noch, daß Mendès-France / Das Herz Napoleons ret-
te?» Und Urs Martin Strub hatte eben in seinem Band «Die
Wandelsterne» eine überzeugende neue Art von surrealer
Universalität erobert, die über alle Anklänge von Vollendung zwischen «West-östlichem Divan» und «Nachsommer»
wandelsternweit hinausgewachsen war. Der Vereinsamung
Werner Zemps in seinen letzten Lebensjahren entsprach die
– besonders für seine einstigen Schüler und Freunde – noch
bestürzendere Vereinsamung, die sich in Emil Staigers Lite-

raturpreisrede von 1966 manifestierte («Dein Ernst war ergreifend», sagte Max Frisch, Freund früherer Tage, nicht hämisch, sondern traurig-erschrocken).

Für uns Autoren einer jüngern Generation, die etwa bei Kriegsende an die Öffentlichkeit zu treten begann, waren «Die Inseln» von R. J. Humm zunächst das einzige Werk älterer Kollegen, das eine Brücke schlug zum literarischen Zürich vor 1939 – immer abgesehen von Zollinger und von dem mit Zürich kaum mehr verbundenen Ludwig Hohl, zwei Autoren also, die zunächst nur als Gerücht existierten. Weder wurde die Bedeutung von Hans Arp – auch – als Portalfigur der Lyrik dieses Jahrhunderts im Rabenhaus entdeckt, noch wurde die Bedeutung von Max Rychner oder Carl J. Burckhardt – auch – als Dichter im Umkreis von Emil Staiger und Werner Zemp wahrgenommen; zu schweigen von Außenseitern wie Adrien Turel oder Friedrich Glauser. Da blieb für uns die Wiederentdeckung fast ohne daß die Einschätzung dieser Kollegen der ältern Generation auf uns tradiert worden wäre (und diese Wiederentdeckungen waren oft allzu zufällig).

10

Am fernsten lag für manchen von uns ein neuer Zugang zu jenen Autoren der Zwischenkriegszeit, die ich bei meiner grobmaschigen Kennzeichnung die «Bürger Alemanniens» genannt habe (die Bezeichnung hat später, als keinerlei ungute Mißverständnisse mehr zur Hand waren, Emil Arnet am häufigsten gebraucht), zu jenen Autoren, für die das zitierte Urteil der «Vossischen Zeitung» über Traugott Vogels

Roman «Der blinde Seher» gelten mochte, hier ringe ein Autor «mit alemannischer Zähigkeit um die eidgenössische Seele». Denn hier lag die Mutmaßung, es handle sich um Literatur der «geistigen Landesverteidigung», die nach 1945 ihren Sinn verloren habe, am nächsten. Mich mögen persönliche Erinnerungen dazu bewogen haben, dieses Vorurteil nicht für bare Münze zu nehmen. Jedenfalls brauchte es eine geduldige Vertiefung in dieses literarische Schaffen, um die Untauglichkeit des Vorurteils zu erkennen. Spätestens die Publikation der Briefe von Albin Zollinger an Traugott Vogel hätte eine Revision der Meinung herbeiführen müssen, hätte der nachfolgenden Generation bewußt machen können, daß sie es hier keineswegs mit gefälligen Heimat-Vergoldern zu tun hatte – so wenig Ramuz mit Heer oder Trenker in Zusammenhang gebracht werden kann.

Alemannien: das war gewiß nicht Großstadtlandschaft, aber es war auch nicht eine unglaubwürdig gewordene Dörfli-Welt; das war die Vorstadt-Landschaft von Lehm und Dreck und Treibhäusern und Riet und Kiesgruben, die Landschaft allenfalls von Holunder und Phlox (die immer wiederkehrende Blume bei Vogel und Zollinger und Arnet), aber nicht die Landschaft von Edelweiß und Alpenglühen, die Landschaft bäurischer Menschen im Sog der Stadt, aber nicht die Landschaft heimatlobender Männerchöre. Hier waren Vorurteile allzu leicht zur Hand, und die leichten Vorurteile haben die charakteristische Schwere der in diesen Werken evozierten Welt allzu oft verdeckt. Humm hat später von einem «schweizerischen Verismus» gesprochen («Bei uns im Rabenhaus»), und das mag die Etikette sein, die der Eigenart dieser Literatur am nächsten kommt.

Ich spreche vom literarischen Zürich, das heißt: Vogel, Zollinger, Arnet, heißt auch Albert J. Welti («Steibruch»), Arnold Kübler («Öppi von Wasenwachs»), Kurt Guggenheim («Riedland»), Paul Adolf Brenner und Albert Ehrismann. Diesen Autoren war der Unterschied zu den Fabrikanten heimatseliger Comic-Strips von «Chämifäger Bodemaa» bis Ernst Balzli ebenso bewußt wie der Unterschied zur offiziösen Schweiz und zur Literaturkritik dieser offiziösen Schweiz. Vogels Grenzbesetzungserzählungen «De Baschti bin Soldate» sind um keine Spur mehr «geistige Landesverteidigung» als die «Blätter aus dem Brotsack» des jungen Max Frisch. Und Vogels mehrfach sich ausdrückende Beschäftigung mit Heinrich Pestalozzi hat das Gegenbild einer «andern» Schweiz als der «Igel»-Schweiz immer wieder heraufbeschworen; der Dichter und der Lehrer war immer auch ein kritischer Zeitgenosse. Zollinger hat seinem Unmut über die schweizerische Mitwelt und den Gang der Geschichte in Deutschland pointierter ausgedrückt; wenn Vogel den Unmut zu dämpfen suchte, kam doch nie eine Spur von Optimismus auf, sondern eher die Gelassenheit (und zuweilen auch Bitterkeit) eines naturhaften Pessimismus, eines Bewußtseins von Tragik, gegen die es keine Auflehnung geben konnte, einer Ahnung von Gericht.

In einer nach dem Krieg entstandenen Erzählung («Silka oder Das tödliche Erwachen» im Band «Flucht ins Leben») erzählt Traugott Vogel von Begegnungen im zusammenbrechenden Deutschland. Und da steht der Satz: «Es war im Jahre 1943, als die Verbündeten ... die deutschen Städte mit Bomben aufzupflügen begannen.» Und von «glühenden Kraterausbrüchen», von «Erdfontänen» ist die Rede, angesichts

der Bombardierung einer deutschen Stadt, und nachher vom
plötzlichen Aufblühen einer weißen Palmlilie in den Ruinen;
die Schmiegsamkeit einer durch die fallenden Bomben einge-
schüchterten jungen Frau erinnert ihn «an die so überaus an-
fälligen Seidenwürmer», und ein neuer Bombenangriff hin-
terläßt ein «Blutmeer». Wie hier Akte der Geschichte ins Ve-
getativ-Bäurische zurückgenommen werden, in Formulierun-
gen, die sich von Schilderungen Ernst Jüngers nur noch durch
das Fehlen der mindesten herrischen Geste unterscheiden:
auch das gehört zu jenem Alemannien der Lehmgruben, Gärt-
nereien und Steinbrüche, jenem Alemannien, in dem ein
Sträußchen Phlox die Freundlichkeit unter Menschen bezeugt
und doch die Einsamkeit der Menschen nicht aufhebt.
Und Alemannien ist natürlich nur ein zufälliger Name dieser
Welt. Sie kann auch Irland heißen, oder Oklahoma. Traurig
nur, daß wir sie dort, wo sie Alemannien heißt, bisher am
wenigsten erkannt haben.

11

«Das bebende Mädchen wußte, daß er verloren war. Er würde mit erstorben erkaltetem Herzen in den Untergang wan-
ken, und am Tage träfe die Nachricht ein, er sei erfroren
aufgefunden worden, mit den dunklen Augen ins Tageslicht
starrend, die Hände durch die Hosentaschen hindurch um
sein Geschlecht gelegt, das ihm so viel zu schaffen gemacht
und das er umsonst im Trunke zu meistern versucht hatte.»
So lautet eine Stelle in einer der späten Novellen Traugott
Vogels, «Das Erbteil», von der ich weiß, daß sie ihm besonders wichtig war. Anderswo auf dieser Welt hieß solche Ah-

nung und Erfahrung «Desire under Elms» («Gier unter Ulmen»).

Der alemannische Verismus ist nicht nur durch die Vorstadtlandschaft der Lehm- und Kiesgruben geprägt worden, sondern auch durch einen lastenden Puritanismus; er ist in Vogels Schaffen gegenwärtig vom ersten bis zum letzten Buch, und er ist verwandt dem Puritanismus, der die amerikanische Literatur mitbestimmt hat, verwandt auch dem katholischen Puritanismus bei O'Casey oder Lorca.

Und der Puritanismus der Schweizer Literatur – ein Thema, das einmal zu behandeln wäre – beschränkt sich nicht auf die «Bürger Alemanniens»; die «Klassizisten» sind ebenso von ihm geprägt (Zemp evoziert in seinen Gedichten ein puritanisches Bild der Antike, Staiger über drei Bände ein puritanisches Goethe-Bild). Und der urbane Humm sagt in den «Inseln»: «In seinem Haus (dem Vaterhaus in Modena) war es sündhaft, von der Sexualität zu sprechen. Und in seinem Haus war es sündhaft, vom Reichtum zu sprechen.»

Griffige Schlagworte wie jenes vom «Unbehagen im Kleinstaat» haben auch dieses Problem zugedeckt; denn das puritanische Erbe, mit dem sich viele Schweizer Schriftsteller (oder, genauer gesagt: ihre Figuren) so schwer tun, ist ganz und gar keine Frage der Kleinstaatlichkeit.

Unüberhörbar ist die Parallele zwischen der schweizerischen Literatur und der Literatur der Vereinigten Staaten: «Sie sind nicht rein genug, daß ich Sie ins Haus meiner Mutter führen könnte!» Wo wird dieser Satz gesprochen? Bei Traugott Vogel, Eugene O'Neill, Edwin Arnet, Tennessee Williams?

393

12

Eine Brücke zwischen der ältern und der jüngern Schweizer Literatur schlug Traugott Vogel in sehr persönlicher Weise – man müßte sagen: einen Brücken-Bogen. Von 1950 bis 1964 gab er im St. Galler Tschudy-Verlag die Reihe «Der Bogen» heraus, insgesamt 77 Hefte, wozu dann noch 4 Bändchen der «Blatt-Reihe» kamen. Da ich zur gleichen Zeit im gleichen Verlag die Zeitschrift für neue Dichtung «hortulus» und die Reihe der «Quadrat-Bücher» herausgab, kam es zu neuen Berührungspunkten und Gesprächen.

Die Zielsetzungen und Auswahlkriterien der verschiedenen Editionen deckten sich nicht in jedem Fall, sie waren bei Traugott Vogel wie bei mir immer durch die Optik persönlicher Teilnahme mitbestimmt; aber es war doch ein Bereich der Gemeinsamkeit da, der dazu führte, daß man sich ergänzte und stützte. Es gab neue Autoren, um die wir uns beide bemühten, so Hans Boesch, Max Bolliger, Susi Bürdeke, Erika Burkart, Ernst Eggimann, Peter Lehner, Jörg Steiner, Heinz Weder, Gertrud Wilker. Für sie ist es von besonderer Bedeutung gewesen, daß mit Traugott Vogel auch ein schweizerischer Schriftsteller der «Vatergeneration» an ihrem literarischen Debut ermutigend teilnahm.

Daneben standen die Autoren der ältern Generation, die es vor dem Vergessen zu bewahren, einer nachwachsenden Leserschaft zu erschließen galt. Die ersten drei «Bogen» brachten 1950 Texte von Hermann Hesse, Albin Zollinger, Robert Walser – und bei keinem der drei war damals von einer Gesamtausgabe die Rede. Mit Zollingers Novelle «Labyrinth der Vergangenheit» wurde ein Akzent auf die dichterisch geglückteste antifaschistische Erzählung der Schweizer Literatur gesetzt (und schon diese Novelle, 1936 erstmals in Zollingers damaliger Zeitschrift «Die Zeit» gedruckt, hätte die Literaturgeschichte vor dem Vorurteil bewahren müssen, Zollinger zähle in erster Linie als Lyriker). Zur Publikation in der Zeitschrift «hortulus» hat mir Traugott Vogel damals Zollingers Szenario «Opera buffa» übergeben (das in der Gesamtausgabe fehlt). Es gab Berührungspunkte, gemeinsame Vorliebe für Regina Ullmann, Karl Schölly, Ludwig Hohl, Adrien Turel und vor allem Edwin Arnet.

Es zeugt für Offenheit und gerechtes Augenmaß, daß Traugott Vogel zum Beispiel auch Eduard Korrodi zweimal im «Bogen» durch Textpublikationen würdigte, während doch in den Briefen Zollingers, die er einige Jahre früher publiziert hatte, Korrodi fast nur als Gegenstand von Wut und Hohn erschienen war.

13

Ein besonderes Wort ist nötig zu Edwin Arnet. Er war für Traugott Vogel nicht ein Autor neben andern, den er auch edierte; er war ihm freundschaftlich verbunden. Und meine Begegnungen mit Arnet wurden damals, während der fünfziger Jahre, auch immer persönlicher, freundschaftlicher, herzlicher. Edwin Arnet und seine poetischen Visionen hatten Freundschaft und Treue nötig. Während andere sich von ihm abwandten, als er nicht mehr den ehrfurchtgebietenden Sitz als Lokalredaktor der «Neuen Zürcher Zeitung» einnahm («Si händ mer nödemool Blueme ufs Pult gstellt», sagte er mir am Nachmittag nach seinem Abschied an der Falkenstraße) und sich zeitweise der Obhut des Arztes und Dich-

ters Urs Martin Strub in der Klinik Kilchberg unterstellen mußte, haben Traugott Vogel und ich, jeder auf seine Weise, ihn zur Niederschrift, zur Vollendung, zur Publikation seiner letzten – und vielleicht wichtigsten – Arbeiten ermutigt und zuweilen freundschaftlich gedrängt. Ohne Traugott Vogel wären mindestens Arnets «Gedichte des Tagebuchs» («Bogen» 56) nicht veröffentlicht, seine Erzählung «Die große Kälte» («Blatt-Reihe» 1) nicht fertig geschrieben worden, und ohne meine Begeisterung gerade an dieser Arbeit wäre sein surreales Film-Szenario «Die Möwen von Zürich» («Quadrat-Bücher» 9) ein kleines Fragment geblieben.
Die Eindringlichkeit und Exaktheit surrealistischer Bilder hat bei keinem andern Zürcher Dichter so viel an alemannischer Welt aufgehoben wie bei Edwin Arnet, in frühern Büchern schon, am gültigsten aber in seinen letzten Arbeiten. Wir beide bekamen damals den Vorwurf zu hören, wir hätten Arnet noch zu Publikationen gedrängt, «wo er doch schon zeitweilig eine nervenärztliche Behandlung nötig hatte», und solche Einwände sollten auch gleich die überraschenden surrealen Bilder als Ausdruck von «Krankheit» abwerten. Wer so aburteilte, hatte nicht nur kein Verständnis für das erhellende Wesen surrealistischer Poesie, sondern wohl auch kein Verständnis für die Existenz dieses sensiblen Menschen und seine männliche Schwermut.
Es war an einem schwülen Spätsommertag 1961, als wir Edwin Arnet in Rüschlikon besuchten (für mich war es das letzte Mal, daß ich ihn sah). Wenn ich mich recht erinnere, waren es Karl Kuprecht, Susi Bürdeke, Traugott Vogel und ich. Man traf sich in einer schattigen Gartenwirtschaft in Wollishofen (oder war es schon Kilchberg?). Was ich noch

genau vor Augen habe: Vogel trug Sandalen (was einem
bei einem Mann seines Alters damals immer noch auffiel),
und sein Kopf war rot von der Hitze. Arnet trafen wir in
einem Café in Rüschlikon. Trotz des schwülen Wetters habe
er nach dem Mittag etwas schlafen können. Er rühmte die
Fürsorge von Urs Martin Strub. Man spürte, wie er in den
Bildern immer ganz präsent war, auch wenn er gelegentlich
ein Wort nicht mehr sofort fand. Es war ein kurzes, friedliches Gespräch (längeres Sprechen hätte Arnet zu sehr an-
gestrengt). Geblieben ist mir vor allem dies: es war ein hei-
ßer, schwüler Tag; wir alle schwitzten; das Bändchen aber,
in das mir Arnet damals eine Widmung schrieb, sein letztes,
hieß «Die große Kälte», erzählte das Hereinbrechen einer
neuen Eiszeit.

14

Daß Edwin Arnet gewiß einmal noch neu entdeckt werde:
darüber – und über vieles sonst – sprach ich mit Traugott
Vogel, als ich ihn im Herbst des letzten Jahres in seinem
Haus an der Luegete in Witikon besuchte. Ich hatte das Manuskript dieses seines Erinnerungsbuches bekommen. Es trug
damals noch den Titel «Strandgut der Zeit» (unter diesem
Titel waren auch Leseproben erschienen in Dieter Fringelis
Anthologie «Gut zum Druck»). Es ging darum, über das weitere Schicksal dieses Manuskripts zu reden – aber die gemeinsamen Erinnerungen gingen bald darüber hinaus.
Es war, das wurde mir bewußt, viel Einsamkeit um diesen
Mann, der am literarischen Leben während Jahrzehnten so
viel Anteil gehabt hatte, und gelegentlich war im Gespräch

auch etwas von Müdigkeit und Resignation. Aber wir planten, das Gespräch fortzuführen. Daß das Erinnerungsbuch in diesem Jahr bei Orell Füßli (einem seiner frühesten Verlage) erscheine, hat er noch erfahren. Doch das Erscheinen kann er nicht mehr erleben.

Für den Leser wird, so glaube ich, der Gewinn reich sein: weil dieses Buch hinter den Fakten die Motivationen und Gesinnungen freilegt und manches wieder näher bringt, was auf den ersten Blick schon weit in die Vergangenheit gerückt scheint.

Die schönste Charakterisierung dieses Mannes, der da so viel aus seinem Leben berichtet, was Teil des literarischen Zürich in diesem Jahrhundert war, hat Albin Zollinger gefunden: Traugott Vogel sei «sohwer von Güte und Zartheit».

Hans Rudolf Hilty

Werkverzeichnis Traugott Vogel

Romane und Erzählungen

Unsereiner; Roman. Grethlein Leipzig, 1924
Ich liebe, du liebst; Roman. Orell Füssli Zürich, 1926
Der blinde Seher; Roman. Grethlein Leipzig, 1930
Leben im Grund oder Wehtage der Herzen; Roman. Büchergilde Gutenberg Zürich, 1938 (illustriert von Fritz Buchser)
Nachtschatten; 2 Erzählungen. Büchergilde Gutenberg Zürich, 1940
Hans und Hanna auf dem Lande; eine frohe Geschichte. Evang. Verlag Zollikon-Zürich, 1942
Anna Foor; Roman. Atlantis Zürich, 1944
Eins zu sieben; eine Erzählung für besinnliche Leser. Evang. Verlag Zollikon-Zürich, 1945
Das Alpinum; Erzählung. Artemis Zürich, 1949 (illustriert von Hanny Fries)
Schuld am Glück; Erzählungen. Tschudy St. Gallen, 1951
Flucht ins Leben; Erzählungen. Tschudy St. Gallen, 1961 (illustriert von Felix Hoffmann)
Die verlorene Einfalt; Bekenntnisse eines Lehrers, Roman. Stocker-Schmid Dietikon, 1964

Spiele

Wachsendes Glück; ein festliches Spiel. Zwingli Zürich, 1939
Gespräch am Abend; Pestalozzi im Töchterinstitut zu Iferten; Gesprächsfolge in 1 Aufzug. Pestalozzianum Zürich, 1946
Ein Segenstag; ein Pestalozzispiel. Theodor Gut & Co. Zürich, 1946
Ring und Silberdolch; Kammerspiel in 5 Bildern. Volksverlag Elgg, 1957

Mundart

Dokter Schlimmfürguet; es Märlistuck. Orell Füssli Zürich, 1922
De Schnydertraum; ein lustig Spiel mit ernstem Sinn. Zwingli Zürich, 1939
De Baschti bin Soldate; sächs Pletter ab em Gschichtebaum. Büchergilde Gutenberg 1942 (illustriert von Fritz Deringer)
Vaterland und Muttersprache; ein Wort zum Preise der Mundart. Artemis Zürich, 1944 (illustriert von Isa Hesse)
De Läbesbaum; Gschichten us em Züripiet. Büchergilde Gutenberg Zürich, 1952 (illustriert von Erich Müller)

Täilti Liebi; Gschichten us em Züripiet. Sauerländer Aarau, 1961
Hüt und früener; nöiji Gschichten us em Züripiet. Sauerländer Aarau, 1966

Jugendliteratur

Peter Zupf; Erzählung. Schweiz. Radfahrerbund Zürich, 1921
Die Tore auf! Märchen. Orell Füssli Zürich, 1927 (illustriert von Hertha von Gumppenberg)
Zirkus Juhu oder Tiermensch und Menschentier; Puppenspiel. Orell Füssli Zürich, 1928 (illustriert von Ernst Gubler)
Elastikum der Schlangenmensch; vier Geschichten aus dem Leben eines braven Landstreichers. Gundert Stuttgart, 1933
Spiegelknöpfler; Die Geschichte eines Jugendklubs. Sauerländer Aarau, 1932 (Bd. 1), 1934 (Bd. 2) und 1942
Kuhhandel und *Der gestiefelte Kater;* 2 Puppenspiele. Tschudi Glarus, 1935, 1949
Der Engelkrieg; eine Geschichte für die reife Jugend. Atlantis Zürich, 1939
Augentrost und Ehrenpreis; Geschichten fürs junge Gemüt. Sauerländer Aarau, 1944 (illustriert von Fritz Deringer)
Der rote Findling; Erzählung für die reife Jugend. Sauerländer Aarau, 1955 (illustriert vom Verfasser)

Erschienen im Schweizerischen Jugendschriftenwerk (SJW) Zürich:
Die Schlacht im Ried; Erzählung. 1922
Der Menschenvogel; eine sagenhafte Geschichte. 1946
Die Diebskirche und *Der rote Ball;* 2 Erzählungen. 1963
Lis, los und lach; e luschtigi Schnabelwäid für urchig Lüüt. 1964
Der Schatz im Garten und *Milli und der Schelm;* 2 Erzählungen. 1965
Der Glühbirnenbaum und andere Erzählungen. 1970

Erschienen in der Reihe Schweizer Schulbühne, Sauerländer Aarau:
Die erste Sprosse; kleines Wettspiel zwischen Himmel und Hölle. 1952

Verschiedenes

Kindertheater in der Schule. Pestalozzianum Zürich, 1935.
Regine im Garten oder Das Gemüsejahr; Anbau-Briefe von Feld zu Feld. Atlantis Zürich, 1941

Fritz Deringer als Zeichner. Der Bogen, Heft 7, Tschudy St. Gallen, 1950
Ein gülden Abc. Aldus Manutius Zürich, 1951
Die schönsten Bergblumen. Hallwag Bern, 1953 (Zeichnungen von Pia Roshardt)
Der heitere Claudius. Aldus Manutius Zürich, 1957
Besuch bei Karl Landolt. — Brief Ernst Gublers an Karl Landolt. Haller & Jenzer Burgdorf, 1966

T. V. als Herausgeber

Samstag elf Uhr; Vorlesebuch. Sauerländer Aarau, 1936 (Zeichnungen von Walter Binder)
Schwyzer Schnabelweid; e churzwyligi Heimedkund i Gschichten und Prichten us allne Kanton. Sauerländer Aarau, 1938
Der Bogen; eine Reihe dichterischer Kleinwerke. Tschudy St. Gallen, 1950—1964, 77 Hefte
Emil Burki: Vorwiegend bewölkt; Holzschnittmappe. Lüssi & Co. Zürich, 1953
Briefe an einen Freund. Albin Zollinger an Traugott Vogel. Tschudy St. Gallen, 1955
Holzschnitte, Künstler der Gegenwart, Band I: Schweiz. Engel Bern, 1956
Hausbuch des Tschudyverlags. Tschudy St. Gallen, 1958

Personenverzeichnis

An dieser Stelle sei Magdalena Vogel und Hans Rudolf Keller für das Lesen des Umbruchs und für die Erstellung des Personenverzeichnisses sowie Dr. Hans Rudolf Hilty für seine Bemühungen um das Manuskript und für seinen Essay «Ein Bürger Alemanniens» herzlich gedankt.